ACPI ITEM
S0-BWT-280
DISCARDED

Стивен

# Кинг

# Ночная смена

Москва
1999

ББК 84 (7США)
К41

Stephen King
NIGHT SHIFT
1978

*Перевод с английского*

*Серийное оформление – Александр Кудрявцев*

*В оформлении обложки использована работа, предоставленная агентством Томаса Шлюка*

Печатается с разрешения издательства
Doubleday, a division of Bantam Doubleday
Dell Publishing Group, Inc.
c/o Andrew Nurnberg Associates Limited.



**Кинг С.**

К41 Ночная смена: Рассказы и повести / Пер. с англ. – М.: ООО «Фирма «Издательство АСТ», 1999. – 464 с.

ISBN 5-237-00863-1

Вы решились пуститься в странствие по закоулкам кошмаров, таящихся за гранью реальности, и эта книга – ваш путеводитель по миру, населенному кромешным ужасом. За поворотом дороги – маленький городок, где дети из чудовищной пуританской секты убивают всех, кто достиг "возраста искушения" – девятнадцати лет... Новый поворот – и вот оно, придорожное кафе, где горстка смельчаков бьется с обретшими разум автомобилями, несущими смерть всему живому... И опять дорога делает поворот – в школу возвращаются мертвые, возвращаются с жаждой убийства, и надо продать душу дьяволу, чтобы дьявола победить...

Читайте бестселлер Стивена Кинга "Ночная смена" – и вам станет по-настоящему страшно!

# ПРЕДИСЛОВИЕ*

На вечеринках (коих я, по мере возможности, стараюсь избегать) меня часто одаривают улыбками и крепкими рукопожатиями самые разные люди, которые затем с многозначительно таинственным видом заявляют:

— Знаете, мне всегда хотелось писать.

Я всегда пытался быть с ними вежливым.

Но теперь с той же ликующе-загадочной ухмылкой отвечаю им:

— А мне, знаете ли, всегда хотелось быть нейрохирургом.

На лицах тут же возникает растерянность. Но это не важно. Кругом полно странных растерянных людей, не знающих, куда себя приткнуть и чем заняться.

Если вы хотите писать, то пишите.

И научиться писать можно только в процессе. Не слишком пригодный способ для освоения профессии нейрохирурга.

Стивен Кинг всегда хотел писать, и он пишет.

И он написал «Кэрри», и «Жребий», и «Сияние», и замечательные рассказы, которые вы мо-

---

* Introduction, by John D.MacDonald. © 1998. Н. Рейн. Перевод с английского.

жете прочесть в этой книжке, и невероятное количество других рассказов, и романов, и отрывков, и стихотворений, и эссе, а также прочих произведений, не подлежащих классификации, и уж тем более, по большей части, — публикации. Слишком уж отталкивающие и страшные описаны там картины.

Но он написал их именно так.

Потому что другого способа написать об этом просто не существует. Не существует, и все тут.

Усердие и трудолюбие — прекрасные качества. Но их недостаточно. Надо обладать вкусом к слову. Упиваться, обжираться словами. Купаться в них, раскатывать на языке. Перечитать миллионы слов, написанных другими.

Читать все, что только не попадет под руку, с чувством бешеной зависти или снисходительного презрения.

А самое яростное презрение следует прибегать для людей, скрывающих свою полную беспомощность и бездарность за многословием, жесткой структурой предложения, присущей германским языкам, неуместными символами, а также абсолютным отсутствием понимания того, что есть сюжет, исторический контекст, ритм и образ.

Только начав понимать, что такое вы сами, вы научитесь понимать других людей. Ведь в каждом первом встречном есть частичка вашего собственного «я».

Ну вот, собственно, и все. Итак, еще раз, что нам необходимо? Усердие и трудолюбие плюс любовь к слову, плюс выразительность — и вот из всего этого с трудом пробивается на свет Божий частичная объективность.

Ибо абсолютной объективности не существует вообще...

И тут я, печатающий эти слова на своей голубой машинке и дошедший уже до второй страницы этого предисловия и совершенно отчетливо представлявший сначала, что и как собираюсь сказать, вдруг растерялся. И теперь вовсе не уверен, понимаю ли сам, что именно хотел сказать.

Прожив на свете вдвое дольше Стивена Кинга, я имею основания полагать, что оцениваю свое творчество более объективно, нежели Стивен Кинг свое.

Объективность... о, она вырабатывается так медленно и болезненно.

Ты пишешь книги, они расходятся по миру, и очистить их от присущего им духа, как от шелухи, более уже невозможно. Ты связан с ними, словно с детьми, которые выросли и избрали собственный путь, невзирая на все те ярлыки, которые ты на них навешивал. О, если бы только это было возможно — вернуть их домой и придать каждой книге дополнительного блеска и силы!.. Подчистить, подправить, страницу за страницей. Углубить, перелопатить, навести полировку, избавить от лишнего...

Но в свои тридцать Стивен Кинг куда лучший писатель, нежели был я в свои тридцать и сорок.

И я испытываю к нему за это нечто вроде ненависти — так, самую малость.

И еще, мне кажется, знаю в лицо целую дюжину демонов, попрятавшихся в кустах вдоль тропинки, которую он избрал, но даже если бы у меня и существовал способ предупредить его об этом, он бы все равно не послушался. Тут уж кто кого — или он их, или они его.

Все очень просто.

Ладно. Так о чем это я?..

Трудолюбие, любовь к слову, выразительность, объективность... А что еще?

История! Ну конечно, история, что же еще, черт побери!

История — это нечто, случившееся с тем, за кем вы наблюдаете и к кому неравнодушны. Случиться она может в любом измерении — физическом, ментальном, духовном. А также в комбинации всех этих трех измерений.

И без вмешательства автора.

А вмешательство автора — это примерно вот что: «Бог мой, мама, ты только посмотри, как *здорово* я пишу!»

Другого рода вмешательство — чистой воды гротеск. Вот один из любимейших примеров, вычитанных мной из прошлогоднего сборника бестселлеров: «Его глаза скользнули по передней части ее платья».

Вмешательство автора — это глупая или неуместная фраза, заставляющая читателя тут же осознать, что он занят процессом чтения, и оторвать его тем самым от истории. У бедняги шок, и он тут же забывает, о чем шла речь.

Другой разновидностью авторского вмешательства являются эдакие мини-лекции, включенные в ткань повествования. Кстати, один из самых прискорбных моих недостатков.

Образ должен быть выписан точно, содержать неожиданное и меткое наблюдение и не нарушать очарования повествования. В этот сборник включен рассказ под названием «Грузовики», где Стивен Кинг рисует сцену напряженного ожидания в авторемонтной мастерской и описывает собравшихся там людей. «Коммивояжер, он ни на секунду не расставался с заветным чемоданчиком с образцами. Вот и теперь чемоданчик лежал у его ног, словно любимая собака, решившая вздремнуть».

Очень, как мне кажется, точный образ.

В другом рассказе он демонстрирует безупречный слух, придавая диалогу необыкновенную живость и достоверность. Муж с женой отправились в долгое путешествие. Едут по какой-то заброшенной дороге. Она говорит: «Да, Берт, я знаю, что мы в Небраске, Берт. И все же, куда это нас, черт возьми, *занесло*?» А он отвечает: «Атлас дорог у тебя. Так погляди. Или читать разучилась?»

Очень хорошо. И так просто и точно. Прямо как в нейрохирургии. У ножа имеется лезвие. Ты держишь его соответствующим образом. И делаешь надрез.

И наконец, рискуя быть обвиненным в иконоборчестве, должен со всей ответственностью заявить, что мне абсолютно плевать, какую именно тему избирает для своего творчества Стивен Кинг. Тот факт, что он в данное время явно упивается описанием разных ужасов из жизни привидений, ведьм и прочих чудовищ, обитающих в подвалах и канализационных люках, кажется мне не самым главным, когда речь заходит о практике его творчества.

Ведь вокруг нас происходит немало самых ужасных вещей. И все мы — и вы, и я — ежечасно испытываем сумасшедшие стрессы. А детишками, в душах которых живет зло, можно заполнить Диснейленд. Но главное, повторяю, это все-таки история.

Взяв читателя за руку, она ведет его за собой. И не оставляет безразличным.

И еще. Две самые сложные для писателя сферы — это юмор и мистика. Под неуклюжим пером юмор превращается в погребальную песнь, а мистика вызывает смех.

Но если перо умелое, вы можете писать о чем угодно.

И похоже, что Стивен Кинг вовсе не собирается ограничиться сферой своих сегодняшних интересов.

Стивен Кинг не ставит целью доставить удовольствие читателю. Он пишет, чтоб доставить удовольствие себе. Я — тоже. И когда такое случается, результат нравится всем. Истории, доставляющие удовольствие Стивену Кингу, радуют и меня.

По странному совпадению, во время написания этого предисловия я вдруг узнал, что роман Кинга «Сияние» и мой роман «Кондоминиум» включены в список бестселлеров года. Не поймите превратно, мы с Кингом вовсе не соревнуемся в борьбе за внимание читателя. Мы с ним, как мне кажется, конкурируем с беспомощными, претенциозными и псевдосенсационными произведениями тех, кто так и не удосужился научиться своему ремеслу.

Что же касается мастерства, с которым создана история, и удовольствия, которое вы можете получить, читая ее, то не так уж много у нас Стивенов Кингов.

И если вы прочли все это, надеюсь, что времени у вас достаточно. И можно приступить к чтению рассказов.

Джон Д. Макдональд

# К ЧИТАТЕЛЮ*

Давайте поговорим. Давайте поговорим с вами о страхе.

Я пишу эти строки, и я в доме один. За окном моросит холодный февральский дождь. Ночь... Порой, когда ветер завывает вот так, как сегодня, особенно тоскливо, мы теряем над собой всякую власть. Но пока она еще не утеряна, давайте все же поговорим о страхе. Поговорим спокойно и рассудительно о приближении к бездне под названием безумие... о балансировании на самом ее краю.

Меня зовут Стивен Кинг. Я взрослый мужчина. Живу с женой и тремя детьми. Я очень люблю их и верю, что чувство это взаимно. Моя работа — писать, и я очень люблю свою работу. Романы «Кэрри», «Жребий», «Сияние» имели такой успех, что теперь я могу зарабатывать на жизнь исключительно писательским трудом. И меня это очень радует. В настоящее время со здоровьем вроде бы все в порядке. В прошлом году избавился от вредной привычки курить крепкие сигареты без фильтра, которые смолил с восемнадцати лет, и перешел на сигареты с

---

* Foreword. © 1998. Н. Рейн. Перевод с английского.

фильтром и низким содержанием никотина. Со временем надеюсь бросить курить совсем. Проживаю с семьей в очень уютном и славном доме рядом с относительно чистым озером в штате Мэн; как-то раз прошлой осенью, проснувшись рано утром, вдруг увидел на заднем дворе оленя. Он стоял рядом с пластиковым столиком для пикников. Живем мы хорошо.

И однако же поговорим о страхе. Не станем повышать голоса и наивно вскрикивать. Поговорим спокойно и рассудительно. Поговорим о том моменте, когда добротная ткань вашей жизни вдруг начинает расползаться на куски и перед вами открываются совсем другие картины и вещи.

По ночам, укладываясь спать, я до сих пор привержен одной привычке: прежде чем выключить свет, хочу убедиться, что ноги у меня как следует укрыты одеялом. Я уже давно не ребенок, но... но ни за что не засну, если из-под одеяла торчит хотя бы краешек ступни. Потому что если из-под кровати вдруг вынырнет холодная рука и ухватит меня за щиколотку, я, знаете ли, могу и закричать. Заорать, да так, что мертвые проснутся. Конечно, ничего подобного со мной случиться не может, и все мы прекрасно это понимаем. В рассказах, собранных в этой книге, вы встретитесь с самыми разнообразными ночными чудовищами — вампирами, демонами, тварью, которая живет в чулане, прочими жуткими созданиями. Все они нереальны. И тварь, живущая у меня под кроватью и готовая схватить за ногу, тоже нереальна. Я это знаю. Но твердо знаю также и то, что, если как следует прикрыть одеялом ноги, ей не удастся схватить меня за щиколотку.

***

Иногда мне приходится выступать перед разными людьми, которые интересуются литратурой и писательским трудом. Обычно, когда я уже заканчиваю отвечать на вопросы, кто-то обязательно встает и непременно задает один и тот же вопрос: «Почему вы пишете о таких ужасных и мрачных вещах?»

И я всегда отвечаю одно и то же: *Почему вы считаете, что у меня есть выбор?*

Писательство — это занятие, которое можно охарактеризовать следующими словами: хватай что можешь.

В глубинах человеческого сознания существуют некие фильтры. Фильтры разных размеров, разной степени проницаемости. Что застряло в моем фильтре, может свободно проскочить через ваш. Что застряло в вашем, запросто проскакивает через мой. Каждый из нас обладает некоей встроенной в организм системой защиты от грязи, которая и накапливается в этих фильтрах. И то, что мы обнаруживаем там, зачастую превращается в некую побочную линию поведения. Бухгалтер вдруг начинает увлекаться фотографией. Астроном коллекционирует монеты. Школьный учитель начинает делать углем наброски надгробных плит. Шлак, осадок, застрявший в фильтре, частицы, отказывающиеся проскакивать через него, зачастую превращаются у человека в манию, некую навязчивую идею. В цивилизованных обществах, по негласной договоренности, эту манию принято называть «хобби».

Иногда хобби перерастает в занятие всей жизни. Бухгалтер вдруг обнаруживает, что может свободно прокормить семью, делая снимки; учитель становится настоящим экспертом по части надгробий и может даже прочитать на эту тему целый цикл лекций. Но есть на свете профессии, которые начинаются как хобби и остаются хобби на всю жизнь, даже если занимающийся ими человек вдруг видит, что может зарабатывать этим на хлеб. Но поскольку само слово «хобби» звучит мелко и как-то несолидно, мы, опять же по негласной договоренности, начинаем в подобных случаях называть свои занятия «искусством».

Живопись. Скульптура. Сочинение музыки. Пение. Актерское мастерство. Игра на музыкальном инструменте. Литература. По всем этим предметам написано столько книг, что под их грузом может пойти на дно целая флотилия из роскошных лайнеров. И единственное, в чем придерживаются согласия авторы этих книг, заключается в следующем: тот, кто является истинным приверженцем любого из видов искусств, будет заниматься им, даже если не получит за свои труды и старания ни гроша; даже если наградой за все его усилия будет лишь суровая критика и брань; даже под угрозой страданий, лишений, тюрьмы и смерти. Лично мне все это кажется классическим примером поведения под влиянием навязчивой идеи. И проявляться оно может с равным успехом и в занятиях самыми заурядными и обыденными хобби, и в том, что мы так выспренно называем «искусством». Бампер автомобиля какого-нибудь коллекционера оружия может украшать наклейка с надписью: ТЫ ЗАБЕРЕШЬ У МЕНЯ РУЖЬЕ ТОЛЬКО В ТОМ СЛУЧАЕ, ЕСЛИ УДАСТСЯ РАЗЖАТЬ МОИ ХОЛОДЕЮЩИЕ МЕРТВЫЕ ПАЛЬцы. А где-нибудь на окраине Бостона домохозяйки, проявляющие невиданную политическую активность в борьбе с плановой застройкой их района высотными зданиями, часто налепляют на задние стекла своих пикапов наклейки следующего содержания: СКОРЕЕ Я ПОЙДУ В ТЮРЬМУ, ЧЕМ ВАМ УДАСТСЯ ВЫЖИТЬ МОИХ ДЕТЕЙ ИЗ ЭТОГО РАЙОНА. Ну и по аналогии, если завтра на нумизматику вдруг объявят запрет, то астроном-коллекционер вряд ли выбросит свои железные пенни и алюминиевые никели. Нет, он аккуратно сложит монеты в пластиковый пакетик, спрячет где-нибудь на дне бачка в туалете и будет любоваться своими сокровищами по ночам.

Мы несколько отвлеклись от нашего предмета обсуждения — страха. Впрочем, ненамного. Итак, грязь, застрявшая в фильтрах нашего подсознания, и составляет зачастую природу страха. И моя навязчивая идея — это ужасное. Я не написал ни одного рассказа из-за денег, хотя многие из них, перед тем как попали в эту книгу, были опубликованы в журналах, и я ни разу не возвратил присланного мне чека. Возможно, я и страдаю навязчивой идеей, но ведь это еще не *безумие*. Да, повторяю: я писал их не ради денег. Я писал их просто потому, что они пришли мне в голову. К тому же вдруг выяснилось, что моя навязчивая идея — довольно ходовой товар. А сколько разбросано по разным уголкам света разных безумцев и безумиц, которым куда как меньше повезло с навязчивой идеей.

Я не считаю себя великим писателем, но всегда чувствовал, что обречен писать. Итак, каждый день я заново процеживаю через свои фильтры всякие шлаки, перебираю застрявшие в подсознании фрагменты различных наблюдений, воспоминаний и рассуждений, пытаюсь сделать что-то с частицами, не проскочившими через фильтр.

Луи Лямур, сочинитель вестернов, и я... оба мы могли оказаться на берегу какой-нибудь запруды в Колорадо, и нам обоим могла одновременно прийти в голову одна и та же идея. И тогда мы, опять же одновременно, испытали бы неукротимое желание сесть за стол и перенести свои мысли на бумагу. И он написал бы рассказ о подъеме воды в сезон дождей, а я — скорее всего о том, что где-то там, в глубине, прячется под водой ужасного вида тварь. Время от времени выскакивает на поверхность и утаскивает на дно овец... лошадей... человека, наконец. Навязчивой идеей Луи Лямура является история американского Запада; моей же — существа, выползающие из своих укрытий при свете звезд. А потому он сочиняет вестерны, а я — ужастики. И оба мы немного чокнутые.

Занятие любым видом искусств продиктовано навязчивой идеей, а навязчивые идеи опасны. Это как нож, засевший в мозгу. В некоторых случаях — как это было с Диланом Томасом, Россом Локриджем, Хартом Крейном и Сильвией Плат — нож может неудачно повернуться и убить человека*.

Искусство — это индивидуальное заболевание, страшно заразное, но далеко не всегда

* Томас, Дилан — английский поэт, символист; Локридж, Росс — американский писатель, автор детективов; Крейн, Харт — американский поэт; Плат, Сильвия — американская поэтесса. Все эти литераторы преждевременно и трагически ушли из жизни. — *Здесь и далее примеч. пер.*

смертельное. Ведь и с настоящим ножом тоже надо обращаться умело, сами знаете. Иначе можно порезаться. И если вы достаточно мудры, то обращаетесь с частицами, засевшими в подсознании, достаточно осторожно — тогда поразившая вас болезнь не приведет к смерти.

Итак, за вопросом ЗАЧЕМ ВЫ ПИШЕТЕ ВСЮ ЭТУ ЕРУНДУ? неизбежно возникает следующий: ЧТО ЗАСТАВЛЯЕТ ЛЮДЕЙ ЧИТАТЬ ВСЮ ЭТУ ЕРУНДУ? ЧТО ЗАСТАВЛЯЕТ ЕЕ ПРОДАВАТЬСЯ? Сама постановка вопроса подразумевает, что любое произведение из разряда ужастиков, в том числе и литературное, апеллирует к дурному вкусу. Письма, которые я получаю от читателей, часто начинаются со следующих слов: «Полагаю, вы сочтете меня странным, но мне действительно понравился ваш роман». Или: «Возможно, я ненормальный, но буквально упивался каждой страницей «Сияния»...

Думаю, что я нашел ключ к разгадке на страницах еженедельника «Ньюсвик», в разделе кинокритики. Статья посвящалась фильму ужасов, не очень хорошему, и была в ней такая фраза:«...прекрасный фильм для тех, кто любит, сбавив скорость, поглазеть на автомобильную аварию». Не слишком глубокое высказывание, но если подумать как следует, его вполне можно отнести ко всем фильмам и рассказам ужасов. «Ночь оживших мертвецов» («The night of the Living Dead») с чудовищными сценами каннибализма и матереубийства, безусловно, можно причислить к разряду фильмов, на которые ходят любители сбавить скорость и поглазеть на результаты автокатастрофы. Ну а как насчет той сцены из «Экзорциста» («The Exorcist»), где маленькая девочка выблевывает фасолевый суп прямо на рясу священника? Или взять, к примеру, «Дракулу» Брэма Стокера, который является как бы эталоном всех современных романов ужасов, что, собственно, справедливо, поскольку это было первое произведение, где отчетливо прозвучал психофрейдистский подтекст. Там маньяк по имени Ренфелд пожирает мух, пауков, а затем — и птичку. А затем выблевывает эту птичку вместе с перьями и всем прочим. В романе также описано сажание на кол — своего рода ритуальное соитие — молоденькой и красивой ведьмочки, и убийство младенца и его матери.

И в великой литературе о сверхъестественном часто можно найти сценки из того же разряда — для любителей сбавить скорость и поглазеть. Убийство Беовульфом* матери Гренделя; расчленение страдающего катарактой благодетеля из «Сердца сплетника» («The Tell-Tale Heart»), после чего убийца (он же автор повествования) прячет куски тела под половицами; сражение хоббита Сэма с пауком Шелобом в финальной части трилогии Толкина**.

Нет, безусловно, найдутся люди, которые будут яростно возражать и приводить в пример Генри Джеймса***, который не стал описывать

---

* «Беовульф» — наиболее значительный из сохранившихся памятников древнего англосаксонского эпоса. Поэма дошла до нас в единственном рукописном варианте начала X в.

** Толкин, Джон Рональд (1892—1973) — английский писатель, автор сказочно-героической эпопеи «Властелин колец».

*** Джеймс, Генри (1843—1916) — американский писатель, с 1875 г. жил в Европе, мастер психологического романа. В числе его произведений — мистико-загадочный рассказ «Поворот винта» («The Turn of the Serew», 1898).

ужасов автомобильной катастрофы в «Повороте винта»; утверждать, что в таких рассказах ужасов Натаниела Готорна*, как «Молодой Гудмен Браун» («Young Goodman Brown») и «Черная мантия священника» («The Minister's Black Veil»), в отличие от «Дракулы» напрочь отсутствует безвкусица. Это заблуждение. В них все равно показана «автокатастрофа» — правда, тела пострадавших уже успели убрать, но мы видим покореженные обломки и пятна крови на обивке. И в каком-то смысле деликатность описания, отсутствие трагизма, приглушенный и размеренный тон повествования, рациональный подход, превалирующий, к примеру, в «Черной мантии священника», еще ужаснее, нежели откровенное и детальное описание казни в новелле Эдгара По «Колодец и маятник».

Все дело в том — и большинство людей чувствуют это сердцем, — что лишь немногие из нас могут преодолеть неукротимое стремление хоть искоса, хотя бы краешком глаза взглянуть на окруженное полицейскими машинами с мигалками место катастрофы. У граждан постарше — свой способ: утром они первым делом хватаются за газету и первым делом ищут колонку с некрологами, посмотреть, кого удалось пережить. Все мы хотя бы на миг испытываем пронзительное чувство неловкости и беспокойства — узнав, к примеру, что скончался Дэн Блокер, или Фредди Принз**, или же Дженис Джоплин***. Мы

---

* Готорн, Натаниел (1804—1864) — американский писатель, автор сборников рассказов «Легенды старой усадьбы» и «Снегурочка и другие дважды рассказанные истории».

** Принз, Фредди — молодой американский комик, чья карьера оборвалась в 1977 г.

*** Джоплин, Дженис (1942—1969) — американская певица.

испытываем ужас, смешанный с неким оттенком радости, услышав по радио голос Пола Харви, сообщающего нам о какой-то женщине, угодившей под лопасти пропеллера во время сильного дождя на территории маленького загородного аэропорта; или же о мужчине, заживо сварившемся в огромном промышленном смесителе, когда один из рабочих перепутал кнопки на пульте управления. Нет нужды доказывать очевидное — жизнь полна страхов, больших и маленьких, но поскольку малые страхи постичь проще, именно они в первую очередь вселяются в наши дома и наполняют наши души смертельным, леденящим чувством ужаса.

Наш интерес к «карманным» страхам очевиден, но примерно то же можно сказать и об омерзении. Эти два ощущения странным образом переплетаются и порождают чувство вины... вины и неловкости, сходной с той, которую испытывает юноша при первых признаках пробуждения сексуальности...

И не мне убеждать вас отбросить чувство вины и уж тем более — оправдываться за свои рассказы и романы, которые вы прочтете в этой книге. Но между сексом и страхом явно прослеживается весьма любопытная параллель. С наступлением половозрелости и возможности вступать в сексуальные взаимоотношения у нас просыпается и интерес к этим взаимоотношениям. Интерес, если он не связан с половым извращением, обычно направлен на спаривание и продолжение вида. По мере того как мы осознаем конечность всего живого, неизбежность смерти, мы познаем и страх. И в то время как спаривание направлено на самосохранение, все наши страхи происходят из осознания неизбежности конца, так я, во всяком случае, это вижу.

Всем, думаю, известна сказка о семи слепых, которые хватали слона за разные части тела. Один из них принял слона за змею, другой — за огромный пальмовый лист, третьему казалось, что он трогает каменую колонну. И только собравшись вместе, слепые сделали вывод, что это был слон.

Страх — это чувство, которое превращает нас в слепых. Но чего именно мы боимся? Боимся выключить свет, если руки у нас мокрые. Боимся сунуть нож в тостер, чтоб вытащить прилипший кусочек хлеба, предварительно не отключив прибор от сети. Боимся приговора врача после проведения медицинского обследования; боимся, когда самолет вдруг проваливается в воздушную яму. Боимся, что в баке кончится бензин, что на земле вдруг исчезнут чистый воздух, чистая вода и кончится нормальная жизнь. Когда дочь обещает быть дома в одиннадцать вечера, а на часах четверть двенадцатого и в окно барабанит, словно песок, мелкая изморось, смесь снега с дождем, мы сидим и делаем вид, что страшно внимательно смотрим программу с Джонни Карсоном*, а на деле только и косимся на молчащий телефон и испытываем чувство, которое превращает нас в слепых, постепенно разрушая процесс мышления как таковой.

Младенец — вот кто поистине бесстрашное создание. Но только до того момента, пока рядом вдруг не окажется мать, готовая сунуть

---

* Карсон, Джон (р. 1925) — американский актер, звезда разговорного жанра на телевидении.

ему в рот сосок, когда он, проголодавшись, начнет плакать. Малыш, только начинающий ходить, быстро познает боль, которую может причинить внезапно захлопнувшаяся дверь, горячий душ, противное чувство озноба, сопровождающее круп или корь. Дети быстро обучаются страху; они читают его на лице отца или матери, когда родители, войдя в ванную, застают свое дитя с пузырьком таблеток или же безопасной бритвой в руке.

Страх ослепляет нас, и мы копаемся в своих чувствах с жадным интересом, словно стараемся составить целое из тысячи разрозненных фрагментов, как делали те слепые со слоном.

Мы улавливаем общие очертания. Дети делают это быстрее, столь же быстро забывают, а затем, став взрослыми, учатся вновь. Но общие очертания сохраняются, и большинство из нас рано или поздно осознают это. Очертания сводятся к силуэту тела, прикрытого простыней. Все наши мелкие страхи приплюсовываются к одному большому, все наши страхи — это часть одного огромного страха... рука, нога, палец, ухо... Мы боимся тела, прикрытого простыней. Это наше тело. И основная притягательность литературы ужасов сводится к тому, что на протяжении веков она служила как бы репетицией нашей смерти.

К этому жанру всегда относились несколько пренебрежительно. Достаточно вспомнить, что в течение довольно долгого времени истинными ценителями Эдгара По и Лавкрафта* были

* Лавкрафт, Говард Филипс — американский писатель 30-х гг., сочинитель готической мистики.

французы, в душах которых наиболее органично уживаются секс и смерть, чего никак не скажешь о соотечественниках По и Лавкрафта. Американцам было не до того, они строили железные дороги, и По и Лавкрафт умерли нищими. Фантазии Толкина тоже отвергались — лишь через двадцать лет после первых публикаций его книги вдруг стали пользоваться оглушительным успехом. Что касается Курта Воннегута, в чьих произведениях так часто проскальзывает идея «репетиции смерти», то его всегда яростно критиковали, и в этом урагане критики проскальзывали порой даже истерические нотки.

Возможно, это обусловлено тем, что сочинитель ужасов всегда приносит плохие вести. Ты обязательно умрешь, говорит он. Он говорит: «Плюньте вы на Орала Робертса*, который только и знает, что твердить: «С вами непременно должно случиться что-то *хорошее*». Потому что с вами столь же непременно должно случиться и самое *плохое*. Может, то будет рак, или инсульт, или автокатастрофа, не важно, но рано или поздно это все равно случится. И вот он берет вас за руку, крепко сжимает ее в своей, ведет в комнату, заставляет дотронуться до тела, прикрытого простыней... и говорит: «Вот, потрогай здесь... и здесь... и еще *здесь*».

Безусловно, аспекты смерти и страха не являются исключительной прерогативой сочинителей ужастиков. Многие так называемые писатели «основного потока» тоже обращались к этим темам, и каждый делал это по-своему — от

---

* Робертс, Орал (р.1918) — американский евангелист, проповедник, основатель церкви Святости Пятидесятников.

Федора Достоевского в «Преступлении и наказании» и Эдварда Олби* в «Кто боится Вирджинии Вулф?» до Росса Макдональда с его приключениями Лью Арчера. Страх всегда был велик. Смерть всегда являлась великим событием. Это две константы, присущие человеку. Но лишь сочинитель ужасов, автор, описывающий сверхъестественное, дает читателю шанс узнать, определить его и тем самым очиститься. Работающие в этом жанре писатели, пусть даже имеющие самое отдаленное представление о значении своего творчества, тем не менее знают, что страх и сверхъестественное служат своего рода фильтром между сознанием и подсознанием. Их сочинения служат как бы остановкой на центральной магистрали человеческой психики, на перекрестке между двумя линиями: голубой линией того, что мы можем усвоить без вреда для своей психики, и красной линии, символизирующей опасность — то, от чего следует избавляться тем или иным способом.

Ведь, читая ужастики, вы же всерьез не верите в написанное. Вы же не верите ни в вампиров, ни в оборотней, ни в грузовики, которые вдруг заводятся сами по себе. Настоящие ужасы, в которые мы верим, — из разряда того, о чем писали Достоевский, Олби и Макдональд. Это ненависть, отчуждение, старение без любви, вступление в непонятный и враждебный мир неуверенной походкой юноши. И мы в своей повседневной реальности часто напоминаем трагедийно-комедийную маску — усмехающуюся снаружи и скорбно опустившую уголки губ

* Олби, Эдвард (р.1928) — американский драматург, продолжатель традиций Аугуста Стриндберга и Теннесси Уильямса.

внутри. Где-то, безусловно, существует некий центральный пункт переключения, некий трансформатор с проводками, позволяющий соединить эти две маски. И находится он в том самом месте, в том уголке души, куда так хорошо ложатся истории ужасов.

Сочинитель этих историй не слишком отличается от какого-нибудь уэльского «пожирателя» грехов, который, съедая оленя, полагал, что берет тем самым на себя часть грехов животного. Повествование о чудовищах и страхах напоминает корзинку, наполненную разного рода фобиями. И когда вы читаете историю ужасов, то вынимаете один из воображаемых страхов из этой корзинки и заменяете его своим, настоящим — по крайней мере на время.

В начале 50-х киноэкраны Америки захлестнула целая волна фильмов о гигантских насекомых: «Они» («Them!»), «Начало конца» («The Beginning of the End»), «Богомолы-убийцы» («The Deadly Mantis») и так далее. И почти одновременно с этим вдруг выяснилось: гигантские и безобразные мутанты появились в результате ядерных испытаний в Нью-Мексико или на атолловых островах в Тихом океане (примером может также служить относительно свежий фильм «Страшная вечеринка на пляже» («Horror of Party Beach») по мотивам «Армагеддон под покровом пляжа» («Armageddon Beach Blanket»), где описаны невообразимые ужасы, возникшие после преступного загрязнения местности отходами из ядерных реакторов). И если обобщить все эти фильмы о чудовищных насекомых, возникает довольно целостная картина, некая модель проецирования на экран подспудных страхов, развившихся в американском обществе с момента принятия Манхэттенского проекта*. К концу 50-х на экраны вышел цикл фильмов, повествующих о страхах тинэйджеров, начиная с таких эпических лент, как «Тинэйджеры из космоса» («Teen-Agers from Outer Space») и «Клякса» («The Blob»), в котором безбородый Стив Маквин** сражается с неким желеобразным мутантом, в чем ему помогают юные друзья. В век, когда почти в каждом еженедельнике публикуется статья о возрастании уровня преступности среди несовершеннолетних, эти фильмы отражают беспокойство и тревогу общества, его страх перед зреющим в среде молодежи бунтом. И когда вы видите, как Майкл Лэндон*** вдруг превращается в волка в фирменном кожаном пиджачке высшей школы, то тут же возникает связь между фантазией на экране и подспудным страхом, который испытываете вы при виде какого-нибудь придурка в автомобиле с усиленным двигателем, с которым встречается ваша дочь. Что же касается самих подростков — я тоже был одним из них и знаю по опыту: монстры, порожденные на американских киностудиях, дают им шанс узреть кого-то еще страшней и безобразней, чем их собственное представление о самих себе. Что такое несколько выскочивших, как всегда не на месте и не ко времени, прыщиков в сравнении с неуклюжим со-

---

* «Манхэттенский проект» — название правительственной научно-промышленной программы создания атомной бомбы, принятой администрацией Рузвельта в 1942 г.

** Макквин, Стивен (1930—1980) — популярный американский актер кино и театра.

*** Лэндон, Майкл (1931—1991) — американский актер, режиссер, продюсер и сценарист.

зданием, в которое превращается паренек из фильма «Я был маленьким Франкенштейном» («I was a Teen-Age Frankenstein»). Те же фильмы отражают и подспудные ощущения подростков, что их все время пытаются вытеснить на задворки жизни, что взрослые к ним несправедливы, что родители их не понимают. Эти ленты символичны — как, впрочем, и вся фантастика, живописущая ужасы, литературная или снятая на пленку — и наиболее наглядно формулируют паранойю целого поколения. Паранойю, вызванную, вне всякого сомнения, всеми этими статьями, что читают родители. В фильмах городу Элмвилль угрожает некое жуткое, покрытое бородавками чудовище. Детишки знают это, потому что видели летающую тарелку, приземлившуюся на лужайке. В первой серии бородавчатый монстр убивает старика, проезжавшего в грузовике (роль старика блистательно исполняет Элиша Кук-младший). В следующих трех сериях дети пытаются убедить взрослых, что чудовище обретается где-то поблизости. «А ну, валите все вон отсюда, пока я не арестовал вас за нарушение комендантского часа!» — рычит на них шериф Элмвилля как раз перед тем, как монстр появится на Главной улице. В конце смышленым ребятишкам все же удается одолеть чудовище, и вот они отправляются отметить это радостное событие в местную кондитерскую, где сосут леденцы, хрустят шоколадками и танцуют джиттербаг* под звуки незабываемой мелодии на титрах.

---

* Джиттербаг — быстрый танец с элементами акробатики под музыку свинг или буги-вуги, появился в 20-е гг., был особенно популярен в 40-е гг.

Подобного рода цикл фильмов предоставляет сразу три возможности для очищения — не столь уж плохо для дешевых, сделанных на живую нитку картин, съемки которых занимают дней десять, не больше. И не случается этого лишь по одной причине — когда писатели, продюсеры и режиссеры хотят, чтоб это случилось. А когда случается, то опять же по одной причине, а именно: при понимании того, что страх, как правило, гнездится в очень тесном пространстве, в той точке, где происходит смычка сознательного и подсознательного, в том месте, где аллегория и образ там счастливо и естественно сливаются в единое целое, производя при этом наиболее сильный эффект. Между такими фильмами, как «Я был подростком-оборотнем» («I was a Teen-Age Werewolf»), «Механическим апельсином» Стэнли Кубрика, «Монстром-подростком» («Teen-Age Monster») и картиной Брайана Де Пальмы «Кэрри», явно прослеживается прямая эволюционная связь по восходящей.

Великие произведения на тему ужасов всегда аллегоричны; иногда аллегория создается преднамеренно, как, к примеру, в «Звероферме» и «1984»*, иногда возникает случайно — так, к примеру, Джон Рональд Толкин клянется и божится, что, создавая образ Темного Властелина Мордора, вовсе не имел в виду Гитлера в фантастическом обличье, однако, по дружному мнению критиков, добился именно этого эффекта. Подобных примеров можно привести великое

---

* Романы-антиутопии Джорджа Оруэлла (1903—1950), английского писателя, публициста. «Звероферма» известна отечественному читателю также под названием «Скотный двор».

множество... возможно, потому, что, по словам Боба Дилана*, когда у вас много ножей и вилок, ими надо что-нибудь резать.

Работы Эдварда Олби, Стейнбека, Камю, Фолкнера — в них тоже идет речь о страхе и смерти. Иногда об этом повествуется с ужасом, но, как правило, писатели «основного потока» описывают все в более традиционной, реалистической манере. Ведь их произведения вставлены в рамки рационального мира — это истории о том, что «могло случиться в действительности». И пролегают они по той линии движения, что проходит через внешний мир. Есть и другие писатели, такие, как Джеймс Джойс, тот же Фолкнер, такие поэты, как Сильвия Плат, Т.С. Элиот и Энн Секстон**, чьи работы принадлежат миру символизма, среде подсознательного. Их генеральное направление пролегает по линии, ведущей «внутрь», живописующей «внутренние» пейзажи. Сочинитель же ужасов почти всегда находится на некоей промежуточной станции между этими двумя направлениями — по крайней мере в том случае, если он последователен. А если он последователен да к тому же еще и талантлив, то мы, читая его книги, вдруг перестаем понимать, грезим ли или видим эти картины наяву; у нас возникает ощущение, что время то растягивается, то стремительно катится куда-то под откос. Мы начинаем слышать чьи-то голоса, но не можем разобрать слов; сны

---

* Дилан, Роберт (р.1941) — автор и исполнитель фолк-музыки, борец за гражданские права.

** Элиот, Томас Стерн (1888—1965) — американский поэт, литературный критик, культуролог, лауреат Нобелевской премии по литературе (1948). Секстон, Энн (1828—1974) — американская поэтесса, символистка.

начинают походить на реальность, а реальность протекает словно во сне.

Это очень странное место, удивительная станция. Там находится страшный и загадочный Дом на Холме, и поезда бегают то в одном, то в другом направлении, и двери вагонов плотно закрыты; там в комнате с желтыми обоями ползает по полу женщина и прижимается щекой к еле заметному жирному отпечатку на половице; там обитают человеко-пауки, угрожавшие Фродо и Сэму, и модель Пикмена, и вендиго, и Норман Бейтс со своей ужасной мамашей. На этой остановке нет места яви и снам, есть только голос писателя, приглушенный и ровный, повествующий о том, что порой добротная с виду ткань вещей вдруг начинает расползаться прямо на глазах — с удручающей быстротой и внезапностью. Он внушает вам, что вы хотите видеть автомобильную аварию, и да, он прав — вам хотелось бы. Замогильный голос в телефонной трубке... какое-то шуршание за стенами старого дома... о нет, вряд ли это крысы, какое-то более крупное существо... чьи-то шаги внизу, в подвале, у лестницы... Он хочет, чтоб вы видели и слышали все это. Более того, он хочет, чтобы вы коснулись рукой тела, прикрытого простыней. И вы тоже хотите этого... Да, да, и не вздумайте отрицать!..

Рассказы ужасов должны, как мне кажется, содержать вполне определенный набор элементов, но этого мало. Я твердо убежден в том, что в них должна быть еще одна штука, пожалуй, самая главная. В них должна быть рассказана история, способная заворожить читателя, слушателя или зрителя. Заворожить, заставить забыть обо всем, увести в мир, которого нет и быть не может. Всю свою жизнь я как писатель был убежден в том, что самое главное в прозе — это история. Что именно она доминирует над всеми аспектами литературного мастерства, что тема, настроение, образы — все это не работает, если история скучна. Но если она захватила вас, все остальное начинает работать. И для меня всегда служили в этом смысле образцом произведения Эдгара Райса Берроуза*. Хотя его и нельзя, пожалуй, назвать великим писателем, цену хорошо придуманной истории он прекрасно знал. На первой же странице романа «Забытая временем земля» («The Land That Time Forgot») герой, от лица которого ведется повествование, находит в бутылке рукопись. И все остальное содержание сводится к пересказу этой рукописи. И вот какими словами предваряет автор ее чтение: «Прочтите одну страницу, и вы забудете обо мне».

Берроуз честно выполняет свое обещание — многие даже более одаренные писатели на это не способны.

Даже в самом интеллигентном и терпеливом читателе сидит порок, заставляющий всех, в том числе и замечательных писателей, скрежетать зубами: за исключением трех небольших групп людей никто не читает авторского предисловия. Вот исключения: во-первых, близкие родственники писателя (обычно жена и мать); во-вторых, официальные представители писате-

* Берроуз, Эдгар Райс (1875—1950) — американский писатель, автор фантастических и приключенческих романов.

ля (издательские люди, а также разного рода зануды), для которых главное — это убедиться, не оклеветал ли кого-нибудь писатель во время своих скитаний по бурным волнам литературы. И наконец, люди, которые тем или иным образом помогали писателю. Эти последние хотят знать, не слишком ли много возомнил о себе писатель и не забыл ли случайно, что не один он приложил руку к данному творению.

Остальные же читатели вполне справедливо полагают, что предисловие автора есть не что иное, как большой обман, многостраничная расцвеченная реклама самого себя, еще более назойливая и оскорбительная, чем вставки с рекламой различных сортов сигарет, на которые натыкаешься в середине книжонок в бумажных обложках. Ведь по большей своей части читатели явились посмотреть представление, а не любоваться режиссером, раскланивающимся в свете рампы. И они снова правы.

Итак, позвольте мне откланяться. Скоро начнется представление. И мы войдем в комнату и прикоснемся рукой к укутанному в простыню телу. Но перед тем как распрощаться, я хотел бы отнять у вас еще две-три минуты. И поблагодарить людей из трех вышеупомянутых групп, а также из еще одной, четвертой. Так что уж потерпите немного, пока я говорю эти свои «спасибо».

Спасибо моей жене Табите, лучшему и самому суровому моему критику. Когда ей нравится моя работа, она прямо так и говорит; когда чувствует, что меня, что называется, занесло, тактично и нежно опускает на землю. Спасибо моим детям, Наоми, Джо и Оуэну, которые с необыкновенным для их возраста пониманием и снисхождением относятся к странным занятиям своего папаши в кабинете внизу. Огромное спасибо моей матери, умершей в 1973 году, которой посвящается эта книга. Она всегда оказывала мне поддержку, всегда находила 40—50 центов, чтобы купить конверт, куда затем вкладывала второй, оплаченный и с ее адресом, чтобы избавить сына от излишних хлопот, когда он соберется ответить ей на письмо. И никто на свете, в том числе даже я сам, не радовался больше мамы, когда я, что называется, наконец прорвался.

Из представителей второй группы мне хотелось бы выразить особую благодарность моему издателю Уильяму Дж. Томпсону из «Даблдей энд компани», который был столь терпелив ко мне, который с таким добродушием и неизменной приветливостью отвечал на мои ежедневные настырные звонки. И который проявил такое внимание и доброту несколько лет тому назад к тогда еще неизвестному молодому писателю и не изменил своего отношения до сих пор.

В третью группу входят люди, впервые опубликовавшие мои работы. Это мистер Роберт Э.У.Лоундес, первым купивший у меня два рассказа; это мистер Дуглас Аллен и мистер Най Уиллден из «Дьюджент паблишинг корпорейшн», купившие целую кучу других рассказов, последовавших за публикациями в «Кавалер» и «Джент», — еще в те добрые старые и неторопливые времена, когда чеки приходили вовремя и помогали избежать неприятности, которую энергонадзор стыдливо называет «временным прекращением обслуживания». Хочу также выразить благодарность Илейн Джейджер, Герберту Шнэллу, Кэролайн Стромберг из «Нью американ лайбрери»; Джерарду Ван дер Льюну из «Пентхауса» и Гаррису Дейнстфри из «Космополитена». Спасибо вам всем.

И наконец, последняя группа людей, которых бы мне хотелось поблагодарить. Всех вместе и каждого своего читателя в отдельности, не побоявшихся облегчить свой кошелек и купить хотя бы одну из моих книг. Если подумать как следует, то я прежде всего обязан этим людям. Ведь и этой книги без вас не было бы. Огромное спасибо.

Итак, на улице по-прежнему темно и моросит дождь. Но нас ждет увлекательная ночь. Потому как я собираюсь показать вам кое-что. А вы сможете потрогать. Это находится совсем неподалеку, в соседней комнате... Вернее, даже ближе, прямо на следующей странице.

Так в путь?..

Бриджтон, штат Мэн
27 февраля 1977

# СЕРАЯ ДРЯНЬ*

Всю неделю бюро прогнозов предсказывало снегопад и сильный северный ветер, и вот в четверг он докатился до нас и, разбушевавшись не на шутку, не выказывал ни малейшего намерения утихомириться. Снегу к четырем дня навалило дюймов на восемь. Человек пять-шесть постоянных посетителей укрылись в надежном месте, лавке Генри под названием «Ночная сова», которая в этом районе Бангора являлась единственным заведением, работающим круглосуточно.

Нельзя сказать, что Генри делал хороший бизнес — по большей части он сводился к продаже студентам из колледжа вина и пива, — однако ему удавалось сводить концы с концами, и еще это было место, где мы, старые перечницы, живущие на пенсии и пособия, могли собраться и поболтать о том, кто недавно помер, что мир, похоже, катится в пропасть, ну и так далее в том же духе.

В тот день за прилавком стоял сам Генри, а Билл Пелхем, Берти Коннорс, Карл Литтлфилд и я столпились возле печки. За окном, на Огайо-

* Grey Matter. © 1998. Н. Рейн. Перевод с английского.

стрит, не было видно ни единого автомобиля, одни лишь снегоочистители с трудом пробивали себе дорогу. Ветер с воем вздымал снежную пыль и швырял в стекло.

У Генри за весь день побывали всего лишь три покупателя — это если считать слепого Эдди. Эдди было под семьдесят, и сказать, что он совершенно ослеп, было бы неправильно. Просто он то и дело налетал на разные предметы. Он заходил в «Ночную сову» раза два в неделю и воровал буханку хлеба. Совал ее под пиджак и выходил из лавки, так и говоря всем своим видом: *Ну что, сукины дети, видали, как я снова вас обдурил?*

Как-то Берти спросил Генри, отчего тот не положит конец всему этому безобразию.

— Сейчас объясню, — сказал Генри. — Несколько лет назад ВВС США понадобилось двадцать миллионов долларов, чтоб построить какую-то новую модель самолета. Дело кончилось тем, что вбухали они в нее целых семьдесят пять миллионов, а когда стали испытывать эту хреновину, оказалось, что летать она не может. Случилось это, если точно, десять лет назад, когда мы со слепым Эдди были куда как моложе, и я, дурак, проголосовал за женщину, которая проталкивала этот проект в конгрессе. А Эдди голосовал против. Вот с тех пор я и покупаю ему хлеб.

Похоже, до Берти не совсем дошло это его объяснение, но вопросов он больше задавать не стал, а просто отсел в сторонку обдумать услышанное.

Внезапно дверь распахнулась, впустив в помещение волну холодного серого воздуха, и в лавку, сбивая снег с ботинок, вошел мальчик.

Через секунду я узнал его. Это был сын Ричи Гринейдина, и выглядел он так, словно лягушку проглотил. Кадык ходил ходуном, а лицо было цвета старой линялой клеенки.

— Мистер Пармели, — обратился он к Генри, возбужденно вытаращив круглые испуганные глаза, — вы должны пойти со мной! Взять ему пива и пойти. Сам я туда один ни за что не пойду! Мне страшно...

— Погоди-ка, остынь маленько, дружок, — сказал Генри, снимая белый фартук и выходя из-за прилавка. — Что случилось? Папаша опять запил, да?

Я понял, почему он так сказал: старины Ричи что-то не было видно последнее время. Обычно он заходил в лавку каждый день — купить ящик самого дешевого пива. Крупный толстый мужчина с ляжками, точно окорока, и ветчинообразными лапищами. Ричи всегда испытывал слабость к пиву, но когда работал на лесопилке в Клифтоне, лишнего себе, что называется, не позволял. Потом там что-то случилось — то ли сортировочная машина сломалась и не так загрузили доски, то ли сам Ричи оплошал. Короче, его уволили в ту же секунду, но при этом компания почему-то должна была выплачивать ему компенсацию. Короче говоря, дело темное: то ли он украл, то ли у него украли. И с тех пор он уже не работал, опустился и страшно разжирел. Последнее время видно его не было, но в лавку каждый вечер заходил его сын купить папаше ящик пива. Славный такой паренек. Генри продавал ему пиво только потому, что знал: мальчик не для себя берет, а выполняет поручение отца.

— Запил он уже давно, — говорил мальчик, — но не в том беда. Это... это... о Господи, это просто *ужасно*!

Генри увидел, что паренек того и гляди разрыдается, и торопливо спросил:

— Подменишь меня на минутку, Карл?

— Конечно.

— А ты, Тимми, заходи в подсобку, расскажешь мне, что к чему.

И с этими словами он увел мальчика, а Карл зашел за прилавок и уселся на табурет Генри. Какое-то время никто не произносил ни слова. Из подсобки доносились приглушенные голоса — низкий неторопливый басок Генри и высокий и нервный быстрый лепет Тимми Гринейдина. Затем вдруг мальчик заплакал, и Билл Пелхем, услышав это, откашлялся и стал набивать трубку.

— Месяца два как Ричи не видел... — заметил я.

Билл усмехнулся.

— Не велика потеря.

— Он был тут... э-э... где-то в конце октября, — сказал Карл. — Как раз перед Хэллоуином*. Купил ящик пива «Шлитц». Жуть до чего разжирел, страшно было смотреть.

Исчерпав тему, мы умолкли. Мальчик продолжал плакать, на улице по-прежнему завывал и бесновался ветер, а по радио сообщили, что к утру выпадет еще шесть дюймов снега. Стояла середина января, и я вдруг подумал: интересно, видел ли кто Ричи с октября, не считая сына, разумеется.

---

* Хэллоуин — 31 октября, канун Дня всех святых, самый популярный детский праздник в США.

Потом мы еще немного поболтали о том о сем, и тут наконец вышел Генри с мальчиком. Паренек был без пальто, Генри же, напротив, напялил свое. Похоже, Тимми немного успокоился и держался с таким видом, словно самое худшее позади, однако глаза у него были красные, и когда кто-то смотрел на него, он тут же принимался рассматривать половицы.

Генри же выглядел не на шутку взволнованным.

— Я тут подумал, пусть Тимми поднимется наверх и моя половина угостит его чем-нибудь вкусненьким, ну, скажем, тостом с сыром. А я собираюсь проведать Ричи. Может, кто из вас пойдет со мной? Тимми говорит, что папаша требует пива. Передал мне деньги. — Тут он попытался выдавить улыбку, но ничего не вышло, и он оставил свои попытки.

— Отчего нет? — отозвался Берти. — Какое пиво он хочет? Пойду принесу.

— Возьми «Харроу сьюприм», — сказал Генри. — Там, в подсобке, есть несколько початых ящиков.

Я тоже поднялся. Стало быть, идем мы с Берти. Карла в такие, как сегодня, ненастные дни всегда донимал артрит, а от Билла Пелхема так вообще никакого проку — правая рука у него не действует.

Берти вынес из подсобки четыре упаковки «Харроу» по шесть банок в каждой. Я уложил их в коробку, а Генри тем временем отвел мальчика наверх, на второй этаж, где находилась его квартира.

Уладив вопрос со своей половиной, он спустился к нам, потом глянул через плечо — убедиться, что дверь наверх плотно закрыта. Тут Билли не выдержал:

— Ну что там? Толстяк Ричи отдубасил своего сынишку, да?

— Нет, — ответил Генри. — Сам пока не пойму, в чем тут дело. Послушать Тимми, так это просто безумие какое-то!.. Впрочем, сейчас покажу кое-что. Деньги, которыми Тимми расплатился за пиво...

И он выудил из кармана четыре купюры по доллару каждая, стараясь держать их за уголки кончиками пальцев. В чем я его лично не виню. Банкноты были испачканы какой-то серой слизью, типа той гадости, что иногда видишь на подпортившихся или сгнивших продуктах. Он выложил их на прилавок, криво улыбнулся и сказал Карлу:

— Проследи за тем, чтоб никто не трогал... Пусть даже у паренька и разыгралось воображение, все равно трогать лучше не надо.

И он, обойдя мясной прилавок, направился к раковине и стал мыть руки.

Я поднялся, надел горохового цвета пальто, шарф, застегнулся на все пуговицы. Ехать на машине смысла не было — Ричи снимал квартиру на Керв-стрит, которая, с одной стороны, находилась поблизости, с другой — в таком трущобном местечке, куда снегоочистители заезжают в последнюю очередь.

Выходя, мы услышали, как Билли Пелхем крикнул нам вслед:

— Смотрите, ребятишки, поаккуратнее там!

Генри лишь кивнул, затем поставил ящик с пивом на маленькую тележку, что держал у дверей, и мы двинулись в путь.

Режущий ледяной ветер ударил в лицо, и я тут же натянул шарф повыше и прикрыл им уши. Берти, на ходу надевая перчатки, на секунду замешкался в дверях. Лицо его искажала болезненная гримаса, и я понял, что́ он сейчас чувствует. Хорошо быть молодым, раскатывать весь день на лыжах или этих чертвых жужжалках-снегокатах, но когда тебе перевалило за семьдесят и мотор изрядно поизносился, этот жгучий северо-восточный ветер леденит не только конечности, но и сердце и душу.

— Не хотелось бы пугать вас, ребятишки, — сказал Генри со странной кривой ухмылкой омерзения, которая, казалось, так и прилипла к его губам, — но я все равно должен показать вам это. И еще пересказать вкратце по дороге, что говорил мне мальчик. Потому как хочу, чтоб вы знали.

И он вынул из кармана пальто здоровенную пушку 45-го калибра, которую всегда держал заряженной и под рукой — точнее, под прилавком. Не знаю, где он ее раздобыл, но знаю, что однажды очень здорово пуганул ею одного мелкого рэкетира. Паренек, едва завидев эту хреновину, тут же развернулся и драпанул к двери.

Вообще наш Генри тот еще орешек. Как-то мне довелось стать свидетелем его разборки с каким-то студентом из колледжа, пытавшимся всучить ему вместо наличных весьма подозрительный чек. Этот юный жулик тут же с позором ретировался, причем у меня создалось впечатление, что из лавки он рванул прямиком в сортир.

Ладно. Я говорю вам все это только для того, чтоб вы поняли: наш Генри не робкого десятка,

И что теперь он хотел, чтоб мы с Берти настроились на серьезный лад. Что мы и сделали.

Итак, мы двинулись в путь, сгибаясь под порывами ветра, точно посудомойки над раковинами. Генри, толкая перед собой тележку, пересказывал то, что услышал от мальчика. Ветер уносил слова, едва они успевали сорваться с его губ, но в целом мы расслышали почти все — даже больше, чем хотелось бы. И я, следует признаться, был чертовски рад тому обстоятельству, что Генри прихватил свою игрушку.

Парнишка утверждал, что виной всему пиво — ну, как это бывает, когда вдруг попадется банка несвежего. Просроченного, вонючего или зеленоватого оттенка — точь-в-точь как пятна мочи на трусах какого-нибудь ирландца. Помню, как-то один тип поведал мне, что достаточно всего одной крохотной дырочки, чтоб в банку попали бактерии, а уж от них, этих тварей, начинают потом твориться разные жуткие вещи. Дырочка может быть такой малюсенькой, что и капли пива из нее не выльется, но бактерии запросто могут пробраться. Им самое главное — это влезть в банку, а уж пиво — самая лучшая среда и пища для этих подлых козявок.

Как бы там ни было, но мальчик рассказал, что однажды вечером, в октябре, Ричи притащил домой ящик «Голден лайт» и уселся пить его, пока он, Тимми, делал уроки.

Тимми уже собирался лечь спать, когда вдруг услышал голос отца:

— Господи Иисусе, тут что-то не так...

И Тимми спросил:

— В чем дело, папа?

— Пиво, — ответил отец. — Господи, ну и дрянь же на вкус! Хуже в жизни не пробовал!

Большинство из вас наверняка удивятся, зачем понадобилось Ричи пить это пиво, если уж оно было столь противным на вкус. Но ведь вы, мои дорогие, никогда не видели, как Ричи Гринейдин расправляется с пивом. Как-то я заскочил в забегаловку к Уолли и собственными глазами видел, как Ричи выиграл пари. Поспорил с каким-то парнем, что может выпить двадцать два бокала пива за минуту. Никто из местных спорить с ним не стал, но какой-то заезжий торгаш из Монпелье выложил на стол двадцатку, и Ричи его уделал. Выпил все двадцать два бокала, и в запасе у него оставалось еще секунд семь. Хоть и выходил потом оттуда на бровях. Так что, полагаю, Ричи успел выпить не одну банку, прежде чем сообразил, что с пивом что-то не так.

— Ой, сейчас, кажись, сблюю... — пробормотал он. — Надо же, дрянь какая!..

Но когда до него дошло, было уже поздно. Мальчик сказал, что понюхал банку. Воняло так, словно в нее успело заползти некое существо и сдохнуть. На ободке крышки виднелась какая-то серая слизь.

Два дня спустя мальчик пришел из школы и увидел, что папаша сидит перед телевизором и смотрит какой-то слезливый дамский сериал. И все шторы на окнах опущены.

— Что случилось? — спросил Тимми. Он знал, что раньше девяти вечера отец обычно не появлялся.

— Ничего, телик смотрю, — ответил Ричи. — Что-то неохота сегодня выходить на улицу.

Тимми включил свет над раковиной, и тут вдруг Ричи как на него заорет:

— А ну выключи этот гребаный свет сию же секунду!

Тимми повиновался и даже не поинтересовался у отца, как же теперь ему делать уроки в темноте. Когда Ричи пребывает в таком настроении, лучше его не трогать.

— И сбегай притащи мне ящик пива! — сказал Ричи. — Деньги на столе.

Когда мальчик вернулся, отец по-прежнему сидел в темноте, хотя на улице к этому времени уже почти совсем стемнело. И телевизор был выключен. У Тимми прямо мурашки по спине поползли. Да и с кем бы этого не случилось! В квартире полная тьма, а папаша торчит себе в углу как пень.

И вот он выставил банки на стол, зная, что Ричи не любит, когда пиво слишком холодное, а потом, подойдя к отцу поближе, вдруг уловил странный запах гнили, типа того, что порой исходит от сыра, пролежавшего на прилавке добрую неделю. Впрочем, надо сказать, Тимми не слишком удивился. Папашу никак нельзя было назвать чистюлей. Он промолчал, прошел в свою комнату, закрыл дверь и принялся за уроки, а через некоторое время услышал, что телевизор снова включили и что Ричи с хлопком вскрыл первую банку.

Так продолжалось недели две или около того. Мальчик вставал утром, шел в школу, а когда возвращался домой, заставал отца перед телевизором, а деньги на пиво — на столе.

В квартире воняло все сильней и сильней. Ричи не поднимал штор на окнах, а где-то в середине ноября вдруг запретил Тимми делать уроки дома, сказал, что ему мешает свет, выбивающийся из-под двери. И Тимми стал ходить делать уроки к товарищу, что жил в квартале от него, не забывая, впрочем, принести папаше перед этим очередной ящик пива.

Затем как-то однажды Тимми пришел из школы — было четыре дня, но на улице уже почти совсем стемнело, — и тут Ричи вдруг говорит:

— Зажги свет.

Мальчик включил лампу над раковиной и только тут заметил, что папаша с головы до ног укутан в одеяло.

— Погляди, — сказал Ричи и высунул из-под одеяла руку. Только то была вовсе не рука... *Что-то серое*, так сказал мальчик Генри. *Что-то серое и совсем непохожее на руку. Просто серый обрубок...*

Ну и, естественно, Тимми Гринейдин страш-
перепугался и спросил:
ап, что это с тобой, а?..
и ему и отвечает:
онятия не имею. Но ничего не болит...
аешь, приятно как-то.
тогда Тимми ему говорит:
вай я сбегаю за доктором Вестфейлом.
все одеяло как задрожит, точно под ним
сь какое-то трясущееся желе. А Ричи
ет:
даже и думать не смей! Если позовешь, я
бя дотронусь, и с тобой будет то же
е.. — И с этими словами на секунду отбро-
л одеяло с лица...

В этот момент я сообразил, что мы стоим на углу Харлоу и Керв-стрит и что замерз я как никогда в жизни — прямо всего так и колотило. Похоже, градусник, вывешенный у входа в лавку

Генри, все же врал. И потом, человеку трудно поверить в такие вещи... И все же эти странные вещи иногда случаются...

Когда-то знавал я одного парня по имени Джордж Келсо, он служил в Бангоре, в Администрации общественных работ. Лет пятнадцать занимался тем, что ремонтировал водопроводные трубы, электрические кабели и прочие подобные штуки. А затем в один прекрасный день вдруг уволился, хотя до пенсии ему оставалось года два, не больше. И Фрэнк Холдеман, один его знакомый, рассказывал, что однажды Джордж спустился в канализационный люк — с обычными своими шутками и прибаутками, — а когда минут через пятнадцать вылез оттуда, волосы у него стали белыми как лунь, а глаза так просто вылезали из орбит, словно ему довелось заглянуть в ад. Оттуда он прямиком отпр[illegible] вился в контору, взял расчет, а затем [illegible] первый попавшийся по дороге бар и с[illegible] И года два спустя алкоголь его доконал[illegible] много раз пытался поговорить с ним о[illegible] вот однажды Джордж, будучи пьяным [illegible] раскололся. Развернулся на табурете[illegible] Фрэнку Холдеману и спросил, виде[illegible] когда-нибудь паука величиной со зд[illegible] собаченцию, и чтоб сидел этот паучи[illegible] тине, битком набитой котятами, запута[illegible] ся в ее шелковых нитях. Ну что мог ответ[illegible] это Фрэнки? Ничего. Я вовсе не утверждаю[illegible] то, что рассказал ему Джордж, было правд[illegible] Просто хочу сказать: попадаются еще на све[illegible] кое-какие штуки, при одном взгляде на которы[illegible] любой нормальный человек может запросто свихнуться.

Итак, мы с добрую минуту стояли на углу улицы — и это несмотря на то, что ветер продолжал бесноваться.

— Так что же он увидел? — спросил Берти.

— Сказал, что то был его отец, это он разглядел, — ответил Генри, — но все его лицо было покрыто серой слизью или еще какой дрянью... и что все черты сливались и походили на какое-то месиво. И что клочья одежды торчали из тела, словно кто вплавил их ему в кожу...

— Святый Боже... — пробормотал Берти.

— Потом Ричи снова укрылся одеялом и начал орать, чтоб мальчишка выключил свет.

— Он был похож на плесень, — сказал я.

— Да, — кивнул Генри, — вроде того.

— Ты гляди, держи пушку наготове, — заметил Берти.

— А ты как думаешь... — пробормотал в ответ Генри. И мы двинулись по Керв-стрит.

Дом, в котором жил Ричи Гринейдин, находился почти на самой вершине холма. Эдакое чудище в викторианском стиле, выстроенное неким бумажным магнатом в начале века. Почти все дома такого рода впоследствии реконструировали и превратили в доходные, квартиры сдавались внаем. Немного отдышавшись, Берти сообщил нам, что живет Ричи на третьем этаже и что окна его квартиры находятся аккурат вон под тем фронтоном, что выдается вперед, точно бровь над глазом. А я, воспользовавшись случаем, спросил Генри, что же было с мальчиком дальше.

Примерно на третьей неделе ноября Тимми, вернувшись домой из школы, обнаружил, что отец уже не ограничивается простым опусканием штор. Он собрал все имевшиеся в доме одеяла и покрывала, завесил ими окна да еще плотно прибил гвоздями к рамам. И воняло в квартире еще сильней, а запах был такой сладковатый. Так пахнут пораженные гнилью фрукты.

Через неделю после этого Ричи стал заставлять сына подогревать ему пиво на плите. Слыхали о чем-либо подобном? И потом представьте себя на месте ребенка, отец которого превращается в... э-э... нечто непонятное прямо у него на глазах да еще заставляет разогревать пиво! А потом мальчик слушает, как он пьет его — с эдаким тошнотворным хлюпаньем и причмокиванием, с каким старики едят свою похлебку. Вы только представьте...

Так продолжалось вплоть до сегодняшнего дня, когда мальчика отпустили из школы пораньше из-за снежной бури.

— Тимми сказал, что отправился прямиком домой, — продолжил повествование Генри. — Света в подъезде не было, паренек утверждает, что отец, должно быть, выбрался ночью на площадку и специально разбил лампочку. Так что Тимми пришлось пробираться к двери на ощупь. И вдруг он услышал за дверью какой-то странный шорох и возню. И тут в голову ему пришло, что ведь он и понятия не имеет о том, чем занимается Ричи в его отсутствие. На протяжении почти целого месяца он видел его только сидящим в кресле, а ведь человек должен и спать ложиться, и в ванную заходить хотя бы время от времени.

В дверь был врезан глазок, а изнутри находилась маленькая круглая задвижка, которой можно было бы его закрыть, но, поселившись в этом доме, они ни разу ею не пользовались. И вот паренек тихонько подкрался к двери и... посмотрел в глазок.

К этому времени мы уже подошли к лестнице у входа, и дом нависал над нами всем своим огромным безобразным ликом с двумя темными окнами на третьем этаже вместо глазниц. Я специально взглянул еще раз — убедиться, что в окнах черно как в колодце. Так бывает, когда их завешивают одеялами или же закрашивают темной краской стекла.

— С минуту глаза мальчика привыкали к темноте. А затем вдруг он увидел громадный серый обрубок, вовсе не похожий на человека. Обрубок полз по полу, оставляя за собой серый слизистый след. А потом вдруг протянул нечто серое змееобразное — кажется, то была рука — и вырвал из стены доску. И вытащил кошку... — И тут Генри на секунду умолк. Берти похлопывал рукой об руку, на улице было чертовски холодно, но ни один из нас не спешил подниматься к входной двери. — Дохлую кошку, — уточнил Генри, — уже давно разложившуюся. Мальчик сказал, что ее всю раздуло... и что по ней ползали такие мелкие белые...

— Хватит! Ради Бога, замолчи! — не выдержал Берти.

— А потом отец стал ее жрать.

Я попытался сглотнуть ставший поперек горла ком.

— Ну и тогда Тимми оторвался от глазка, — тихо закончил Генри, — и бросился бежать.

— Думаю, мне там делать нечего, — сказал Берти. — Вы как хотите, а я не пойду.

Генри молчал, лишь переводил взгляд с Берти на меня.

— Думаю, пойти все же придется, — сказал я. — Тем более что у нас пиво для Ричи.

Берти не произнес ни слова. И вот мы поднялись по ступенькам и вошли в подъезд. И я тут же учуял запах.

Известно ли вам, как пахнет летом на заводе, где изготовляют сидр? Нет, запах яблок присутствует там всегда, но осенью он еще ничего, потому как яблоки свежие и пахнут остро — так, что шибает в нос. А вот летом запах совсем другой, жутко противный. Примерно так же пахло и здесь, только, наверное, еще противнее.

Холл внизу освещала всего лишь одна лампочка, желтоватая и тусклая, заключенная в плафон из стекла «с изморосью». Она отбрасывала лишь слабое мутноватое мерцание. Лестница, ведущая наверх, тонула в тени.

Генри остановил тележку, снял с нее ящик с пивом, я же тем временем пытался нашарить выключатель у лестницы — зажечь свет на втором этаже. Но и там лампочка тоже была разбита.

Берти нервно передернулся и предложил:

— Давай я потащу пиво. А ты держи свою пушку наготове.

Спорить с ним Генри не стал. Протянул ему ящик, и мы начали подниматься по лестнице. Генри — впереди, за ним — я, и замыкал шествие Берти с ящиком. Ко времени, когда мы добрались до площадки второго этажа, вонь там стояла просто нестерпимая. Пахло гнилыми забродившими яблоками и чем-то еще, более страшным.

Одно время, живя в Ливенте, я держал пса по кличке Рекс. Славная была собачонция, но не шибко умная, особенно в том, что касалось правил дорожного движения. И вот как-то раз днем, когда я был на работе, Рекса сбила машина. Бедняга заполз под дом и там помер. О Господи, ну и вонища же началась! И мне пришлось выуживать его оттуда с помощью длинного шеста. Тут пахло примерно тем же — падалью, гнилью, плесенью и сыростью свежераскопанной могилы.

До сих пор я все же надеялся, что это какой-то дурацкий розыгрыш, но, похоже, заблуждался.

— Я одному удивляюсь, Генри, как только соседи могут терпеть такое, — заметил я.

— Какие еще соседи... — проворчал Генри и снова улыбнулся странной натянутой улыбкой.

Я огляделся по сторонам и только тут заметил, что на лестничной площадке пыльно и грязно, а все три двери в квартиры, выходящие на нее, закрыты и заперты.

— Интересно, кто же здесь домовладелец? — спросил Берти и поставил ящик на стойку перил, чтобы отдышаться. — Гето, что ли?.. Странно, что он их еще отсюда не вышвырнул.

— Да какой дурак станет сюда подниматься, чтоб вышвырнуть? — заметил Генри. — Может, ты?

Берти промолчал.

Наконец мы преодолели последний лестничный пролет, который оказался еще круче и у́же предыдущего. Мне показалось, что здесь гораздо теплее. Словно где-то находился мощный радиатор, излучая тепло и тихонько побулькивая. Вонь стояла просто невыносимая, и я почувствовал, что желудок вот-вот вывернет наизнанку.

Площадка третьего этажа оказалась совсем крохотной, на нее выходила всего одна дверь — с глазком в середине.

Тут Берти вдруг тихонько ахнул и прошептал:

— Глядите-ка, ребята, мы во что-то вляпались!..

Я глянул под ноги и увидел на полу лужицы какой-то серой слизистой дряни. Похоже, перед дверью некогда лежал коврик. Впечатление было такое, словно эта серая гадость сожрала его.

Генри осторожно приблизился к двери, мы шли следом за ним. Не знаю, как Берти, но лично меня всего так и трясло от отвращения. Но Генри, похоже, ничуть не дрейфил. Напротив, приготовился, достал свою пушку и постучал в дверь кончиком рукоятки.

— Ричи! — окликнул он, и в голосе его не было страха, хотя лицо побледнело как мел. — Это Генри Пармели из «Ночной совы». Я тут тебе пиво приволок...

С минуту за дверью царила полная тишина, затем послышался голос:

— А где Тимми? Где мой мальчик?

Лично меня чуть инфаркт не хватил. Голос совершенно не походил на человеческий. Какой-то странный, низкий и булькающий, словно произносились эти слова с полным ртом каши.

— Он у меня в лавке, — ответил Генри. — Хоть поест паренек нормально. Он же у тебя отощал, словно бродячая кошка, Ричи...

За дверью снова настало молчание. Затем послышались ужасные хлюпающие звуки, точно человек в резиновых сапогах шагал по вязкой грязи. А потом тот же голос, но уже близко, у самой двери, произнес:

— Открой дверь и протолкни ящик в коридор. Только сперва сорви колечки с крышек, мне самому не справиться.

— Сию минуту, — ответил Генри. — Ну а сам-то ты как, а, Ричи?

— Не твоя забота, — ответил голос, и в нем отчетливо читалось нетерпение. — Давай сюда пиво и проваливай!

— Что, ни одной дохлой киски больше не осталось, а, приятель? — спросил Генри. И я заметил, что кольт он держит уже иначе — нацелившись в дверь и положив палец на спусковой крючок.

И вдруг меня, что называется, осенило. Как, должно быть, осенило Генри, когда мальчик рассказывал ему эту историю. Я кое-что вспомнил, и показалось, что запах гниения и падали усилился. А вспомнил я вот что: за последние три недели в городе пропали две молоденькие девушки и еще какой-то старый пьянчужка из Армии спасения. Все они выходили на улицу с наступлением темноты, и больше их никто не видел.

— Давай сюда пиво! Иначе я сейчас выйду и заберу сам! — сказал голос.

— Думаю, тебе лучше самому забрать, — произнес в ответ Генри и прицелился.

А потом долго, очень долго вообще ничего не происходило. И я уже начал подумывать, что этим и кончится. Затем вдруг дверь резко распахнулась — так резко и с таким грохотом, что мне показалось: она вот-вот сорвется с петель. И из нее вышел Ричи.

Ровно через секунду, всего одну секунду, мы с Берти слетели вниз по лестнице, точно школьники, перепрыгивая сразу через четыре, а то и пять ступенек, и вылетели из двери в снежную круговерть, оскальзываясь и спотыкаясь на бегу.

Спускаясь, мы слышали, как Генри выстрелил три раза подряд. Выстрелы прогремели оглушительно, точно разрывы гранат, и эхо еще долго перекатывалось громом в коридорах и на лестничных площадках этого пустого, проклятого Богом дома.

Того, что я успел увидеть за эту секунду, ну, от силы две, хватит мне на всю оставшуюся жизнь. Это была гигантская волна какой-то серой слизи, лишь отдаленно напоминавшая своими очертаниями человека. Волна надвигалась на нас, оставляя за собой блестящий слизистый след.

Но это еще не самое страшное. Глаза этого... существа, они были плоскими, желтыми и совершенно дикими, в них не проглядывало и искорки человеческой души. Точнее говоря, глаз было не два, а четыре, и все они находились где-то в центре этой туши, и между каждой парой глаз пролегала белая волокнистая линия с просвечивающей через нее пульсирующей розоватой плотью, что напоминало распоротое брюхо борова.

Это создание, эта тварь делилась... Делилась на две половины.

Мы с Берти добрались до лавки, не обменявшись по дороге ни единым словом. Не знаю, что творилось у него в голове, зато прекрасно помню, что пришло на ум мне. Таблица умножения, да. Дважды два — четыре, четырежды два — восемь, восемью два — шестнадцать... Шестнадцать умножить на два...

Мы вернулись. Карл и Билл Пелхем так и бросились к нам и стали задавать разные вопросы.

Мы не отвечали на них, ни Берти, ни я, просто развернулись к окну и смотрели сквозь стекла, затянутые пеленой снега. Смотрели, не идет ли Генри. Продолжая заниматься умножением на два, я уже дошел до 32 768 — такого количества этих тварей вполне хватило бы, чтоб уничтожить все человечество, — а мы все сидели в тепле за пивом и ждали, кто из них явится первым. И до сих пор ждем.

Я от души надеюсь, что это будет Генри. Нет, правда, надеюсь.

# «МЯСОРУБКА»*

Офицер полиции Хантон добрался до фабрики-прачечной как раз в тот момент, когда от нее отъезжала машина «скорой» — медленно, без воя сирены и мигалок. Дурной знак. Внутри, в конторе, толпились люди, многие плакали. В самой же прачечной не было ни души, а в самом дальнем конце помещения все еще работали огромные автоматические стиральные машины. Хантону это очень не понравилось. Толпа должна быть на месте происшествия, а не в офисе. Так уж повелось — животное под названием «человек» испытывало врожденное стремление любоваться останками. Стало быть, дела очень плохи. И Хантон почувствовал, как защемило у него в животе; так случалось всегда, когда инцидент бывал серьезным. Очень серьезным. И даже четырнадцать лет службы, связанной с уборкой человеческих останков с мостовых и улиц, а также с тротуаров возле очень высоких зданий, не смогли отучить желудок Хантона от этой скверной привычки. Точно в нем гнездился какой-то маленький дьяволенок.

* The Mangler. © 1998. Н.Рейн. Перевод с английского.

Мужчина в белой рубашке увидел Хантона и нерешительно двинулся ему навстречу. Бык, а не парень, с головой, глубоко ушедшей в плечи, с носом и щеками, покрытыми мелкой сетью полопавшихся сосудов — то ли от высокого кровяного давления, то ли от слишком частого общения с бутылкой. Он попытался сформулировать какую-то мысль, но обе попытки оказались неудачными, и Хантон, перебив его, спросил:

— Вы владелец? Мистер Гартли?

— Нет... Нет, я Стэннер, прораб. Господи, это же просто...

Хантон достал блокнот.

— Пожалуйста, покажите, где это произошло. И расскажите, как именно.

Казалось, Стэннер побледнел еще больше — красноватые пятна на носу и щеках стали ярче и походили теперь на родимые.

— А я... э-э... должен?

Хантон приподнял брови.

— Боюсь, что да. Мне звонили и сказали, что все очень серьезно.

— Серьезно... — Похоже, Стэннер старался справиться с приступом тошноты — кадык так и заходил вверх и вниз, словно игрушечная обезьянка на палочке. — Погибла миссис Фраули. Господи, какой ужас! И Билла Гартли, как назло, не было...

— А как именно это случилось?

— Пойдемте... покажу, — сказал Стэннер.

И повел Хантона вдоль ряда ручных прессов, аппарата для складывания рубашек, а потом остановился возле стиральной машины. И поднес дрожащую руку ко лбу.

— Дальше сами, офицер. Я не могу... снова смотреть на это. У меня от этого... Просто не могу и все. Вы уж извините.

Хантон прошел вперед, испытывая легкое чувство презрения к этому человеку. Содержат какую-то фабричку с жалким изношенным оборудованием, увиливают от налогов, пропускают горячий пар по всем этим трубам, работают с вредными химическими веществами без должной защиты, и в результате, рано или поздно, несчастный случай. Кто-нибудь ранен. Или умирает. А они, видите ли, не могут на это смотреть. Не могут...

И тут Хантон увидел.

Машина все еще работала. Никто так и не потрудился выключить ее. При ближайшем рассмотрении она оказалась ему знакома: полуавтомат для сушки и глаженья белья фирмы «Хадли-Уотсон», модель номер шесть. Вот такое длинное и нескладное название. Люди, работающие в этом пару и сырости, придумали ей лучшее имя: «Мясорубка»...

Секунду-другую Хантон смотрел на все это точно завороженный, затем с ним случилось то, чего еще не случалось на протяжении четырнадцати лет безупречной службы в полиции, — он поднес трясущуюся руку ко рту, и его вырвало.

— Ты почему почти ничего не ел? — спросил Джексон.

Женщины ушли в дом, гремели там тарелками и болтали с детьми, а Джон Хантон и Марк Джексон остались сидеть в саду, в шезлонгах, возле дымящегося ароматного барбекю. Хантон улыбнулся краешками губ. Он не съел ни крошки.

— День выдался тяжелый, — ответил он. — Хуже еще не бывало.

— Автокатастрофа?

— Нет. Несчастный случай на производстве.

— Много крови?

Хантон ответил не сразу. Лицо его исказила страдальческая гримаса. Он достал пиво из стоявшего рядом дорожного холодильника, открыл бутылку и, не отрываясь, выпил половину.

— Полагаю, у вас в колледже профессура не слишком знакома с фабриками-прачечными?

Джексон хмыкнул:

— Отчего же, лично я очень даже знаком. Как-то студентом ишачил все лето, подрабатывая в прачечной.

— Тогда тебе должна быть известна машина под названием полуавтомат для скоростного глаженья и сушки?

Джексон кивнул:

— Конечно. Через нее прогоняют мокрое белье, в основном простыни и скатерти. Большая, длинная такая машина.

— Совершенно верно, — сказал Хантон. — И вот в нее угодила женщина по имени Адель Фраули. В прачечной под названием «Блю риббон»*. Ее туда затянуло.

Джексон побелел.

— Но... этого просто не могло случиться, Джонни. Технически невозможно. Там имеется предохранительное устройство, рычаг безопасности. Если женщина, подающая белье на сушку, вдруг нечаянно сунет туда руку, оно тут же срабатывает и выключает машину. По крайней мере так было на моей памяти.

---

* «Blue Ribbon» — «Голубая лента».

— На этот счет и закон существует, — кивнул Хантон. — И тем не менее несчастье произошло.

Хантон устало закрыл глаза, и в темноте перед его мысленным взором снова возникла скоростная сушилка «Хадли-Уотсон», модель номер шесть. Длинная, прямоугольной формы коробка размером тридцать на шесть футов. С того конца, где осуществляется подача белья, непрерывной лентой ползет полотно, над ним, под небольшим углом, предохранительный рычаг. Полотняная лента конвейера с размещенными на нем сырыми и измятыми простынями приводится в движение шестнадцатью огромными вращающимися цилиндрами, которые и составляют основу машины. Сначала белье проходит над восемью цилиндрами сверху, потом — под восемью снизу, сжимаясь между ними, точно тоненький ломтик ветчины между двумя кусочками разогретого хлеба. Температура пара в цилиндрах может достигать 300 градусов по Фаренгейту — это максимум. Давление на ткань, разложенную на ленте конвейера, составляет около 200 фунтов на каждый квадратный фут белья — таким образом оно не только сушится, но и разглаживается до самой последней мелкой складочки.

И вот неким непонятным образом туда затянуло миссис Фраули. Стальные детали, а также цилиндры с асбестовым покрытием были красными, точно свежеокрашенный амбар, а пар, поднимавшийся от машины, тошнотворно попахивал кровью. Обрывки белой блузки и синих джинсов миссис Фраули, даже клочки бюстгальтера и трусиков выбросило из машины на дальнем ее конце, футах в тридцати; более крупные клочья ткани, забрызганные кровью, были с чудовищной аккуратностью разглажены и сложены автоматом. Но даже это еще не самое худшее...

— Машина пыталась сложить и разгладить все, — глухо произнес Хантон, чувствуя во рту горьковатый привкус. — Но ведь человек... это тебе не простынка, Марк. И то, что осталось от нее.... — Подобно Стэннеру, незадачливому прорабу, он никак не мог закончить фразы. — Короче, ее выносили оттуда в корзине... — тихо добавил он.

Джексон присвистнул:

— Ну и кому теперь намылят шею? Хозяину прачечной или государственной инспекционной службе?

— Пока не знаю, — ответил Хантон. Чудовищная картина все еще стояла перед глазами. Машина-«мясорубка», постукивая, шипя и посвистывая, гнала себе ленту конвейера, с бортов, выкрашенных зеленой краской, стекали потоки крови, и еще этот запах, жуткий запах пригорелой плоти... — Все зависит от того, кто дал добро на этот долбаный рычаг безопасности, а также от конкретных обстоятельств происшествия.

— Ну а если виноват управляющий, выпутаться они смогут, ты как считаешь?

Хантон мрачно усмехнулся:

— Женщина умерла, Марк. Если Гартли и Стэннер экономили на технике безопасности, на текущем ремонте и поддержании этой гладилки в нормальном состоянии, им светит тюрьма. И не важно, кто из их дружков сидит в городском совете. Все равно не поможет.

— А ты считаешь, они экономили?

Хантон вспомнил помещение «Блю риббон» — плохо освещенное, с мокрыми и скользкими полами, старым изношенным оборудованием.

— Полагаю, что да, — тихо ответил он.

Они поднялись и направились к дому.

— Держи меня в курсе дела, Джонни, — сказал Джексон. — Все же любопытно, как будут дальше развиваться события.

Но Хантон заблуждался относительно машины-«мясорубки». Ей, фигурально выражаясь, удалось выйти сухой из воды.

Гладилку-полуавтомат осматривали шесть независимых государственных экспертов, деталь за деталью. И все они сошлись во мнении, что механизм абсолютно исправен. Предварительное следствие вынесло вердикт: смерть в результате несчастного случая.

После слушаний совершенно потрясенный Хантон припер, что называется, к стенке одного из инспекторов, Роджера Мартина. Этот Мартин был та еще штучка. Словно высокий бокал, воды в котором не больше чем в низеньком — слишком уж толстое двойное дно. Хантон задавал ему вопросы, а он поигрывал шариковой ручкой.

— Ничего? С этой машиной абсолютно все нормально?

— Абсолютно, — ответил Мартин. — Ну, естественно, вся загвоздка, вся суть, так сказать, дела сводилась к рычагу безопасности. Его проверили самым тщательным образом, и выяснилось, что он находится в прекрасном рабочем состоянии. Вы же сами слышали свидетельские показания миссис Джиллиан. Должно быть, миссис Фраули слишком далеко засунула руку.

Правда, этого никто не видел, все были заняты работой. Она закричала. Ладонь уже исчезла из виду, через секунду машина затянула всю руку до плеча. Женщина пыталась высвободить ее, вместо того чтобы просто отключить машину. Дело ясное, паника. Правда, одна из работниц, миссис Кин, утверждает, что *пыталась* выключить, но, очевидно, от волнения перепутала кнопки и было уже слишком поздно...

— Тогда, выходит, всему причиной этот злосчастный рычаг! Он просто не мог быть исправен, — решительно заявил Хантон. — Ну разве что только в том случае, если она положила руку не под него, а сверху...

— Такого просто быть не может. Над этим самым рычагом заслонка из нержавеющей стали. И сам рычаг был абсолютно исправен. И подключен к мотору. Стоит ему опуститься — и мотор в тот же миг отключается.

— Тогда как же такое могло произойти, скажите на милость?

— Понятия не имею. Мы с коллегами пришли к выводу, что погибнуть миссис Фраули могла только в одном случае. А именно: если бы свалилась на конвейер сверху. Но ведь когда все это произошло, она стояла на полу, причем обеими ногами. И сей факт подтверждает целая дюжина свидетелей.

— Стало быть, вы описываете нечто невероятное, чего никак не могло произойти в действительности, — сказал Хантон.

— Нет, отчего же... Просто мы не совсем понимаем, как это произошло... — Тут Мартин умолк, затем после паузы добавил: — Я вам вот что скажу, Хантон, раз уж вы воспринимаете все это так близко к сердцу. Только никому больше ни слова. Все равно все буду отрицать... Знаете, не понравилась мне эта машина. Она... Короче, мне почему-то показалось, что она над нами смеется. За последние лет пять мне пришлось проверить больше дюжины таких гладилок. Некоторые из них пребывали в столь прискорбном состоянии, что я бы и собаку без поводка к ним не подпустил. Но законы штата смотрят на такие вещи довольно снисходительно... И потом, эти гладилки были всего лишь машинами. Но эта... эта прямо привидение какое-то. Не знаю почему, но ощущение возникло именно такое. И если б удалось придраться хоть к чему-нибудь, найти хотя бы одну мелкую неисправность, я бы тут же приказал закрыть ее. Похоже на безумие, верно?

— Знаете, и я то же самое чувствовал, — сознался Хантон.

— Позвольте рассказать об одном случае в Милтоне, — сказал инспектор Мартин. Снял очки и начал протирать их краешком жилета. — Было это года два тому назад. Какие-то ребята вынесли на задний двор старый холодильник. Потом нам позвонила женщина и сказала, что в него попала ее собачка. Дверца захлопнулась, и животное задохнулось. Мы уведомили о происшествии полицию. Они отправили туда своего человека. Славный, видно, был парень, очень жалел ту собачонку. Погрузил ее в пикап прямо вместе с холодильником и на следующее утро вывез на городскую свалку. А в тот же день, чуть попозже, звонит другая женщина, что жила по соседству, и заявляет о пропаже сына.

— О Господи... — пробормотал Хантон.

— Холодильник находился на свалке, и в нем нашли ребенка. Мертвого. Такой чудесный был мальчуган. Тихий, послушный, если верить матери. Она утверждала, что сынишка не имел привычки садиться в машину к незнакомым людям или играть в пустых холодильниках. Однако же в этот почему-то залез... И мы списали на несчастный случай. Думаете, этим дело и кончилось?

— Думаю, да, — сказал Хантон.

— Так вот, ничего подобного. На следующий день работник свалки пошел к этому злосчастному холодильнику снять с него дверцу. Так предписывает распоряжение городских властей за номером 58, о порядке содержания предметов на городских свалках. — Мартин бросил на собеседника многозначительный взгляд. — Так вот, работник нашел внутри шесть мертвых птичек. Чайки, воробьи, одна малиновка. И еще сказал, что, когда выгребал их оттуда, дверца вдруг захлопнулась, сама по себе, и прищемила ему руку. Бедняга так и взвыл от боли. И сдается мне, что машина-«мясорубка» из «Блю рибдон» — того же сорта штучка. И мне это страшно не нравится, Хантон.

Они стояли и молча смотрели друг на друга в опустевшем вестибюле здания городского суда, в шести кварталах от того места, где гладильная машина-полуавтомат фирмы «Хадли-Уотсон», модель номер шесть, пыхтя парами и постукивая, трудилась над выстиранным бельем.

Прошла неделя, и несчастный случай в прачечной стал постепенно забываться — его вытеснила из головы Хантона рутинная полицейская работа. И вспомнил он о нем, лишь когда они вместе с женой зашли к Марку Джексону сыграть партию в вист и выпить пива.

Джексон приветствовал его со словами:

— Послушай, Джонни, а тебе никогда не приходило в голову, что в ту машину в прачечной могли вселиться злые духи?

— Что? — растерянно заморгал Хантон.

— Ну, та скоростная гладилка из «Блю риббон». Тут явно прослеживается какая-то связь.

— Какая еще связь? — насторожился Хантон.

Джексон протянул ему номер вечерней газеты и ткнул пальцем в заметку, напечатанную на второй странице. В ней говорилось, что в прачечной «Блю риббон» произошел несчастный случай. Гладильная машина-полуавтомат обварила паром шестерых женщин, работавших на подаче белья. Инцидент произошел в 15.45 и приписывался внезапному подъему давления пара в котельной. Одну из работниц, миссис Аннет Джиллиан, отправили в городскую больницу с ожогами второй степени.

— Странное совпадение... — пробормотал Хантон, и в памяти вдруг всплыли слова инспектора Мартина, столь зловеще прозвучавшие в пустом помещении суда: *не машина, а прямо привидение какое-то.* И тут же вспомнился рассказ о собачке, мальчике и птичках, погибших в старом холодильнике.

В тот вечер он играл в карты из рук вон скверно.

Миссис Джиллиан полулежала, привалившись спиной к подушкам, и читала «Тайны экрана», когда к ней в палату зашел Хантон. Одна рука у женщины была забинтована полностью, часть шеи закрывал марлевый тампон. В палате на четыре койки у нее была всего одна соседка, молоденькая женщина с бледным лицом. Она крепко спала.

Завидев синюю форму, миссис Джиллиан сперва растерялась, затем выдавила робкую улыбку:

— Если вы к миссис Черников, то она сейчас спит, зайдите попозже. Ей только что дали лекарство и...

— Нет, я к вам, миссис Джиллиан. — Улыбка на лице женщины тут же увяла. — Я здесь, так сказать, неофициально. Просто любопытно знать, что произошло с вами в прачечной. — Он протянул руку. — Джон Хантон.

Жест и слова были выбраны безошибочно. Лицо миссис Джиллиан так и расцвело в улыбке, и она робко ответила на рукопожатие необожженной рукой.

— Всегда рада помочь полиции, мистер Хантон. Спрашивайте... О Господи, а я уж испугалась, подумала, мой Энди опять чего в школе натворил.

— Расскажите подробно, как все произошло.

— Ну, мы прогоняли через гладилку простыни, и вдруг она как пыхнет паром! Так мне, во всяком случае, показалось. Я уже собиралась домой, думала, вот приду, выгуляю собачек, а тут вдруг «бах!», точно бомба какая взорвалась. И пар кругом, один пар, и такой шипящий звук... просто ужасно. — Уголки губ, растянутые в улыбке, жалобно задрожали. — Такое впечатление, словно эта гладилка дышит... как дракон. И наша Альберта — ну, Альберта Кин — вдруг как закричит: «Взрыв, взрыв!» — и все сразу забегали, закричали, а Джинни Джейсон начала верещать, что ее обварило. И я тоже побежала и вдруг упала. Просто не поняла тогда, что и меня сильно обожгло. Слава Богу, еще так обошлось, могло быть куда как хуже. Горячий пар, под триста градусов...

— В газете писали, что была повреждена линия подачи пара. Что это означает?

— Ну, трубы, что проходят над головой, они подают пар в такой гибкий шланг, а уже оттуда он поступает в машину. Джо, то есть мистер Стэннер, сказал, что, должно быть, из котла произошел выброс. Давление поднялось, вот линия и не выдержала.

Хантон не знал, о чем спрашивать дальше. И уже собрался было уходить, как вдруг женщина нехотя добавила:

— Прежде такого с машиной никогда не случалось. Только последнее время. То пар, то этот ужасный, просто жуткий случай с миссис Фраули, Господь да упокой ее душу. Ну и всякие другие мелкие происшествия. То вдруг платье у Эсси попало в приводную цепь. Тоже могло кончиться плохо, но она молодец, сообразила: тут же скинула его. То вдруг болт какой отвалится или еще чего. И Херб Даймент, это наш мастер по ремонту, так он с ней прямо замучился! То вдруг простыня застрянет между цилиндрами. Джордж говорит, это все потому, что в стиральные машины кладут слишком много отбеливателя, но ведь прежде такого никогда не случалось. И теперь наши девочки просто боятся на ней работать. Эсси говорит, что там застряли кусочки Адель Фраули и что работать на ней — просто кощунство, что-то вроде того... Ну, будто бы на этой машине лежит проклятие. С тех самых пор, как Шерри порезала руку о скобу.

— Шерри? — переспросил Хантон.

— Да, Шерри Квелетт. Хорошенькая такая девочка, пришла к нам после школы. И работница старательная, только немного неуклюжая. Ну, знаете, как это бывает с совсем молоденькими девушками.

— Так она палец порезала? Что было?

— Да *ничего* особенного. У машины имеются такие скобы, придерживают ленту конвейера. И Шерри как раз возилась с этими скобами, хотела немного ослабить натяжение, потому как мы собирались загрузить плотную толстую ткань. Ну и, наверное, размечталась о каком-нибудь парне. Порезала палец. Глубоко так, прямо все кругом было в крови. — На лице миссис Джиллиан вдруг возникло растерянное выражение. — А потом... как раз после этого случая... и стали выпадать болты. А потом, примерно через неделю... несчастье с Адель. Словно машина попробовала вкус крови и он ей понравился. Вообще-то женщинам вечно лезет в голову разная чепуха, верно, офицер Хинтон?

— Хантон... — рассеянно поправил ее Джон, глядя пустым взором в потолок.

По иронии судьбы он в тот же день повстречался с Марком Джексоном — в маленькой прачечной-автомате, что находилась неподалеку от их домов, и именно там между полицейским и профессором английской литературы состоялась прелюбопытнейшая беседа.

Они сидели рядом в пластиковых креслах, а их одежда вертелась за стеклами в барабанах стиральных машин, которые приводились в действие брошенной в щель монетой. На коленях у Джексона лежал томик избранных произведений Милтона, но он совершенно забыл о великом поэте и внимал Хантону, который поведал ему о происшествии с миссис Джиллиан.

Наконец Хантон закончил, и Джексон сказал:

— Помнишь, я говорил тебе, а не может так быть, что эта машина-«мясорубка» заколдована? Конечно, то была лишь шутка... но только наполовину. И сейчас мне хочется задать тот же вопрос.

— Да нет, — пробурчал Хантон. — Глупости все это...

Джексон наблюдал за тем, как крутится за стеклянным окошком белье.

— Заколдована — это плохое слово. Не совсем точное. Скорее всего в нее вселились злые духи. На свете существует немало способов вселить демонов куда угодно. И ровно столько же — изгнать их оттуда. Ну, взять хотя бы «Золотой сук» Фрейзера, там описано немало подобных примеров. В сказках о друидах, в ацтекском фольклоре — тоже. Есть и более древние упоминания о подобных случаях, еще со времен Египта. И практически все они объединены хотя бы одним общим и обязательным условием. Для того чтобы вселить демона в неодушевленный предмет, нужна кровь девственницы. — Он покосился на Хантона. — Миссис Джиллиан сказала, все неприятности начались после того, как эта самая Шерри Квелетт поранила руку, верно?

— Да будет тебе, — сказал Хантон.

— Но, согласись, эта девушка вполне отвечает условиям, — улыбнулся Джексон.

— Прямо сейчас все брошу, поеду к ней и спрошу, — сказал Хантон и тоже улыбнулся краешками губ. — Так и вижу эту картину... «Здравствуйте, мисс Квелетт. Офицер полиции Джон Хантон. Я тут провожу одно небольшое расследование, выясняю, не вселились ли в гладильную машину демоны. И хотел бы знать, девственница вы или нет?» Как считаешь, успею я сказать Сандре с детишками «прощайте», перед тем как меня упекут в психушку, а?

— Готов поспорить, ты все равно примерно тем и кончишь, — заметил Джексон, но уже без улыбки. — Я серьезно, Джонни. Эта машина чертовски меня пугает, хоть я ни разу и не видел ее.

— Кстати, — заметил Хантон, — а ты не мог бы рассказать об остальных обязательных условиях?

Джексон пожал плечами.

— Ну, прямо так, с ходу, пожалуй, не смогу. Надо посидеть за книжками. Взять, к примеру, колдовские зелья. У англосаксов их изготавливали из грязи, взятой с могилы, или из глаза жабы. В европейских снадобьях часто фигурирует «рука славы», или, проще говоря, рука мертвеца. Или же один из галлюциногенов, используемых на ведьминских шабашах. Обычно это белладонна или же производное псилоцибина. Могут быть и другие.

— И ты считаешь, что все это могло попасть в гладильный автомат «Блю риббон»? Господи, Марк, да я руку готов дать на отсечение, что здесь, в радиусе пятисот миль, нет ни одного стебелька белладонны! Или же ты думаешь, что кто-то оторвал руку какому-нибудь дядюшке Фредди и сунул ее в эту треклятую гладилку?

— «Если семьсот обезьян засадить на семьсот лет за печатание на пишущей машинке...»

— Знаю, знаю. «Одна из них непременно напишет собрание сочинений Шекспира», —

мрачно закончил за него Хантон. — Иди ты к дьяволу, Марк! Нет, лучше дойди до аптеки на той стороне улицы и наменяй там еще двадцатицентовиков для стиральной машины.

Джордж Стэннер потерял в «мясорубке» руку, и этому сопутствовали самые странные обстоятельства.

В понедельник в семь часов утра в прачечной не было никого, если не считать Стэннера и Херба Даймента, мастера по ремонту оборудования. Дважды в год они проводили профилактические работы — смазывали подшипники «мясорубки», перед тем как открыть фабрику-прачечную в обычное время, в 7.30. Даймент находился у дальнего ее конца, смазывал четыре вспомогательных подшипника и размышлял о том, какие неприятные ощущения вызывает у него в последнее время общение с этим механизмом, как вдруг «мясорубка»... ожила.

Он как раз приподнял четыре полотняные ленты на выходе, чтоб добраться до мотора, находившегося под ними, как вдруг ленты дрогнули и поползли у него в руках, сдирая кожу с ладоней и затягивая его внутрь.

За секунду до того, как руки его оказались бы втянутыми в машину, он резким рывком освободился.

— Какого черта! — завопил он. — Вырубите эту гребаную хреновину!

И тут Джордж Стэннер закричал.

Это был жуткий, леденящий душу крик, вернее даже вой, разом наполнивший все помещение, эхом отдающийся от металлических ликов стиральных автоматов, от усмехающихся пастей паровых прессов, от пустых глазниц огромных сушилок. Стэннер широко втянул раскрытым ртом воздух и снова закричал:

— *О Господи Иисусе! Меня затянуло! ЗАТЯНУЛО...*

Тут из-под барабанов повалил пар. Колесики стучали и вертелись, казалось, что помещение и механизмы вдруг прорвало криком и потайная жизнь, доселе крывшаяся в них, вдруг вырвалась наружу.

Даймент опрометью бросился к тому месту, где только что находился Стэннер.

Первый барабан уже зловеще окрасился кровью. Даймент тихо застонал, горло у него перехватило. А «мясорубка» завывала, стучала, шипела.

Непосвященному свидетелю происшествия могло бы показаться, что Стэннер просто стоит над машиной, склонившись под несколько странным углом. Но даже непосвященный свидетель непременно заметил бы затем, что лицо его побелело как мел, глаза выкачены из орбит, а рот перекошен в протяжном болезненном крике. Рука уже исчезла под рычагом безопасности и первым барабаном, рукав рубашки был оторван полностью, до самого плеча, а верхняя часть руки как-то неестественно искривилась, и из нее хлестала кровь.

— Выключи! — прохрипел Стэннер. И тут хрустнула и сломалась плечевая кость.

Даймент ударил ладонью по кнопке.

«Мясорубка» продолжала стучать, рычать и вертеться.

Не веря своим глазам Даймент бил и бил по этой кнопке. Безрезультатно... Кожа на руке Стэннера натянулась и стала странно блестящей. Вот сейчас она не выдержит, порвется — ведь барабаны продолжали вертеться. При этом, как ни странно, Стэннер не терял сознания и продолжал кричать. И Дайменту почему-то вспомнилась сценка из мультфильма, где на человека наезжает паровой каток и раскатывает его в тоненький листик.

— Предохранитель!.. — взвыл Стэннер. Голова его клонилась все ниже, машина неумолимо затягивала человека в свою утробу.

Даймент развернулся и кинулся в бойлерную. Крики Стэннера подгоняли его, точно злые духи. В воздухе стоял смешанный запах крови и пара.

Слева на стене находились три тяжелых серых шкафа с пробками от всей электросистемы прачечной. Даймент начал распахивать дверцы — одну за одной — и выдергивать подряд все длинные керамические цилиндры, отбрасывая их через плечо. Сперва вырубился верхний свет, затем — воздушный компрессор. Затем и сам бойлер — с тихим умирающим завыванием.

А «мясорубка» все продолжала вертеться. Крики Стэннера превратились в булькающие, захлебывающиеся стоны.

Тут на глаза Дайменту попал пожарный топорик, висевший на стене в застекленном шкафу. Тихо причитая, он схватил его и выбежал из бойлерной. Руку Стэннера сжевало уже до плеча. Еще секунда — и голова и неуклюже изогнутая шея будут раздавлены.

— Не получается! — пробормотал Даймент, размахивая топориком. — Господи, Джордж, что ж это такое!.. Я не могу, не могу!

Машина несколько умерила прыть. Лента выплюнула остатки рукава, куски мяса, палец Стэннера... Тот снова взвыл — дико, протяжно — и Даймент, взмахнув топориком, почти вслепую ударил им один раз. И еще раз. И еще.

Стэннер отвалился в сторону и медленно осел на пол. Он был без сознания. Лицо синюшное, из обрубка возле самого плеча потоком хлещет кровь... Машина со всхлипом втянула все, что от него осталось, в себя и... заглохла.

Рыдающий в голос Даймент выдернул из брюк ремень и начал сооружать из него «шину».

Хантон говорил по телефону с инспектором Роджером Мартином. Джексон краем глаза наблюдал за ним, терпеливо катая по полу мячик — ради удовольствия трехлетней Пэтти Хантон.

— Он выдернул все пробки?.. — переспросил Хантон. — Но ведь с выдернутыми пробками электричество отключается, разве нет?.. И гладилку отключил?.. Так, так, хорошо. Замечательно. Что?.. Нет, не официально. — Хантон нахмурился, покосился на Джексона. — Все вспоминается тот холодильник, Роджер... Да, я тоже. Ладно, пока! — Он повесил трубку и обернулся к Джексону: — Пришла пора познакомиться с нашей девушкой, Марк.

У нее была собственная квартира. Судя по робости, с какой она держалась, и готовности, с которой впустила их, едва Хантон показал полицейский значок, поселилась девушка здесь недавно. Затем она неловко пристроилась на краешке кресла напротив, в тщательно обставленной гостиной, напоминавшей картинку на открытке.

— Я офицер полиции Хантон, а это мой помощник, мистер Джексон. Я по поводу того случая в прачечной. — Он ощущал некоторую неловкость в присутствии этой хорошенькой и застенчивой темноволосой девушки.

— Ужасно, просто ужасно... — пробормотала Шерри Квелетт. — Вообще-то это первое место, где я пока работала. Мистер Гартли, он доводится мне дядей. И мне нравилась моя работа, потому что я смогла переехать в отдельную квартиру, принимать друзей... Но теперь... мне кажется, это место, «Блю риббон»... *нехорошее.*

— Комиссия по технике безопасности закрыла гладилку на то время, пока проводится расследование, — сказал Хантон. — Вы об этом знаете?

— Конечно. — Она беспокойно заерзала в кресле. — Просто ума не приложу, что теперь делать...

— Мисс Квелетт, — перебил ее Джексон, — у вас ведь тоже были проблемы с этой гладильной машиной, или я ошибаюсь? Вы вроде бы поранили руку о скобу, верно?

— Да, порезала палец. — Тут вдруг лицо ее помрачнело. — Но это было только начало... — Она подняла на него печальные глаза. — С тех пор мне иногда кажется, что все остальные девушки меня вдруг разлюбили... словно я... в чем-то провинилась.

— Я вынужден задать вам очень трудный вопрос, мисс Квелетт, — медленно начал Джексон. — Вопрос, который вам наверняка не понравится. Он носит очень личный характер, и может показаться, что не имеет отношения к теме, но это не так, уверяю вас. Не бойтесь, можете отвечать смело, мы не записываем нашу беседу.

Теперь лицо ее отражало испуг.

— Я... с-сделала что-то не так?..

Джексон улыбнулся и покачал головой, она сразу же расслабилась. *Господи, какое счастье, что я здесь с Марком*, подумал Хантон.

— Я бы еще добавил: ответ на этот вопрос может помочь вам сохранить эту славную квартирку, вернуться на работу и сделать так, что дела на фабрике-прачечной снова пойдут хорошо, как прежде.

— Ради этого я готова ответить на любой ваш вопрос, — сказала она.

— Шерри, вы девственница?

Похоже, она была совершенно потрясена, даже шокирована. Словно священник, к которому пришла на исповедь, вдруг отвесил ей пощечину. Затем подняла голову и обвела глазами комнату с таким видом, словно никак не могла поверить, могли ли они думать иначе.

А затем просто и коротко сказала:

— Я берегу себя для будущего мужа.

Хантон и Джексон молча переглянулись, и в какую-то долю секунды первый вдруг всем сердцем почувствовал, что все правда, что так оно и есть, что дьявол действительно вселился в неодушевленный металл, во все эти крючки, винтики и скобы «мясорубки» и превратил ее в нечто, живущее своей собственной, отдельной жизнью.

— Спасибо, — тихо сказал Джексон.

***

— Ну, что теперь? — мрачно осведомился Хантон уже в машине. — Будем искать священника, чтоб изгнать демонов?

Джексон насмешливо фыркнул:

— Даже если и найдешь такого священника, дело кончится тем, что он даст тебе читать кучу разных трактатов, а сам тем временем будет названивать в психушку. Мы должны справиться своими силами, Джонни.

— А справимся?

— Возможно. Проблема заключается в следующем. Мы знаем, что в машину вселилось нечто. А вот *что* именно — неизвестно... — Тут Хантон отчего-то весь похолодел, словно до него дотронулась бесплотная леденящая рука смерти. — Ведь демонов страшно много. Имеем ли мы дело с Бубастисом* или Паном**? Или же Баалом***? Или с христианским божеством, воплощением адских сил, под именем Сатана?.. Мы не знаем. Если б знать, кто подпустил этого демона и с какой целью, было бы проще. Но, похоже, он попал туда случайно.

Джексон пригладил ладонью волосы.

— Кровь девственницы, да, это понятно... Но сам этот факт еще ни о чем не говорит. Мы должны точно знать, с кем имеем дело.

— Зачем? — тупо спросил Хантон. — Почему бы не собрать разных снадобий и не попробовать изгнать их?

---

* Бубастис — одна из ипостасей дьявола.

** Пан — в древнегреческой мифологии божество лесов, стад и полей, козлоног, покрытый шерстью. Раннее христианство причисляло Пана к бесовскому миру.

*** Баал — в древнесемитской мифологии демон засухи.

Лицо Джексона словно окаменело.

— Это не игра в грабителей и полицейских, Джонни! Ради Бога, даже не думай! Ритуал изгнания дьявола — страшно опасная штука. Все равно что контролировать ядерную реакцию, чтобы тебе было понятнее. Мы можем ошибиться. И тогда погибнем. Пока что демон засел в этой машине. Но дай ему шанс, и он...

— Может вырваться наружу?

— Да он только об этом и мечтает... — мрачно протянул Джексон. — Ему нравится убивать.

Когда на следующий вечер Джексон заехал к нему, Хантон уговорил жену сходить с детьми в кино. Гостиная оказалась в полном их распоряжении, уже это несколько успокаивало. Хантону до сих пор с трудом верилось в то, что он оказался втянутым в такую странную затею.

— Я отменил занятия, — сказал Джексон, — и весь день просидел за разными жуткими книжками. Ты даже вообразить себе не можешь, до чего страшные вещи там описаны. Выписал штук тридцать способов, объясняющих, как вызвать демонов, и ввел их в компьютер. И тот выдал результат — наличие общих обязательных элементов. Их оказалось на удивление мало.

Он показал Хантону список, в котором значились: кровь девственницы, земля с могилы, «рука славы», кровь летучей мыши, мох, собранный ночью, лошадиное копыто, глаз жабы.

Были и другие элементы, но они считались не главными.

— Лошадиное копыто... — задумчиво протянул Хантон. — Странно.

— Очень часто встречается. Вообще-то...

— А возможна ли… э-э… не слишком жесткая трактовка этих формул? — перебил его Хантон.

— К примеру, может ли лишайник, собранный ночью, заменить мох, да?

— Да.

— Что ж, вполне возможно, — ответил Джексон. — Магическая формула зачастую звучит весьма двусмысленно и допускает целый ряд отклонений. Черная магия всегда предоставляла простор для полета творческой мысли.

— Что, если заменить лошадиное копыто клеем марки «Джель-О»? — предположил Хантон. — Очень популярная на производстве штука. Сам видел банку такого клея в тот день, когда погибла эта несчастная миссис Фраули. Стояла под платформой, на которой закреплена гладилка. Ведь желатин делают из лошадиных копыт.

Джексон кивнул.

— Что еще?

— Кровь летучей мыши… Так, помещение там просторное. Множество всяких неосвещенных закоулков и подсобок. А потому вероятность обитания летучих мышей в «Блю риббон» довольно высока, хотя администрация вряд ли признается в этом. Одна из таких тварей могла свободно залететь в «мясорубку».

Джексон откинул голову на спинку кресла и протер покрасневшие от усталости глаза.

— Да, вроде бы сходится… все сходится.

— Правда?

— Да. Ну, «руку славы», как мне кажется, можно благополучно исключить. Никто не подкидывал руку мертвеца в гладилку вплоть до гибели миссис Фраули, а то, что в наших краях не растет белладонна, так это определенно.

— Земля с могилы?

— А ты как думаешь?

— Вообще-то здесь просматривается некая связь, — пробормотал Хантон. — Ближайшее кладбище «Плезант хилл» находится в пяти милях от «Блю риббон».

— О'кей, — кивнул Джексон. — Я попросил девушку, работавшую на компьютере — бедняжка, она была уверена, что я готовлюсь к Хэллоуину, — поделить все эти элементы из списка на первичные и вторичные. Во всех возможных комбинациях. Затем выбросил дюжины две, которые выглядели совершенно абсурдными. А все остальные распределились на вполне четкие категории. И элементы, о которых мы только что толковали, вписываются в одну из комбинаций. Я имею в виду один из способов изгнания.

— И каков же он?

— О, очень прост. В Южной Америке существуют центры, исповедующие различные мистические верования. Имеют подразделения на Карибах. Обряды по виду сходные. В книгах, которые я просмотрел, их божества рассматриваются как некие злые духи, обитающие в лесу, ну, типа тех, которых африканцы называют Саддат, или Оно-Которое-Не-Имеет-Имени. И вот это самое «оно» вылетит у нас из машины пулей, и глазом моргнуть не успеешь.

— Да, но как мы это сделаем?

— Нужна лишь капелька святой воды да крошка облатки, которую используют при причастии. Ну и заодно прочитаем им вслух из «Левита»*. Самая настоящая христианская белая магия.

---

* «Левит» — третья книга Ветхого Завета.

— Может, от этого только хуже станет?

— С чего бы это? Не вижу причин, — задумчиво заметил Джексон. — К тому же, должен сознаться, меня несколько беспокоит отсутствие в нашем списке «руки славы». Это очень мощный элемент черной магии.

— Святой водой не побороть, да?

— Да. Демон, вызванный «рукой славы», способен сожрать на завтрак целую кипу Библий! С ним мы можем нарваться на большие неприятности. Вообще лучше всего разобрать эту дьявольскую машину на части, и все дела.

— А ты совершенно уверен, что...

— Нет. Не совсем. И однако же доля уверенности существует. Все вроде бы сходится.

— Когда?

— Чем раньше, тем лучше, — ответил Джексон. — Как мы туда попадем? Выбьем стекло?

Хантон улыбнулся, полез в карман, вытащил оттуда ключик и помахал им перед носом Джексона.

— Где раздобыл? У Гартли?

— Нет, — ответил Хантон. — У инспектора службы технадзора Мартина.

— Он знает, что мы затеяли?

— Кажется, подозревает. Пару недель назад рассказал мне одну любопытную историю.

— О «мясорубке»?

— Нет, — ответил Хантон. — О холодильнике. Ладно, идем.

Адель Фраули была мертва; лежала в гробу, сшитая из кусочков терпеливыми и старательными служащими морга. Но часть ее души могла остаться в машине, и если б это было действительно так, то сейчас эта душа должна была бы исходить криком. Она должна была знать, должна предупредить их. Миссис Фраули страдала несварением желудка и для того, чтобы избавиться от этого заурядного недуга, принимала весьма заурядное лекарство — таблетки под названием «Гель E-Z», коробочку с которыми можно было приобрести в любой аптеке за семьдесят девять центов. Правда, сбоку на коробочке значилось противопоказание: людям, страдающим глаукомой, принимать «Гель E-Z» нельзя, поскольку содержащиеся в нем активные ингредиенты могли привести к ухудшению состояния. Но, к несчастью, Адель Фраули не обратила внимания на эту надпись. И ей следовало бы помнить, что незадолго до того, как Шерри Квелетт порезала палец, она, Адель, случайно уронила в машину полный коробок этих таблеток. Теперь же она была мертва и ведать не ведала о том, что активным ингредиентом, снимавшим боли в желудке, являлось химическое производное белладонны, растения, известного во многих европейских странах под названием «рука славы».

Внезапно в полной тишине фабрики-прачечной «Блю риббон» раздался зловещий булькающий звук. Летучая мышь, словно безумная, метнулась к своему убежищу — щели между проводами над сушилкой, куда тут же забилась и прикрыла мордочку широкими крыльями.

Звук походил на короткий смешок.

И тут вдруг «мясорубка» со скрежетом заработала — лента конвейера побежала в темноту, выступы и зубчики, сцепляясь друг с другом, завертелись, тяжелые цилиндры с форсунками для пара начали вращаться.

Она их ждала.

***

Хантон въехал на автостоянку в самом начале первого — луна скрылась за чередой медленно ползущих по небу темных туч. Он одновременно выключил фары и ударил по тормозам — так резко, что Джексон едва не стукнулся лбом о ветровое стекло.

Затем выключил зажигание, и тут оба они услышали мерное постукивание.

— Это «мясорубка», — тихо произнес Хантон. — Да, она. Завелась сама по себе и работает посреди ночи.

Какое-то время они сидели молча, чувствуя, как в души их медленно и неумолимо закрадывается страх.

Наконец Хантон сказал:

— Ладно, идем. За дело.

Они выбрались из машины и подошли к зданию — стук «мясорубки» стал громче. Вставляя ключ в замочную скважину, Хантон вдруг подумал, что машина издает звуки, свойственные живому существу. Словно дышит, жадными горячими глотками хватая воздух, словно разговаривает сама с собой свистящим насмешливым полушепотом.

— А знаешь, мне почему-то вдруг стало приятно, что рядом со мной полицейский, — сказал Джексон. И перевесил коричневую сумку с одного плеча на другое. В сумке находилась небольшая баночка из-под джема, наполненная святой водой, и гидеоновская Библия*.

* Гидеоновская Библия (Gideon Bible) — Библия, изданная организацией «Гидеонсинтернэшнл», бесплатно распространяющей религиозную литературу.

Они вошли внутрь, и Хантон, нажав на выключатель у двери, включил свет. Под потолком замигала и загорелась холодным голубоватым огнем флуоресцентная лампа. В ту же секунду «мясорубка» затихла.

Над цилиндрами висела пелена пара. Она поджидала их, затаившись в зловещем молчании.

— Господи, до чего ж уродливая штуковина, — прошептал Джексон.

— Идем, — сказал Хантон. — Пока она окончательно не распсиховалась.

Они приблизились к «мясорубке». Рычаг безопасности был опущен.

Хантон вытянул руку.

— Ближе не стоит, Марк. Давай сюда банку и говори, что делать.

— Но...

— Не спорь!

Джексон протянул ему сумку. Хантон поставил ее на стол для белья перед машиной, затем дал Джексону Библию.

— Я начну читать, — сказал Джексон. — А ты, когда дам знак, побрызгаешь на машину святой водой. И скажешь: «Во имя Отца, и Сына, и Святого Духа, вон отсюда, ты, нечистая сила». Понял?

— Да.

— А потом, когда дам второй знак, разломишь облатку и снова повторишь заклинание.

— А как мы узнаем, подействовало или нет?

— Узнаем. Тварь, засевшая там, повыбьет все стекла, когда будет выбираться наружу. И если с первого раза не получится, будем повторять еще и еще.

— Знаешь, мне чертовски страшно... — пробормотал Хантон.

— Честно сказать, мне тоже.

— Если мы ошиблись насчет этой самой «руки славы»...

— Не ошиблись, — сказал Джексон. — Ну, с Богом!

И он начал читать. Голос наполнил пустое помещение и гулким эхом отдавался от стен.

— «Не сотворяйте себе кумиров и изваяний, и столбов не ставьте у себя, и камней с изображениями не кладите в земле вашей, чтобы кланяться перед ними; ибо Я Господь Бог ваш...» — Слова его падали в тишину, словно камни, и Хантону вдруг стало холодно, страшно холодно. «Мясорубка» оставалась нема и неподвижна под мертвенным сиянием флуоресцентной лампы, и ему вдруг показалось, что она ухмыляется. — «...и будете прогонять врагов ваших, и падут они перед вами от меча»*. — Тут Джексон поднял от Библии бледное лицо и кивнул.

Хантон побрызгал святой водой на подающий механизм конвейера.

И тут машина издала пронзительный мучительный крик. Из тех мест, куда попали капли воды, повалил пар и завился в воздухе тонкими красноватыми нитями. «Мясорубка» дрогнула и ожила.

— Получилось! — воскликнул Джексон, стараясь перекричать нарастающий грохот. — Она завелась!

И он принялся читать снова, громким голосом, перекрывая лязг и шум. Затем опять кивнул Хантону, и тот побрызгал еще. А затем внезапно его пронзил леденящий душу ужас, и он

---

* Ветхий Завет, книга третья, глава 26.

с беспощадной ясностью осознал, вернее почувствовал, что произошла страшная ошибка, что машина приняла их вызов и что она... сильнее.

Джексон читал все громче и громче, он уже почти кричал.

Из мотора вдруг начали вылетать искры; воздух вокруг наполнился запахом озона, к которому примешивался медный привкус крови. Теперь уже главный мотор дымился. «Мясорубка» вертелась с безумной скоростью — стоило хотя бы кончиком пальца дотронуться до центральной ленты, и все тело в течение доли секунды оказалось бы втянутым в этот бешено мчавшийся конвейер, а еще секунд через пять превратилось бы в сплющенную окровавленную тряпку. Бетонный пол под ногами дрожал.

Затем вдруг главный подшипник выплюнул волну пурпурного света, в холодном воздухе запахло грозой. Но «мясорубка» продолжала работать, лента мчалась все быстрей и быстрей, винтики и зубчики вращались с такой скоростью, что различить их было уже невозможно и все перед глазами сливалось в сплошной серый поток, который затем начал таять, менять очертания.

Хантон, стоявший словно в гипнозе, вздрогнул и отступил на шаг.

— Бежим отсюда! — крикнул он, перекрывая весь этот оглушительный, невыносимый грохот.

— Но у нас почти получилось! — крикнул в ответ Джексон. — Почему...

Тут вдруг раздался жуткий, совершенно неописуемый треск, и в бетонном полу образовалась трещина. И побежала к их ногам, угрожающе расширяясь на ходу. Кругом взлетали и рассыпались в пыль куски старого цемента.

Джексон взглянул на «мясорубку» и вскрикнул.

Машина пыталась оторваться от пола, напоминая при этом динозавра, старающегося отодрать прилипшие к смоляной луже лапы. Воообще-то ее уже нельзя было больше назвать машиной или гладилкой. Она меняла очертания, острые углы исчезали, таяли на глазах. Вот откуда-то сорвался кабель под напряжением 550 вольт и упал, расплескивая голубые искры на крутящиеся валы, которые тут же сжевали его. Секунду на них смотрели два огненных шара — словно гигантские глаза, в которых сквозил неутолимый голод.

С треском лопнул еще один трос. И «мясорубка», освободившись от всех оков и пут, качнулась и двинулась на них, злобно и плотоядно ворча; рычаг безопасности отскочил и завис в воздухе, и Хантон видел перед собой громадную, широко раскрытую и дышащую паром ненасытную пасть.

Они развернулись и бросились прочь, но тут под ногами у них расползлась еще одна трещина. А за спиной слышался вой и топот, который может издавать только вырвавшийся на волю дикий зверь. Хантон перепрыгнул через трещину, но Джексон споткнулся и упал навзничь.

Хантон остановился и развернулся, собираясь помочь товарищу, но тут на него пала огромная аморфная тень, и все лампы померкли.

Тень стояла над Джексоном, который, лежа на спине, смотрел на нее, и на лице его отражался невыразимый ужас. Ужас жертвы перед закланием. Хантон же успел только заметить нечто черное, невероятной высоты и ширины, нависшее над ними, уставившееся двумя электрическими глазами размером с футбольный мяч каждый. И с разверстой пастью, в которой двигался серый брезентовый язык.

И он побежал. За спиной прозвучал пронзительный крик Джексона и тут же оборвался.

Роджер Мартин, заслышав пронзительные звонки в дверь, выбрался наконец из постели, все еще пребывая в полудремотном состоянии. Но когда в прихожую ворвался Хантон, он тут же вернулся к реальности, словно его резко и грубо ударили по лицу.

Вид Хантона был страшен — глаза вылезали из орбит и он, не находя слов, впился ногтями в халат Мартина. На щеке виднелся кровоточащий порез, все лицо перепачкано какой-то серой пылью.

А волосы... волосы стали совершенно белыми.

— Помогите... ради Бога, помогите! — Хоть и с трудом, но он все же обрел дар речи. — Марк погиб. Джексон погиб...

— Присядьте, — сказал Мартин. — Нет, идемте, лучше я отведу вас в гостиную.

Хантон, пошатываясь и подвывая, тоненько, словно раненый пес, побрел за ним.

Мартин налил ему унции две «Джима Бима»*, и Хантону пришлось держать стакан обеими руками, чтоб протолкнуть жидкость в горло. Затем стакан упал на ковер, а руки, точно неприкаянные души, снова взметнулись вверх и потянулись к отворотам халата.

— «Мясорубка»... она убила Марка Джексона! Она... она... о Боже, может вырваться наружу!

---

* «Джим Бим» — кентуккский бурбон.

Мы не должны ей позволить! Мы не можем... не должны... о-о-о!.. — И тут он завыл протяжно и дико, словно раненый зверь.

Мартин пытался дать ему выпить еще, но Хантон оттолкнул руку со стаканом.

— Нам надо сжечь эту тварь! — крикнул он. — Спалить, прежде чем она успеет выбраться. О, что будет, если она окажется на воле! О Господи, что, если она уже... — Тут глаза его странно расширились, закатились, и он, потеряв сознание, рухнул на ковер точно мертвый.

Миссис Мартин стояла в дверях, подняв воротник халата и прижимая его к горлу.

— Кто это, Родж? Он что, сошел с ума? Мне показалось... — Она содрогнулась.

— Нет, не думаю, что он сошел с ума. — Только теперь она заметила, что лицо мужа искажает самый неприкрытый страх. — Господи, остается лишь надеяться, что они быстро приедут...

И Мартин бросился к телефону. Схватил трубку и вдруг замер.

С той стороны, откуда прибежал Хантон, на дом надвигался какой-то непонятный шум. Он усиливался, становился все громче и отчетливей, и в нем уже можно было различить лязг и постукивание. Окно в гостиной было полуоткрыто, и в него ворвался порыв ночного ветра. Мартин уловил запах озона... или крови?

Он стоял, опустив руку на бесполезный теперь телефон, а звуки становились все громче, и в них улавливалось шипение и фырканье, словно по улицам города катил гигантский плющийся паром утюг. И комнату наполнил запах крови.

Рука бессильно выронила телефонную трубку. Аппарат все равно не работал.

# НОЧНОЙ ПРИБОЙ*

После того как парень умер и запах горелой плоти растаял в воздухе, все мы снова пошли на пляж. Кори тащил с собой радио — эдакую огромную, с чемодан, дуру на транзисторах, которая питалась от сорока батареек и имела встроенный магнитофон. Нельзя сказать, чтоб звук был очень чистым, но уж громким он точно был, это будьте уверены. Кори считался вполне обеспеченным парнем до того, как случилась эта история с А6, но теперь такого рода вещи значения уже не имели. Даже его здоровенная радиомагнитола превратилась в забавный, но ничего не стоящий хлам, не более того. Остались всего лишь две радиостанции, которые мы могли ловить. Одна, «Дабл-ю-кей-ди-эм» в Портсмуте, принадлежала какому-то неотесанному ди-джею из глубинки, свихнувшемуся на религиозной почве. Он ставил пластинку Перри Комо, затем читал молитву, потом рыдал, потом ставил другую запись, Джонни Рея, читал один из псалмов (подвывая, словно Джеймс Дин** в фильме «К востоку от рая»), затем при-

---

* Night Surf. © 1998. Н. Рейн. Перевод с английского.

** Дин, Джеймс (1931—1955) — американский актер, выступал также в театре и на ТВ.

нимался орать или рыдать. Короче говоря, сплошные сопли. Как-то раз он вдруг надтреснутым глуховатым голосом запел «Вяжите снопы», отчего Нидлз и я буквально впали в истерику.

Радиоволна в Массачусетсе — куда как лучше, но ловить ее можно было только по ночам. Владела ею шайка каких-то ребятишек. Думаю, они захватили оборудование «Дабл-ю-а-кей-оу» или «Дабл-ю-ви-зет» — после того как все сбежали или умерли. Они транслировали только сумасшедшие позывные типа «Вдоуп» или «Кант», или «ВА6», словом, всякую муть. Нет, не подумайте, это было действительно смешно — просто со смеху можно было лопнуть. Вот эту самую радиостанцию мы и слушали, возвращаясь на пляж. Мы с Сюзи держались за руки; Келли и Джоан зашли дальше, а Нидлз, так тот вообще пребывал в полной эйфории. Кори то и дело блевал, прижимая к животу свое радио. «Стоунз»* пели «Энджи».

— Ты меня *любишь*? — спросила Сюзи. — Это все, что я хочу знать. *Любишь* или нет? — Сюзи все время надо было в чем-то уверять. А я был у нее кем-то вроде плюшевого медвежонка.

— Нет, — ответил я. Она была склонна к полноте и, если б прожила долго, чего ей, думаю, не светило, превратилась бы в жирную матрону с дряблой, обвисшей плотью. К тому же ее совершенно развезло.

— Падаль ты, вот кто, — сказала она и поднесла руку к лицу. Примерно с полчаса назад взошел месяц, и ее длинные наманикюренные ногти поблескивали в слабом сиянии.

---

* Имеется в виду английская рок-группа «Роллинг стоунз».

— У тебя чего, опять глаза на мокром месте?

— Заткнись! — В голосе звучали слезливые нотки.

Мы перебрались через песчаный гребень, и я остановился. Я всегда останавливаюсь здесь. До А6 тут находился городской пляж. Туристы, любители пикников, сопливые ребятишки и толстые пожилые матроны с обожженными солнцем локтями. Обертки от конфет и палочки от фруктового мороженого, воткнутые в песок; все эти красивые люди, нежащиеся на разноцветных полотенцах; и целый букет запахов, в котором к вони выхлопных газов с автостоянки примешивался аромат масла «Коппертоун»* и морских водорослей.

Теперь тут была одна лишь серая грязь и весь мусор как рукой смело. Океан поглотил его, поглотил все одним махом, как, к примеру, вы съедаете пригоршню воздушной кукурузы. И не было на земле людей, чтоб прийти сюда и намусорить вновь. Только мы, а какой от нас мусор?.. К тому же мы страшно любили этот пляж. Настолько, что... Ну разве мы только что не принесли ему жертву?.. Даже Сюзи, эта маленькая сучка Сюзи, с жирной задницей и пупком, похожим на ежевику, любила его.

Песок совсем белый, он весь испещрен мелкими дюнами. А граница отмечена лишь линией прилива — спутавшимися клубками водорослей, прядями ламинарий, обломками каких-то деревяшек, прибитых к берегу. Луна расцветила песок серповидными чернильными тенями и складками. Ярдах в пятидесяти от купальни

---

* «Коппертоун» — серия косметических средств для безопасного загара.

вздымалась покинутая всеми спасательная башня — белая и скелетообразная, похожая на указующий перст скелета.

И прибой, ночной прибой вздымал клочья пены, разбиваясь о волнорезы, и кругом, насколько хватало глаз, были одни лишь устремившиеся в атаку волны. Возможно, вода, которую они несли с собой, еще вчера ночью находилась где-нибудь на полпути к Англии.

— «Энджи» в исполнении «Стоунз», — пояснил надтреснутый голос из радиоприемника. — Выкопал для вас настоящий хит, пусть товар лежалый, но зато звучит. Прямиком с кладбища, где нам всем лежать... Впрочем, что это я? Говорит Бобби. Сегодня должен был работать Фред, но Фред подцепил грипп. Весь распух, бедолага...

Сюзи хихикнула, хотя слезы на ресницах еще не просохли. Я прибавил шагу, хотел догнать ее и утешить.

— Подождите! — крикнул Кори. — Берни! Эй, Берни, подожди меня!

Парень из радио начал читать какие-то неприличные лимерики*, затем на их фоне прорезался голос девушки — она спрашивала, куда он поставил пиво. Ди-джей что-то ей ответил, но в этот момент мы уже оказались на пляже. Я обернулся посмотреть, что делает Кори. Он съезжал с дюны на заднице — вполне в его манере — и выглядел при этом так нелепо, что мне стало его жаль.

— Побегаешь со мной? — спросил я Сюзи.

— Зачем это?

Я шлепнул ее по попке. Она взвизгнула.

---

* Лимерики — шуточные стихотворения из пяти строк, веселая бессмыслица. Впервые возникли в Англии около 1820 г. Получили известность благодаря поэту Эдварду Лиру.

— Да просто так. Потому что хочется побегать.

И мы побежали. Она тут же отстала, засопела, как лошадь, и стала орать, чтоб я ее подождал, но я забыл о ней и обо всем на свете. Ветер свистел в ушах и вздымал волосы, воздух свежо и остро пах солью. Прибой гремел. Волны походили на черное стекло, украшенное пеной. Я скинул резиновые шлепанцы и помчался по песку босиком, не обращая внимания на острые осколки раковин. Кровь так и кипела в жилах.

А потом оказался под навесом, где уже сидел Нидлз, а рядом, держась за руки и глядя на воду, стояли Келли с Джоан. Я перекувырнулся через голову и почувствовал, как с рубашки по спине сыплется песок. И подкатился прямо к ногам Келли. Он упал сверху и начал тыкать меня лицом в песок, а Джоан дико хохотала.

Потом мы встали и, усмехаясь, смотрели друг на друга. Сюзи перешла с бега на медленный шаг и тащилась к нам. Кори почти догнал ее.

— Да, здорово горело, — пробормотал Келли.

— Ты считаешь, он и вправду приехал из самого Нью-Йорка? Или соврал? — спросила Джоан.

— Не знаю... — Я не думал, что это имело какое-либо значение.

Мы нашли его сидящим за рулем огромного «линкольна», в полубессознательном состоянии и в бреду. Голова распухла и походила на футбольный мяч; шея была ровной и толстой, точно сарделька. Словом, отъездился парень. И мы отволокли его к лодочной станции и там подожгли. Он успел сказать, что звать его Элвин Сэкхейм, и еще он все время звал бабушку. А потом вдруг принял за бабушку Сюзи, отчего та вдруг страшно развеселилась, Бог ее знает почему. Сюзи вообще любит поржать по любому, даже самому неподходящему поводу.

Вообще-то Кори первому пришла в голову мысль сжечь его. Но начиналось все как шутка. Еще в колледже он начитался разных книжонок о колдовстве и черной магии и вот, стоя рядом с «линкольном» Элвина Сэкхейма и хитро поглядывая на нас в темноте, вдруг заговорил о том, что если мы принесем жертву темным силам, то, может, они, эти темные силы, защитят нас от А6.

Естественно, никто из нас по-настоящему не верил во всю эту лабуду, но... Слово за слово — и разговор начал принимать все более серьезный и конкретный оборот. Это было нечто новое, неиспытанное, и мы наконец решились. Привязали его к смотровой вышке — стоит кинуть монету в специальное наблюдательное устройство, и в ясный день видно далеко-далеко, до самого маяка в Портленде. Привязали своими ремнями и отправились собирать топливо — сухие ветки, обломки деревяшек, принесенные морем. И были так довольны и возбуждены, словно детишки, играющие в прятки. А пока мы занимались всем этим, Элвин Сэкхейм висел на ремнях и все звал свою бабушку. У Сюзи горели глаза, и дышала она часто-часто. Похоже, завелась. А когда мы с ней оказались в лощине между двумя дюнами, вдруг прижалась ко мне и поцеловала. Губы у нее были густо намазаны помадой — такое впечатление, будто целуешь жирную тарелку.

Я оттолкнул ее, и она тут же надулась.

Затем мы вернулись и сложили сухие ветки и палочки у ног Элвина Сэкхейма. Получилась куча высотой до груди. Нидлз щелкнул зажигалкой «Зиппо», огонь тут же занялся. Перед тем как волосы у него вспыхнули, парень вдруг страшно закричал. А уж воняло от него... ну прямо как от поросенка, зажаренного по китайскому рецепту.

— Сигаретки не найдется, Берни? — осведомился Нидлз.

— Да вон там, позади тебя, этих сигарет коробок пятьдесят.

— Идти неохота...

Я дал ему сигарету и сел. Мы с Сюзи повстречали Нидлза в Портленде. Он сидел на обочине тротуара, напротив здания Государственного театра, и наигрывал песенки Лидбелли* на большой гибсоновской гитаре, которую умудрился стибрить неизвестно где. Звуки гулким эхом разносились по Конгресс-стрит, словно играл он не на улице, а в концертном зале.

Тут перед нами возникла запыхавшаяся Сюзи.

— Ты подлец, Берни, вот кто!

— Да перестань, Сью! Смени пластинку. От этой ее стороны просто воняет.

— Сволочь, придурок, сукин сын! *Дерьмо собачье!*

— Пошла вон, — сказал я. — Иначе фингал под глазом схлопочешь, Сюзи. Ты ж меня знаешь.

Тут она снова зарыдала. Ох, уж что-что, а рыдать наша Сюзи была мастер! Подошел Кори, попытался обнять ее. Она ударила его локтем в пах, и тогда он харкнул ей в физиономию.

— *Убью*, скотина! — Она набросилась на него, вереща и рыдая, размахивая руками, словно лопастями пропеллера. Кори попятился, едва не упал, потом развернулся — и ну деру! Сюзи

---

* Прозвище Харди Лидбеттера, американского исполнителя народных песен.

бросилась вдогонку, выкрикивая проклятия и истерически рыдая. Нидлз откинул голову и расхохотался. К шуму прибоя примешивались тихие звуки радио Кори.

Келли и Джоан отошли в сторонку. Я смутно различал их силуэты, бредущие в обнимку у самой кромки воды. Ну прямо картинка в витрине какого-нибудь рекламного агентства, а не парочка! «Посетите прекрасную Сент-Лорку!» Да, все правильно. Похоже, у них серьезно.

— Берни?

— Чего? — Я сидел и курил, и думал о Нидлзе, который, откинув крышечку с зажигалки «Зиппо», крутанул колесико, щелкнул кремнем и выбил из нее огонь — ну в точности пещерный человек.

— Я его подцепил, — сказал Нидлз.

— Да? — Я поднял на него глаза. — Ты уверен?

— Ясное дело, уверен. Голова разламывается. Желудок ноет. Пи́сать — и то больно.

— Да, может, это просто какой-нибудь гонконгский грипп. У Сюзи был такой. Не приведи Господи. Бедняжка уже собиралась копыта откинуть и просила Библию. — Я засмеялся.

Произошло это, когда мы еще учились в университете, примерно за неделю до того, как заведение закрылось навсегда, и за месяц до того, как на грузовиках стали вывозить тела и хоронить их в братских могилах.

— Вот, погляди. — Он чиркнул спичкой и поднес ее к подбородку. Я увидел небольшие треугольные пятна, чуть припухшие. Первый признак А6, вне всякого сомнения.

— О'кей, — сказал я.

— Нет, я чувствую себя не так уж плохо, — заметил он. — Ну, во всяком случае, что касается разных там мыслей. Ты ведь тоже... Ты ведь тоже много думаешь об этом, Берни. Я знаю.

— Ничего я не думаю, ложь.

— Думаешь, еще как думаешь! Как тот парень сегодня. И о нем тоже думаешь. Вообще-то, если поразмыслить хорошенько, может, мы и сделали для него доброе дело. Сдается мне, он так и не понял, что с ним происходит.

— Да нет, понял.

Нидлз пожал плечами и отвернулся.

— Ладно. Не важно.

Мы курили и следили за тем, как набегают и отбегают волны. И горькая реальность вернулась, и все стало очевидно и определенно раз и навсегда. Уже конец августа, через пару недель повеет холодом, и осень тихо и незаметно вступит в свои права. Самое время убраться куда-нибудь. Спрятаться, укрыться. Зима... Возможно, к Рождеству все мы помрем. В чьем-нибудь чужом доме, в гостиной, с дорогим приемником Кори на книжном шкафу, битком набитом номерами «Ридерс дайджест». А бледное зимнее солнце, просачиваясь сквозь оконные рамы, будет отбрасывать на ковер прямоугольные желтоватые пятна...

Видение было настолько реальным, что я содрогнулся. Нет, никто не должен думать о зиме в августе. Прямо мурашки по коже.

Нидлз усмехнулся:

— Ну вот, все-таки думаешь.

Что я мог на это ответить? Ничего. Встал и сказал:

— Пойдем поищем Сюзи.

— Может, мы вообще последние люди на Земле, Берни. Когда-нибудь думал об этом? — В слабом мертвенном свете луны он уже выглядел почти покойником. Под глазами круги, бледные неподвижные пальцы напоминают карандаши.

Я подошел к воде и стал всматриваться вдаль. Ничего, лишь неустанно двигающиеся валы, увенчанные мелкими завитками пены. Звук прибоя, разбивающегося о волнорезы, был здесь особенно громким. Казалось, рев этот поглотил все вокруг. Впечатление такое, словно оказался в эпицентре грозы. Я закрыл глаза и стоял, слегка раскачиваясь. Песок под босыми ступнями был холодным, серым и плотным. *Словно мы последние люди на Земле...* Ну и что с того? Прибою все равно. Он будет греметь до тех пор, пока светит луна, регулирующая приливы и отливы.

Сюзи и Кори были на пляже. Сюзи уселась на него верхом и притворялась, будто объезжает дикого мустанга, то и дело норовящего сунуть морду в кипящую воду прибоя. Кори весело фыркал, ржал и плескался. Оба промокли до нитки. Я подошел и ударом ноги сшиб ее на землю. Кори ускакал на всех четырех, вздымая тучи брызг и подвывая.

— *Ненавижу!* — яростно выкрикнула Сюзи. Рот ее растянулся в горестной гримасе и напоминал вход в игрушечный домик. Когда я был маленьким, мама водила нас в парк Гаррисона, где стоял деревянный игрушечный домик в виде клоунской физиономии. И входить в него надо было через рот.

— Перестань, Сюзи, не надо! Давай поднимайся, дружок! — Я протянул ей руку.

Она нерешительно приняла ее и встала. На блузку и кожу налип сырой песок.

— Тебе не следовало толкать меня, Берни. Никогда не...

— Идем. — О, она ничуть не походила на автомат-проигрыватель в ресторане. В нее не надо было бросать двадцатицентовик, она и без того никогда не затыкалась.

Мы пошли по пляжу к главному торговому павильону. Человек, некогда державший это заведение, жил в небольшой квартирке наверху. Там имелась постель. Вообще-то постели она не заслуживала, но Нидлз, пожалуй, прав. Какая, к чертям, разница? Какие теперь, к дьяволу, правила и счеты?..

Сбоку от здания находилась лестница, ведущая на второй этаж, и я, поднимаясь по ней, на секунду остановился — заглянуть в разбитую витрину, поглазеть на пыльные товары, которые никто не потрудился украсть. Горы футболок с надписью «Пляж Ансон» на груди, а также с картинкой — голубое небо и волны; тускло мерцающие браслеты, от которых на второй день на запястье остается зеленое пятно; яркие пластиковые клипсы; мячики; поздравительные открытки, выпачканные в грязи; грубо раскрашенные гипсовые мадонны; пластиковая блевотина (*Ну прямо как настоящая! Попробуй подсунь жене!*); хлопушки, сделанные к празднику Четвертого июля, но так и не дождавшиеся своего часа; пляжные полотенца с изображением соблазнительной девицы в бикини, стоящей среди целого леса названий знаменитых курортов; вымпелы (*сувенир из Ансона, пляж и парк*); воздушные шары, купальники. Имелся там и бар, вывеска перед входом в него гласила: ОТВЕДАЙТЕ НАШЕ ФИРМЕННОЕ БЛЮДО — ПИРОГ С МОЛЛЮСКАМИ.

Еще студентом я частенько бывал на пляже Ансона. Было это лет за семь до нашествия А6, и тогда я встречался с девушкой по имени Морин. Крупная такая была девица и носила купальник в розовую клеточку. Я еще дразнил ее, говорил, что в нем она похожа на скатерть. Мы разгуливали по деревянному настилу у павильона босиком, и доски были горячими, а под ступнями хрустел песок. Кстати, мы с ней так и не попробовали пирога с моллюсками.

— Куда это ты пялишься?

— Никуда. Идем.

Ночью мне снились страшные сны об Элвине Сэкхейме, и я несколько раз просыпался мокрым от пота. Он сидел за рулем блестящего желтого «линкольна» и говорил о своей бабушке. Распухшая почерневшая голова, обугленный скелет. И от него несло горелым мясом. Он говорил и говорил, но я не разбирал ни слова. И, задыхаясь, проснулся снова.

Сюзи лежала у меня поперек ног — бледная бесформенная туша. На часах было 3.50, но, присмотревшись, я понял, что они остановились. На улице было еще темно. Прибой продолжал греметь, разбиваясь о берег. Стало быть, теперь где-то около 4.15. Скоро начнет светать. Я выбрался из постели и подошел к двери. Морской бриз приятно холодил потное тело. И вопреки всему мне страшно не хотелось умирать.

Покопавшись в углу, нашел банку пива. Там, у стены, стояли три или четыре ящика «Бада». Пиво было теплое, так как электричество отключилось. Но я в отличие от некоторых ничего не имею против теплого пива. Подумаешь, дело какое, только пены побольше, и все. Пиво — оно и есть пиво. Я вышел на лестницу, сел, дернул за колечко и стал пить.

Итак, что называется, приехали. Вся человеческая раса стерта с лица Земли, и не от атомного взрыва, биологического оружия, массового загрязнения среды или еще чего, столь же *значительного*. Нет, вовсе нет. *Просто от гриппа*. Хорошо бы установить огромный памятник в честь этого события. Ну, скажем, где-нибудь в Бонневилль-Солт-Флэтс. Эдакий куб из бронзы, представляете? Каждая сторона длиной в три мили. А сбоку громадными буквами — чтоб было видно издалека, а то вдруг какие-нибудь инопланетяне захотят приземлиться — выбита надпись: ПРОСТО ОТ ГРИППА.

Я отшвырнул пустую банку. Она с глухим звяканьем покатилась по бетонной дорожке, огибающей дом. Навес на пляже чернел треугольником на фоне более светлого песка. Интересно, проснулся ли Нидлз? Проснусь ли я сам в следующий раз?..

— Берни?

Она стояла в дверях. На ней была одна из моих рубашек. Я просто ненавижу такие штуки. Вечно потная, как хрюшка.

— Я тебе разонравилась, верно, Берни?

Я не ответил. Прошли времена, когда я порой чувствовал себя виноватым. И она... она заслуживала меня не больше, чем я ее.

— Можно с тобой посидеть?

— Боюсь, что места на двоих не хватит.

Она, тихо всхлипнув, стала отступать в глубину комнаты.

— А Нидлз подхватил А6, — сказал я.

Она остановилась и взглянула на меня. Лицо ее оставалось странно неподвижным.

— Шутишь, Берни?

Я закурил сигарету.

— Он... Только не он! Этого просто не может быть!

— Да, у него был А2. Гонконгский грипп. Как у тебя, у меня, у Кори, Келли и Джоан.

— Но это значит...

— Да. Иммунитета нет.

— Понятно. Тогда все мы тоже можем заболеть.

— Может, он наврал, что у него был А2. Чтоб мы взяли его с собой, — сказал я.

На лице ее отразилось облегчение.

— Ну конечно, так оно и есть! Я бы на его месте тоже наврала. Кому охота остаться одному... — Затем, помолчав, она нерешительно спросила: — Ложиться еще будешь?

— Пока нет.

Она ушла. Мне незачем было говорить ей, что А2 вовсе не является гарантией против А6. Она и без того знала. Просто запрещала себе думать об этом. Я сидел и смотрел на волны. Ну и хороши! Много лет тому назад Ансон был единственным приличным местом в штате для серфинга. Маяк в Портленде вырисовывался на фоне неба темным неровным горбом. Мне даже показалось, я различаю вышку, где находился наблюдательный пост, но, возможно, то был лишь плод моего воображения. Иногда Келли брал Джоан туда. Впрочем, не думаю, чтобы сегодня ночью они были там.

Я спрятал лицо в ладонях и начал крепко сжимать их, ощущая прикосновение кожи, плотную и неровную ее поверхность. Вот так же и все вокруг сжималось, сокращалось с непостижимой быстротой... В этом-то и заключалась основная подлость, и лично я не видел в смерти никакого достоинства.

А волны все поднимались, поднимались, поднимались из глубины моря. И не было им конца. Прозрачные, глубокие... Мы приезжали сюда летом, Морин и я. Летом после школы, летом перед поступлением в колледж, перед тем как А6 надвинулся из Юго-Восточной Азии и накрыл всю землю черным саваном. Летом, в июле, мы ели здесь пиццу, и слушали ее радио, и я мазал ей спину лосьоном, а она мазала спину мне, и воздух был горячим, песок таким ярким... а солнце горело на небе, точно расплавленное стеклышко.

# НОЧНАЯ СМЕНА*

Два часа дня. Пятница.

Холл сидел на скамейке у лифта — единственное место на третьем этаже, где работяга может спокойно перекурить, — как вдруг появился Уорвик. Нельзя сказать, чтоб Холл пришел в восторг при виде Уорвика. Прораб не должен был появиться раньше трех — того часа, когда на фабрику заступает новая смена. Он должен сидеть у себя в конторке, в подвальном помещении, и попивать кофеек из кофейника, что стоит у него на столе. Возможно, кофе оказался слишком горячим.

Июнь в Гейтс-Фоллз выдался на удивление жарким, термометр, висевший у лифта, однажды зафиксировал невероятную для здешних краев температуру — 94 градуса по Фаренгейту в три часа ночи. Одному Богу ведомо, какой ад подстерегает работягу, заступившего на смену с трех до одиннадцати.

Холл работал на неуклюжей и капризной трепальной машине, произведенной некоей уже не существующей фирмой в 1934 году в Кливленде. Он работал здесь с апреля, а это означало, что

* Graveyard Shift. © 1998. Н. Рейн. Перевод с английского.

платили ему по минимуму, 1,78 доллара в час. Но Холл считал, что это вполне нормально. Ему хватало. Ни жены, ни постоянной девушки, ни алиментов. Он по натуре своей был кочевником и за последние года три сменил немало мест и занятий — от Беркли (студент колледжа) до Лейк-Тахо (кондуктор автобуса); от Гэлвстона (портовый грузчик) до Майами (повар в закусочной); от Уилинга (водитель такси и мойщик посуды) до Гейтс-Фоллз в штате Мэн, где теперь работал трепальщиком и вовсе не собирался расставаться с этим последним местом. По крайней мере до тех пор, пока не выпадет снег. Он был одинок, и ему особенно нравилась смена с одиннадцати до семи, когда напряжение в этой гигантской, непрерывно работающей мельнице спадало, не говоря уже о температуре воздуха.

Единственное, что здесь удручало, так это крысы.

Третий этаж являл собой довольно длинное и пустое помещение, освещенное гудящими флуоресцентными лампами. Здесь в отличие от остальных этажей фабрики было относительно тихо и пусто. Это если говорить о людях. Зато крысы так и кишели. Единственным механизмом на третьем этаже была его трепальная машина, вся остальная часть помещения использовалась под хранение девяностофунтовых мешков с волокном, которое машина Холла должна была сортировать своими длинными зубьями. Мешки, напоминавшие сосиски, были уложены длинными рядами; некоторые из них (особенно с лоскутьями мельтона* и какими-то

---

* Мельтон — вид сукна.

совсем непонятными тряпицами, на которые не было спроса) валялись тут годами и стали серыми от пыли и грязи. Самое подходящее место для гнезд, где селились крысы — огромные пузатые создания со злобными глазками и серыми шкурками, в которых так и кишели вши, блохи и прочие паразиты.

Холл взял в привычку собирать целый арсенал пустых жестянок из-под безалкогольных напитков — он выуживал их из мусорного бака во время обеденного перерыва. И швырял банками в крыс, когда работы было немного, а потом собирал их по всему помещению, к полному своему удовольствию. И вот за этим занятием его застал мистер Прораб. Поднялся по лестнице вместо лифта, сукин он сын. Даром что все называли его шпиком.

— Чем это ты занят, а, Холл?

— Крысами, — ответил Холл, сознавая, что объяснение звучит абсурдно, поскольку крысы тут же попрятались в свои норки. — Швыряю в них банками, когда высовываются.

Уорвик нехотя кивнул в знак приветствия. Крупный мясистый мужчина с короткой стрижкой. Рукава рубашки закатаны, узел галстука приспущен. Затем он сощурил глаза и взглянул на Холла уже попристальней.

— Мы платим тебе не за то, чтоб ты швырялся банками в крыс, мистер. Даже если потом будешь их подбирать.

— Но Гарри не присылает заказ вот уже минут двадцать, — начал оправдываться Холл, а про себя подумал: *Ну чего ты приперся сюда, вместо того чтоб спокойно сидеть и пить кофе?* — А что прикажете прогонять через эту машину, если заказа нет?

Уорвик кивнул — с таким видом, словно эта тема больше его не интересовала.

— Поднимусь-ка я, пожалуй, и погляжу, чем там занят Висконский, — сказал он. — Ставлю пять против одного, что читает журнальчик, пока сырье накапливается в барабанах.

Холл промолчал.

Тут вдруг Уорвик указал пальцем:

— Вот она, смотри-ка! А ну задай этой твари перцу!

Холл запустил в крысу жестянкой из-под «Нихай»*, которую держал наготове. Бросок был молниеносным и точным. Крыса, сидевшая на одном из мешков и не спускавшая с них злобного взгляда темных глазок, слетела вниз, издав жалобный писк. Уорвик расхохотался, закинув голову. А Холл пошел подбирать банку.

— Вообще-то я к тебе не за этим приходил, — сказал Уорвик.

— За чем же?

— На следующей неделе праздник, Четвертое июля. — Холл кивнул. — Фабрика будет закрыта с понедельника по субботу. Каникулы для рабочих со стажем не меньше года, отпуск за свой счет для работяг со стажем меньше года. Подработать не желаешь?

Холл пожал плечами:

— А чего делать-то?

— Мы хотим очистить полуподвальный этаж. Вот уж лет двенадцать как там никто не наводил порядка. Да там сам черт ногу сломит. Надо бы поработать шлангом.

— Кто-то из городского комитета желает войти в совет директоров?

---

* «Нихай» — прохладительный напиток.

Уорвик злобно сощурился:

— Так хочешь или нет? Два бакса в час, четвертого — двойная плата. Потом переведем туда ночную смену, там прохладнее.

Холл быстро подсчитал в уме. Возможно, ему удастся сколотить семьдесят пять баксов, за вычетом налогов. Такие деньги на дороге не валяются. К тому же отпуск у него за свой счет.

— Ладно.

— Тогда зайдешь в понедельник в красильный цех и запишешься, о'кей?

Холл смотрел ему вслед. Не дойдя до лестницы, Уорвик вдруг обернулся и взглянул на него:

— Ты вроде бы в колледже учился, верно?

Холл кивнул.

— О'кей, мальчик из колледжа. Буду иметь тебя в виду.

И он ушел. Холл сел и закурил следующую сигарету, держа в другой руке банку от содовой и зорко озираясь по сторонам. Можно представить, что творится в этом полуподвале, точнее, подвале, потому как он располагался одним уровнем ниже красильной. Сырость, темнотища, полно пауков, гниющих тряпок, вонь от реки и... крысы. А может, даже и летучие мыши, авиаторы семейства грызунов. Гадость!..

Холл с силой запустил банкой в мешок, затем улыбнулся краешками губ, заслышав доносившийся сверху голос Уорвика, тот отчитывал Гарри Висконского.

*Ладно, мальчик из колледжа, буду иметь тебя в виду.*

Но улыбка тут же слетела с губ, и он затушил окурок. Через несколько минут Висконский начнет подавать через воздуходувку нейлоновое сырье, так что пора приниматься за работу.

Спустя некоторое время крысы вылезли из своих убежищ и расселись на мешках, заполнивших длинный цех. И принялись наблюдать за его действиями немигающими черными глазками. Словно суд присяжных...

Одиннадцать вечера. Понедельник.

В помещении собралось человек тридцать шесть, когда наконец вошел Уорвик в старых, потрепанных джинсах, заправленных в высокие резиновые сапоги. Холл слушал Гарри Висконского — невероятно толстого, невероятно ленивого и невероятно мрачного парня.

— Да там черт знает что творится, — говорил Висконский, когда вошел прораб. — Погоди, сам увидишь. Уйдем домой черные, словно ночь в Персии, даже еще черней.

— О'кей, ребята! — сказал Уорвик. — Мы повесили там шестьдесят лампочек, чтоб было светло и видно, чего вы делаете. Ты, ты и ты, — обратился он к группе мужчин, привалившихся спинами к сушилкам, — пойдете и подключите шланги к главному водозаборнику, что у лестничной клетки. Затем развернете шланги и протянете вниз. На каждого придется ярдов по восемьдесят, так что работы всем хватит. И не вздумайте валять дурака и поливать друг дружку водой, иначе ваш приятель имеет шанс отправиться в госпиталь. Струя жутко сильная, прямо с ног валит.

— Кто-нибудь обязательно пострадает, — выдал мрачный прогноз Висконский. — Погодите, сами увидите.

— Теперь вы, ребята. — Уорвик указал на группу, в которой находились Холл и Висконский. — Сегодня вы у нас работаете мусорщиками. Разобьетесь на пары. На каждую пару — по одному электрокару. Там полно разного хлама, старой мебели, мешков с тряпьем, сломанных станков, чего только нет... Будете свозить все это и складывать у вентиляционной шахты, что на западном конце. Есть кто-нибудь, кто не умеет управлять электрокаром?

Руки никто не поднял. Электрокар представлял собой маленькую вагонетку на батарейках, напоминавшую мусоровоз в миниатюре. От них после долгого использования начинало тошнотворно вонять, и вонь эта напоминала Холлу запах сгоревшей электропроводки.

— О'кей, — сказал Уорвик. — Мы поделили подвал на сектора. К четвергу надо бы управиться. В пятницу будем вывозить мусор. Вопросы есть?

Вопросов не было. Холл вглядывался в лицо прораба, и у него вдруг возникло предчувствие, что с этим человеком непременно должно случиться что-то ужасное. Мысль доставляла удовольствие. Ему никогда не нравился Уорвик.

— Ну и прекрасно! — сказал Уорвик. — Тогда за дело.

Два часа ночи. Вторник.

Холл устал, и ему до смерти надоело слушать непрестанное нытье и жалобы Висконского. Он уже подумывал: а не врезать ли ему как следует? Но потом отверг эту мысль. Нет, не пойдет. Это только даст Висконскому лишний повод для нытья.

Холл знал, что работа предстоит не сахар, но такого ада не ожидал. Больше всего доставала вонища. Запах гнили с реки смешивался с вонью разлагающихся тряпок, отсыревшей кирпичной кладки и гниющих останков какой-то растительности. В дальнем углу, с которого они начали, Холл обнаружил целую колонию гигантских белых мухоморов, проросших через растрескавшийся бетонный пол. Он случайно дотронулся до одного рукой, вытаскивая из груды мусора проржавевшее колесо от трепальной машины. Гриб показался странно теплым и разбухшим на ощупь, словно кожа человека, страдающего водянкой.

Даже шестьдесят лампочек не смогли до конца разогнать сгустившуюся здесь тьму; их свет лишь разбавил ее немного, заставил отступить и забиться в углы и отбрасывал желтоватое мерцание на весь этот кошмар. Вообще-то помещение больше всего походило на неф давным-давно заброшенной церкви: высокий сводчатый потолок; обломки каких-то машин, напоминающие останки мамонта; сырые стены, покрытые пятнами желтой плесени. А из шлангов били струи воды, создавая мрачный музыкальный фон всей этой картине; далее вода с журчанием сбегала в полузабитые канализационные трубы и уже оттуда попадала в реку.

И крысы, целые полчища крыс! Они были похожи на гномов. Бог их знает, чем они тут питались. Переворачивая бесчисленные доски и мешки, люди обнаруживали под ними огромные гнезда, сделанные из обрывков газет, с отвращением наблюдали, как крысята разбегались по щелкам и норкам, а глаза у этих существ были огромны и слепы от постоянно царившей здесь тьмы.

— Ладно, перекур, — сказал Висконский. Он почему-то задыхался, и Холл никак не мог понять, чем это вызвано — ведь парень практически просачковал всю ночь. Однако перекурить было действительно пора, к тому же они находились в углу, где их никто не видел.

— Давай. — Он привалился спиной к электрокару и закурил.

— Не стоило позволять Уорвику вовлекать нас во все это дерьмо... — жалобно протянул Висконский. — Эта работа не для белого человека. Правда, тут на днях он застукал меня на мусорке. А я как раз присел по большому. Ну и взбеленился же он, чуть не убил, ей-богу!

Холл не ответил. Он размышлял об Уорвике и крысах. Странно, но ему казалось, что между ними существует некая непонятная связь. Крысы, так долго жившие в этом подвале, похоже, напрочь забыли о существовании человека — слишком уж нагло себя вели и совсем ничего не боялись. Одна из них присела на задние лапы и торчала столбиком — ну точь-в-точь белка. А когда Холл занес ногу, чтобы дать ей пинка, прыгнула и вцепилась зубами в кожаный ботинок. Их были сотни, возможно, тысячи... Интересно, сколько же разных страшных болезней они переносят через сточные воды, подумал он. И этот Уорвик. Было в нем что-то такое...

— Мне просто бабки нужны, — продолжал тем временем Висконский. — Но ей-богу, приятель, эта работенка *не для белого человека*! А уж крысы... — Он опасливо огляделся по сторонам. — У них такие морды, прямо кажется, чего-то соображают. А ты никогда не задумывался над тем, что было бы, если б мы вдруг стали маленькими, а они превратились в больших, здоровенных таких...

— Да заткнись ты! — огрызнулся Холл.

Висконский вздрогнул и обиженно уставился на него.

— Я... это... ну, извини, приятель. Просто я подумал... — Он умолк, а затем после паузы заметил: — Господи, ну и вонища же тут! Нет, *такая работа не для белого человека!* — В эту секунду на край вагонетки вскарабкался паук и пополз у него по руке. Висконский, брезгливо ойкнув, стряхнул его на пол.

— Ладно, идем, — сказал Холл и затушил сигарету. — Чем раньше начнем, тем быстрее закончим.

— Как же, как же, дожидайся!.. — с самым несчастным видом пробормотал Висконский.

Четыре часа утра. Вторник.

Время ленча.

Холл и Висконский присоединились к группе из трех-четырех работяг и ели сандвичи, держа их грязными руками — такими грязными, что их, казалось, нельзя было отмыть и специальным промышленным детергентом. Холл жевал и косился в угол, где за стеклянной перегородкой сидел в своей конторке прораб. Уорвик пил кофе и с жадностью пожирал холодные гамбургеры.

— А Рей Апсон домой пошел, — заметил Чарли Броуч.

— С какой такой радости? Сблеванул, что ли? — спросил кто-то из работяг. — Я тут и сам едва не блеванул.

— Нет. Да Рей коровью лепешку сожрет, глазом не моргнув. Нет. Его крыса цапнула.

— Что, правда, что ли?

— Ага. — Броуч сокрушенно покачал головой. — Я с ним в паре работал. И такой твари сроду не видывал! Как выскочит вдруг из дырки в старом мешке! Здоровенная, ну что твоя кошка! Цап его за руку и ну жевать!..

— Гос-с-поди... — пробормотал один из рабочих и позеленел.

— Ага, — кивнул Броуч. — И тут Рей как заорет, ну точно баба какая. Но я его не осуждаю, нет. Столько кровищи человек потерял, ну что твоя свинья. И что ты думаешь, эта тварь его отпустила? Ничего подобного, сэр! Мне пришлось раза три-четыре врезать ей доской, прежде чем она отвалилась. А Рей, так он чуть не рехнулся. И давай ее топтать! И топтал, и топтал, пока не осталась одна шкурка. Гаже этого в жизни своей ничего не видывал! Ну, потом Уорвик перевязал ему руку и отправил домой. Сказал, чтоб завтра обязательно сходил к врачу.

— Здоровая, видно, была тварь... — заметил кто-то.

Словно услышав эти последние слова, Уорвик встал из-за стола, потянулся и, подойдя к двери клетушки, крикнул:

— Пора за дело, ребятишки!

Рабочие неспешно поднимались на ноги, жуя на ходу, стряхивая крошки с одежды, допивая из банок, похрустывая конфетами. Затем стали спускаться по лестнице, громко стуча каблуками по железным ступеням.

Проходя мимо Холла, Уорвик хлопнул его по плечу:

— Как дела, мальчик из колледжа? — И прошел мимо, не дожидаясь ответа.

— Ладно, идем, — сказал Холл Висконскому, который завязывал шнурки на ботинке. И они спустились вниз.

Семь утра. Вторник.

Холл и Висконский выходили вместе; такое впечатление, подумал Холл, что этот псих теперь от меня никогда не отвяжется. Висконский так перепачкался, что выглядел почти комично — широкая лунообразная физиономия измазана словно у мальчишки, которого только что отметелила городская шпана.

В толпе рабочих, выходивших из дверей, не было слышно обычных грубоватых шуток. Никто не выдергивал у напарника рубашку из-за пояса, никто не подшучивал по поводу того, что постельку жены Тони наверняка согревал в его отсутствие кто-то другой. Полная тишина, перебиваемая лишь смачным харканьем и звуками плевков на грязный пол.

— Хочешь подвезу? — нерешительно предложил Висконский.

— Спасибо.

Проезжая по Милл-стрит, а затем по мосту, они молчали. Обменялись лишь парой слов, когда Висконский высадил его у дома.

Холл прямиком направился в душ, по-прежнему размышляя об Уорвике. Он пытался понять, что же такое было в этом мистере Прорабе, странно притягивающее его, заставлявшее думать, что между ними существует какая-то связь.

Не успев коснуться щекой подушки, он тут же уснул. Но спал беспокойно и плохо, и ему снились крысы.

***

Час ночи. Среда.

Да за лошадьми ухаживать и то проще.

Они не могли войти в помещение до тех пор, пока мусорщики не закончат вывоз разного хлама из одной из секций. Да и после приходилось часто останавливаться и ждать, пока не очистят от мусора новый участок, что давало время для перекура. Холл поливал из шланга, Висконский был занят тем, что носился взад-вперед, разматывая все новые витки резиновой змеи. Включал и выключал воду, убирал препятствия на ее пути.

Уорвик просто выходил из себя — работа шла слишком медленно. Если и дальше так пойдет, до четверга им ни за что не управиться.

Теперь они трудились над разборкой целой горы хлама, по большей части состоявшей из офисной мебели образца девятнадцатого века, беспорядочно сваленной в одном углу, — разбитые столы и секретеры, заплесневевшие гроссбухи, горы бумаг, стулья со сломанными спинками — настоящий рай для крыс. Целыми десятками с писком разбегались эти твари и прятались по углам и норам, пронизывающим груды хлама; и после того как двоих ребят укусили, остальные отказались работать до тех пор, пока Уорвик не послал кого-то наверх принести тяжелые прорезиненные перчатки типа тех, что используют в красильной при работе с кислотой.

Холл с Висконским ждали, держа наготове шланги, когда белобрысый парень с толстой шеей по имени Кармишель вдруг стал изрыгать проклятия и пятиться назад, хлопая себя по груди руками в перчатках.

Огромная крыса с серой шерстью и жуткими сверкающими глазами впилась ему в рубашку и повисла на ней, повизгивая и лягая Кармишеля в живот задними лапами. В конце концов Кармишелю удалось прикончить ее ударом кулака, но в рубашке осталась большая дыра, и над одним из сосков виднелась тонкая полоска крови. Перекошенное гневом лицо парня побледнело. Он отвернулся, и его вырвало.

Холл направил струю из шланга на крысу. Сразу было видно, что она старая, потому как двигалась медленно, а из пасти до сих пор торчал клок ткани, вырванный из рубашки Кармишеля. Ревущая струя отбросила ее к стенке, где она безжизненно распласталась на полу.

Подошел Уорвик, на губах его играла странная напряженная улыбка. Похлопал Холла по плечу:

— Куда как забавнее, чем швырять банками в этих маленьких сволочей, верно, мальчик из колледжа?

— Ничего себе маленьких, — проворчал Висконский. — Да в ней добрый фут, никак не меньше!

— Лейте туда, — сказал Уорвик и указал на груду хлама. — А вы, ребята, отойдите в сторонку.

— С удовольствием, — буркнул один из работяг.

Кармишель подскочил к Уорвику, бледное его лицо искажала злобная гримаса.

— Я требую компенсации! Я собираюсь по...

— Ладно, ладно, само собой, — с улыбкой сказал Уорвик. — Не кипятись, приятель. Остынь маленько и отойди, иначе тебя собьют струей.

Холл нацелился и направил струю из шланга на кучу. Струя была настолько мощной, что перевернула старый письменный стол, а два стула разлетелись в щепки. Крысы были повсюду, разбегались в разные стороны. Таких здоровенных тварей Холл еще не видел. Он слышал, как люди вскрикивают от отвращения и ужаса при виде того, как удирают эти создания с огромными глазами и гладкими лоснящимися телами. Он заметил одну — она была размером со здорового шестинедельного щенка. И продолжал поливать до тех пор, пока в поле зрения не осталось ни одной крысы. Затем выключил воду.

— О'кей! — крикнул Уорвик. — Теперь давайте разгребать.

— Я сюда в крысоловы не нанимался! — возмущенно воскликнул Кай Иппестон.

На прошлой неделе Холл перемолвился с ним парой слов. Это был молоденький парнишка в испачканной сажей бейсбольной кепке и грязной футболке.

— Ты, что ли, Иппестон? — вкрадчиво и почти ласково осведомился Уорвик.

Иппестон немного растерялся, однако все же шагнул вперед.

— Да, я. Хватит с меня этих крыс. Я нанялся убирать помещение, а не подцепить тут какую-нибудь холеру, бешенство или другую заразу. Так что, может, лучше вы меня вычеркните.

В группе остальных рабочих послышался одобрительный ропот. Висконский покосился на Холла, но тот преувеличенно внимательно разглядывал наконечник шланга. Отверстие прямо как у револьвера 45-го калибра, запросто может отбросить человека футов на двадцать, если не больше.

— Так ты что, хочешь сказать, что выходишь из игры, я правильно понял, Кай?

— Подумываю об этом, — ответил Иппестон.

Уорвик кивнул:

— О'кей. Я насильно никого не держу. Можешь проваливать и ты, и остальные, кто хочет. Но здесь вам не профсоюзная забегаловка, никогда не была! Хочешь уйти — проваливай, но обратно тебе путь заказан. Я об этом самолично позабочусь, уж будь уверен.

— Не слишком ли круто, а, Уорвик?.. — пробормотал Холл.

Уорвик резко развернулся к нему:

— Ты что-то сказал, мальчик из колледжа?

— Да нет, это я так. — Холл взирал на него с почтением. — Просто откашлялся, мистер Уорвик.

Уорвик ухмыльнулся:

— Может, тебе тоже что-то не нравится?

Холл промолчал.

— Ладно, ребятишки, тогда за дело! — рявкнул Уорвик.

И они снова принялись за работу.

Два часа ночи. Четверг.

Холл и Висконский были заняты вывозом мусора. Гора его у западной вентиляционной шахты достигла гигантских размеров и, несмотря на все их усилия, казалось, никак не уменьшалась.

— С днем Четвертого июля! — сказал Висконский, когда они прервались на перекур. Они работали у северной стены — самой дальней от лестницы. Свет почти не проникал сюда, а из-за странностей акустики голоса других рабочих звучали еле слышно, словно они находились в нескольких милях от них.

— Благодарствуйте, — кивнул Холл и затянулся сигаретой. — Что-то сегодня и крыс почти не видать.

— Да. Остальные то же самое говорят, — сказал Висконский.

— Может, поумнели твари, вот и попрятались.

Они стояли в самом дальнем конце извилистого, зигзагообразного прохода, образовавшегося между нагромождениями древних гроссбухов, каких-то счетов, заплесневелых мешков с тряпками и двумя громадными ткацкими станками старого образца.

— Тьфу!.. — фыркнул Висконский и сплюнул на пол. — Этот Уорвик...

— А как ты думаешь, куда попрятались все крысы? — спросил Холл таким тоном, словно разговаривал сам с собой. — Не в стены же... — Он взглянул на отсыревшую и осыпавшуюся кирпичную кладку.

— Да они б потонули, все до единой. Тут от реки такая сырость, просто жуть!

Внезапно сверху на них спикировало что-то черное, трепещущее. Висконский, взвизгнув, пригнулся и закрыл голову руками.

— Летучая мышь, — заметил Холл, провожая тварь глазами. Висконский выпрямился.

— Мышь! Летучая мышь! — взвыл он. — С чего это вдруг летучей мыши оказаться в подвале? Они живут на деревьях, под крышами, в...

— Ну и здорова, — одобрительно заметил Холл. — А может, это никакая не летучая мышь, а просто крыса с крылышками, а?

— Господи! — простонал Висконский. — Но как она...

— Сюда попала, да? Может, тем самым путем, каким крысы выбрались отсюда.

— Эй, что там у вас? — донесся откуда-то из глубины помещения голос Уорвика. — Вы где, ребята?

— Ишь распсиховался, — тихо заметил Холл, и глаза его странно блеснули в темноте.

— Ты, что ли, мальчик из колледжа? — крикнул Уорвик, подходя поближе.

— Все о'кей! — крикнул в ответ Холл. — Просто подбородок ободрал.

Висконский взглянул на Холла:

— Ты зачем это сказал?

— Вот, глянь-ка. — Холл опустился на колени и чиркнул спичкой. Посреди сырого растрескавшегося бетонного пола был виден квадрат. — А ну постучи.

Висконский постучал.

— Дерево...

Холл кивнул.

— Это крышка люка. Я тут поблизости еще несколько таких видел. Сдается мне, под нами есть еще этаж...

— О Господи! — с омерзением и тоской пробормотал Висконский.

Три тридцать утра. Четверг.

Они находились в северо-восточном углу помещения. По пятам за ними шли Иппестон и Броуч со шлангом, из которого под большим напором била вода. Внезапно Холл остановился и ткнул пальцем в пол.

— Ну вот, так и знал, что мы на нее наткнемся.

В пол была вделана квадратная деревянная дверца люка с ржавой ручкой-кольцом в центре.

Холл подошел к Иппестону и сказал:

— Давай выруби-ка на минутку! — Когда мощный поток превратился в тоненькую струйку, Холл поднял голову и заорал что было сил: — Эй! Эй, Уорвик! А ну, поди-ка сюда!

Расплескивая сапогами воду, подошел Уорвик. Насмешливо и жестко взглянул на Холла:

— Что, шнурок развязался, мальчик из колледжа?

— Поглядите, — сказал Холл. И пнул дверцу люка ногой. — Тут, внизу, еще один подвал.

— Ну и что с того? — сказал Уорвик. — Подумаешь, великое дело. И потом, сейчас не перерыв, маль...

— Вот там и живут твои крысы, — перебил его Холл. — Там и размножаются. А чуть раньше мы с Висконским видели летучую мышь.

Подошли еще несколько рабочих, уставились на дверцу в полу.

— Лично мне плевать, — огрызнулся Уорвик. — Наша задача — очистить подвал, а не...

— Тут нужны специалисты, настоящие экстерминаторы. Человек двадцать, не меньше, — заметил Холл. — Я понимаю, начальству это влетит в копеечку. Плохи наши дела.

Кто-то из рабочих засмеялся:

— Как же, дожидайся, раскошелятся они!

Уорвик взглянул на Холла с таким видом, точно то была букашка под микроскопом.

— А ты, я смотрю, штучка... — пробурчал он. — Ты чего, всерьез считаешь, меня должно волновать, сколько там под нами крыс, а?

— Вчера и сегодня днем я ходил в библиотеку, — сказал Холл. — Кстати, премного благодарен за то, что вы напомнили, что я учился в колледже. И прочитал там отчеты городской топографической службы, Уорвик. Оказывается, такая служба была основана еще в 1911 году. Задолго до того, как эта паршивая фабричонка разрослась настолько, что заехала в запретную зону. И знаете, что я выяснил?

Глаза Уорвика стали ледяными:

— Вали отсюда, мальчик из колледжа. Ты уволен.

— Я выяснил, — продолжал Холл как ни в чем не бывало, словно не слышал этих его слов, — что в Гейтс-Фоллз до сих пор действует закон о санитарных нормах и паразитах. Могу повторить по буквам: «п-а-р-а-з-и-т-а-х», на тот случай, если кто не расслышал или же не понял. И под этими самыми паразитами подразумеваются разные животные, переносчики заразных заболеваний. Летучие мыши, скунсы, бродячие собаки и... крысы. Особенно крысы! В каких-то двух параграфах крысы упоминаются четырнадцать раз, мистер Прораб. И вы должны иметь в виду, что как только вышибете меня отсюда, я первым делом отправлюсь к городскому уполномоченному и постараюсь как можно толковее изложить ему ситуацию, которая тут у нас наблюдается.

Он сделал паузу, вглядываясь в перекошенное гневом лицо Уорвика.

— И у меня есть все основания полагать, между нами, конечно, что этот самый уполномоченный тут же пришлет комиссию и эту вашу лавочку закроют. И не до субботы, как вы полагали, мистер Прораб, а раз и навсегда. И еще мне кажется, я очень хорошо представляю, что скажет ваш начальник, узнав обо всем этом. Надеюсь, у вас имеется страховка на случай безработицы, а, мистер Уорвик?

Уорвик сжал руки в кулаки.

— Ах ты, сопляк паршивый! Да я тебя... — Тут он глянул вниз, на дверцу, и на лице его неожиданно возникла улыбка. — Можешь считать, что ты уволен, мальчик из колледжа.

— Я надеялся, вы меня правильно поймете.

Уорвик кивнул. На лице его сохранялась все та же странная усмешка.

— Уж больно ты умен, как я погляжу, Холл... А что, если тебе спуститься туда и посмотреть самому? А потом, как человек образованный, проинформируешь нас, выскажешь свое ученое мнение. Ты и Висконский.

— Нет! — взвизгнул Висконский. — Только не я... Я...

Уорвик поднял на него глаза:

— Ты что?

Висконский тут же заткнулся.

— Что ж, прекрасно! — весело сказал Холл. — Нам понадобятся три фонаря. Вроде бы видел в конторе целую кучу таких штуковин, по шесть батареек в каждой. Или я ошибаюсь?

— Хочешь пригласить кого-то еще? — вкрадчиво спросил Уорвик. — Почему нет, конечно! Набирай команду.

— Вас, — коротко и тихо сказал Холл. И на лице его возникло какое-то странное выражение. — В конце концов, должен там быть хотя бы один представитель от администрации или нет? А то, не дай Бог, мы с Висконским чего-нибудь не углядим...

Кто-то из рабочих — кажется, то был Иппестон — громко расхохотался.

Уорвик покосился на рабочих. Большинство из них смотрели в пол. Затем ткнул пальцем в Броуча.

— Ты, Броуч. Ступай в контору и притащи три фонарика. Скажешь сторожу, это я велел.

— Но меня-то зачем впутывать во все это дело? — взмолился Висконский, обращаясь к Холлу. — Ты же знаешь, как я ненавижу этих тварей и...

— Я здесь ни при чем, — ответил Холл и взглянул на Уорвика.

Уорвик ответил ему пристальным взглядом. Двое мужчин стояли молча, и ни один из них не опускал глаз.

Четыре часа утра. Четверг.

Вернулся Броуч с фонариками. Протянул один Холлу, другой — Висконскому и третий — Уорвику.

— Иппестон! Дай Висконскому шланг!

Иппестон повиновался. Наконечник брезентового шланга еле заметно дрожал в руках поляка.

— Так и быть, — сказал Висконскому Уорвик. — Пойдешь в середине. Если будут крысы, задашь им перцу!

Как же, как же, подумал Холл. Даже если там и будут крысы, Уорвик их просто не заметит. И Висконский тоже не заметит, после того как обнаружит в своем конверте с зарплатой лишнюю десятку.

Уорвик кивнул двум рабочим:

— Давайте поднимайте!

Один из парней наклонился и дернул за кольцо. Секунду-другую Холлу казалось, что крышка ни за что не поддастся, но она вдруг приподнялась со странным скрипучим звуком. Второй рабочий сунул под нее руку, чтоб помочь напарнику, и тут же с криком отдернул ее. По руке ползли громадные слепые жуки.

Первый рабочий поднатужился и, крякнув, откинул крышку люка. Внутри было черно — от какой-то необычной плесени или грибка, которого Холлу никогда не доводилось видеть прежде. Из темноты выползали жуки и разбегались по полу. Рабочие с хрустом давили их.

— Эй, поглядите-ка, — пробормотал Холл.

Изнутри к крышке крепился ржавый замок. Теперь он был сломан.

— С чего это он там оказался? — буркнул Уорвик. — Замку полагается быть сверху. Кому и зачем это...

— О, на то может быть масса причин, — заметил Холл. — Возможно, чтобы с наружной стороны его никто не мог открыть, по крайней мере тогда, когда замок был новым... А может, чтоб снизу никто не мог пробраться сюда...

— Да, но кто его запер? — спросил Висконский.

— Вот именно, кто! — Холл насмешливо взглянул на Уорвика. — Загадка...

— Слушайте... — прошептал Броуч.

— О Господи! — взвыл Висконский. — Я туда не пойду, ни за что не пойду!

Снизу доносились тихие, но вполне различимые звуки — шорох и топот тысячи лапок, а также крысиное попискивание.

— Может, лягушки... — сказал Уорвик.

Холл громко расхохотался.

Уорвик посветил вниз фонариком. Луч света выхватил из тьмы прогнившие деревянные ступеньки, спускающиеся к каменному полу. Крыс видно не было.

— Эта лестница нас не выдержит, — решительно заявил Уорвик.

Броуч шагнул к люку и без долгих слов встал на первую ступеньку. Она скрипнула, но устояла.

— Я что, просил тебя? — рявкнул Уорвик.

— Тебя здесь не было, когда крыса укусила Рея, — тихо ответил Броуч.

— Ладно, пошли, — сказал Холл.

Уорвик бросил последний насмешливый взгляд на столпившихся у люка мужчин, затем подошел к краю вместе с Холлом. Висконский нехотя присоединился к ним и встал в середине. Спускались они по одному. Сначала Холл, затем Висконский, и замыкал шествие Уорвик. Свет от фонариков танцевал по неровному, в кривых впадинах и горбах полу. Шланг тащился по ступенькам за Висконским, напоминая вялую неуклюжую змею.

Добравшись до дна, Уорвик посветил фонариком по сторонам. Луч осветил несколько полусгнивших ящиков, какие-то бочки. Просочившаяся из реки вода собралась в грязные лужи и доходила до щиколоток.

Они медленно двинулись в сторону от лестницы, то и дело оскальзываясь в жидкой грязи. Внезапно Холл остановился и осветил фонариком огромный деревянный ящик с буквами.

— «Элиас Варни», — прочитал он. — «1841»... Разве фабрика тогда уже была?

— Нет, — ответил Уорвик. — Ее построили только в 1897-м. А зачем тебе?

Холл не ответил. Они снова двинулись вперед. Похоже, этот второй подвал оказался куда больше, чем можно было предположить. Вонь усилилась — запах гниения, сырости, разложения... И единственным звуком было еле слышное журчание воды.

— А это еще что такое? — спросил Холл, направив луч света на бетонный выступ длиной фута в два, под острым углом перегородивший дорогу. За ним плотно сгустилась тьма, и еще Холлу показалось, что оттуда доносится еле слышный вкрадчивый шорох.

Уорвик уставился на выступ.

— Это... Да нет, просто быть не может...

— Внешняя стена фабрики, верно? А там, за ней...

— Лично я топаю обратно, — сказал Уорвик и резко развернулся.

Холл грубо ухватил его за воротник:

— Никуда вы не пойдете, мистер Прораб.

Уорвик взглянул на него, в темноте хищно блеснули зубы:

— Да ты совсем рехнулся, мальчик из колледжа! Вы только послушайте его! Окончательно крыша поехала.

— Нечего морочить людям голову, приятель. Давай двигай вперед!

— Холл... — жалобно простонал Висконский.

— А ну, дай сюда! — Холл выхватил у него шланг. Отпустил воротник Уорвика и ткнул наконечником шланга ему в висок. Висконский, шустро развернувшись, рванул к выходу. Холл не обратил на это внимания. — После вас, мистер Прораб, после вас...

Уорвик нехотя шагнул вперед и дошел до того места, где начиналась внешняя стена фабрики. Холл посветил за угол, и его охватило сладострастное чувство восторга, смешанного с омерзением. Его опасения оправдались. Там было полно крыс, настороженно притихших тварей.

Они столпились, сгрудились там. Они налезали друг на друга — целые полчища. Тысячи глаз кровожадно взирали на них. У стен их было особенно много — высота этого живого клубка доходила человеку до подбородка.

Секунду спустя Уорвик тоже увидел их и сразу же остановился.

— Да их и правда тут полно, мальчик из колледжа... — Голос звучал спокойно, но он явно изо всех сил сдерживался, стараясь не дать страху прорваться наружу.

— Да, — сказал Холл. — Идем дальше.

Они двинулись дальше, шланг волочился следом. Холл обернулся всего лишь раз и успел заметить, что крысы уже перекрыли образовавшийся за ними проход и впились зубами в толстую брезентовую ткань шланга. Одна подняла голову, и Холлу показалось, что тварь ухмыляется. Только теперь он заметил, что тут обитают и летучие мыши. Они гнездились где-то наверху, под застрехами, — огромные, размером с грача или ворону.

— Смотри! — сказал Уорвик и посветил фонариком футов на шесть перед собой.

Там лежал скелет, позеленевший от плесени, и скалил зубы, словно насмехаясь над ними. Холл различил также локтевую кость, одну тазобедренную кость, несколько ребер.

— Пошли, — пробормотал Холл и вдруг почувствовал, как в груди у него нарастает некое темное и безумное чувство, готовое вырваться наружу, затопить разум, лишить подвижности... *Нет, нельзя! Ты должен сломаться раньше, мистер Прораб! Господи, помоги же мне!*

Они молча прошли мимо костей. Крысы их не трогали, держались на почтительном расстоянии. Правда, впереди Холл все же различил одну, тварь перебежала им дорогу. Тело ее было скрыто в тени, но он успел заметить голый розовый хвост толщиной с телефонный кабель.

Впереди пол круто поднимался вверх, за ним чернела какая-то яма. Холл слышал доносившийся оттуда неумолчный шорох и возню. Странные звуки... Похоже, их производило существо, никогда прежде не виданное человеком. И вдруг Холлу показалось, что он наконец-то увидит то, что подсознательно искал все эти годы, проведенные в бесцельных метаниях по стране.

Все новые крысы появлялись в помещении, ползли на животах, напирали сзади, словно подстегивая их.

— Глянь-ка... — нарочито спокойным тоном произнес Уорвик.

Холл глянул. С крысами здесь явно что-то произошло. Некая жуткая мутация, после которой при дневном свете им было ни за что не выжить — сама природа воспротивилась бы этому. Но здесь, под землей, у природы было совсем другое, пугающее обличье.

Не крысы, а настоящие гиганты, некоторые достигали трех футов в длину. При этом задние лапы у них отсутствовали и они были слепы, как кроты, как их крылатые собратья. Однако несмотря на все это, они с холодящим душу упорством продолжали ползти по полу.

Уорвик обернулся и взглянул на Холла. Потом, собрав всю волю в кулак, выдавил улыбку:

— Пожалуй, нам не стоит идти дальше, Холл. Сам видишь, что тут творится...

— Мне кажется, тебе все же стоит разобраться с этими крысами, — сказал Холл.

Тут Уорвик утратил над собой контроль.

— Пожалуйста... — протянул он. — Пожалуйста, прошу тебя, не надо!

Холл улыбнулся:

— Нет, пошли.

Уорвик глянул через плечо.

— Они жрут шланг. Так и вгрызаются в него. И если испортят, нам уже отсюда не выбраться.

— Знаю. И все равно — вперед!

— Да ты совсем спятил. — В эту секунду через сапог Уорвика переползла крыса, и он вскрикнул. Холл улыбнулся и взмахнул фонариком. Крысы обступили их со всех сторон, ближайшие находились в каком-то футе...

Уорвик зашагал дальше. Крысы отпрянули.

Дойдя до возвышения, они поднялись на него и глянули вниз. Уорвик — первым, и Холл увидел, что лицо у него побелело как полотно. По подбородку сбегала струйка слюны.

— О Боже... Господи Иисусе!..

И Уорвик развернулся, чтобы бежать.

Но тут Холл крутанул колесико крана, и из шланга под огромным напором ударила толстая струя воды. Прямо Уорвику в грудь. Она сбила его с ног, опрокинула, и он исчез. Из темноты, где плескалась вода, донесся протяжный крик. Затем топот лап.

— *Холл!* — Стоны, возня. А затем — жуткий пронзительный писк, заполнивший, казалось, все пространство вокруг.

— ХОЛЛ, РАДИ БОГА!..

Затем — треск чего-то влажного, рвущегося на части. Еще один вскрик, уже слабее. Какая-то возня, шорох. Потом Холл совершенно отчетливо различил хруст, который издают ломающиеся кости.

Безногая крыса, ведомая, очевидно, неким чудовищным локатором, набросилась на него, впилась зубами в ногу. Тело было дряблым и теплым. Почти автоматическим жестом Холл направил струю на нее, сшиб с ноги, отбросил в сторону. Давление, под которым подавалась вода, заметно ослабело.

Холл приблизился к краю выступа и глянул вниз.

Тело гигантской крысы заполнило собой весь водосток, все зловонное пространство. Сплошная пульсирующая серая масса, безглазая и абсолютно безногая. Вот в нее ударил луч света, и масса издала ужасающий вой, напоминавший мяуканье. Ага, их королева, подумал Холл. Их magna mater*. ...Огромное, чудовищное создание, которому нет названия, способное в один прекрасный день породить еще и крылатое потомство. Останки Уорвика выглядели в сравнении с ней просто карликовыми... Но может, то была лишь иллюзия. Шок... Еще бы, увидеть крысу величиной с доброго теленка...

— Прощай, Уорвик, — сказал Холл.

Крыса ревниво приникла к телу мистера Прораба, впилась клыками в вяло мотающуюся руку.

Холл развернулся и торопливо зашагал к лестнице, отпугивая крыс водой из шланга. Струя ее с каждой секундой становилась все слабей. Некоторым из тварей удавалось прорваться, и они, подпрыгивая, норовили вцепиться в ноги над ботинками. Одна, особенно проворная и злобная, впилась зубами ему в бедро и стала рвать толстую ткань вельветовых джинсов. Холл

---

* Magna mater *(лат.)* — большая мать, мать-великанша.

сжал ладонь в кулак и одним ударом отбросил ее в сторону.

Он прошел уже три четверти пути, как вдруг темноту заполнило хлопанье громадных крыльев. Поднял голову — и гигантская летучая тварь хлестнула его по лицу.

Летучие мыши-мутанты хвостов не потеряли. Один из них, упругий и мощный, обвился вокруг шеи Холла и стал сжиматься все туже и туже, в то время как острые зубы выискивали мягкое и наиболее уязвимое местечко под горлом. Тварь хлопала своими мембранообразными крыльями, цеплялась за лохмотья, в которые превратилась рубашка Холла, не давала уйти...

Холл слепо приподнял в руке наконечник шланга и ударил им по мягкому, податливому телу. Бил и бил — до тех пор, пока оно не отвалилось и не захрустело под его ногами. Он кричал, но не слышал собственного голоса. А крысы потоком карабкались по его ногам.

Он бросился бежать, спотыкаясь и подвывая, и нескольких удалось стряхнуть. Другие уже впивались в живот и грудь. Одна из тварей, пробежав по плечу, сунула подвижный мокрый нос прямо в ушную раковину.

На вторую летучую мышь Холл налетел сам, с разбега. Секунду она, попискивая, неподвижно сидела у него на голове, затем вдруг вырвала клок кожи вместе с волосами.

Холл почувствовал, как все тело его становится неуклюжим и вялым. Уши закладывало от писка и воя крыс. Он попытался сделать еще один рывок, споткнулся о мохнатые тела, упал на колени. И вдруг захохотал — визгливо, громко, истерически.

***

Пять утра. Четверг.

— Надо бы все же спуститься и посмотреть, чего там у них, — робко и неуверенно предложил Броуч.

— Только не я, — прошептал Висконский. — Не я...

— Ладно, ладно, не ты, толстопузый, — презрительно пробормотал Иппестон.

— *Пошли, ребята,* — сказал Броген, подтаскивая еще один шланг. — Я, Иппестон, Дэнджерфилд, Недо! А ты, Стивенсон, сбегай в контору и притащи еще фонарики.

Иппестон задумчиво всматривался в темноту колодца.

— Может, они перекур там устроили, — сказал он. — Подумаешь, делов-то, несколько паршивых крыс...

Вернулся Стивенсон с фонариками; и через несколько минут они начали спускаться.

# Я знаю, чего ты хочешь*

— Я знаю, чего ты хочешь.

Вздрогнув, Элизабет оторвала взгляд от учебника по социологии и увидела довольно невзрачного молодого человека в куртке защитного цвета. На мгновение лицо показалось ей знакомым. Он был с нее ростом, щупловатый и... какой-то нервный. Да, нервный. Хотя он стоял неподвижно, такое было впечатление, что внутри его всего колотит. К его черной шевелюре давно не прикасались ножницы парикмахера. Грязные линзы очков в роговой оправе увеличивали его темно-карие глаза. Нет, конечно, она его раньше не видела.

— Сомневаюсь, — сказала она.

— Ты хочешь клубничный пломбир в вафельном стаканчике. Угадал?

Она еще раз вздрогнула и в растерянности захлопала ресницами. Да, она действительно подумала, что хорошо бы сделать короткую

---

* I Know What You Need. © 1998. С. Таск. Перевод с английского.

паузу и съесть мороженое. Она готовилась к годовым экзаменам в кабинке на третьем этаже Дома студентов, и, увы, конца не было видно.

— Угадал? — повторил он с нажимом и улыбнулся. И сразу в его лице, еще секунду назад таком напряженном, почти отталкивающем, появилось что-то привлекательное. «Миленький» — это слово вдруг пришло ей на ум, и хотя в отношении взрослого парня такое определение было бы, пожалуй, оскорбительным, в данном случае оно казалось уместным. Она улыбнулась ему в ответ, сама того не желая. Вот уж чего ей совсем не хотелось — тратить драгоценное время на какого-то психа. Ничего не скажешь, подходящий он выбрал момент, чтобы обратить на себя внимание. Ей еще предстояло одолеть ни много ни мало шестнадцать глав «Введения в социологию».

— Спасибо, не надо, — сказала она.

— Ну и зря, так можно заработать головную боль. Ты ведь уже два часа сидишь не разгибаясь.

— Откуда такие точные сведения?

— Я за тобой наблюдал. — Он одарил ее улыбкой этакого сорванца, но она его улыбку не оценила. Как нарочно заболела голова.

— Можешь больше не трудиться, — сказала она излишне резко. — Я не люблю, когда меня вот так разглядывают.

— Извини.

Ей стало жаль его, как иногда бывает жалко бродячих собак. Он был такой нескладный: куртка висит как на вешалке, носки разного цвета. Один черный, другой коричневый. Она уже хотела улыбнуться ему, но сдержалась.

— У меня на носу экзамен, — объяснила она почти доверительно.

— Намек понял. Исчезаю.

Она задумчиво посмотрела ему вслед, а затем снова углубилась в учебник. Но в голове засело: клубничный пломбир.

В общежитие она пришла в двенадцатом часу ночи. Элис валялась на кровати и читала «Маркизу О» под аккомпанемент Нейла Даймонда.

— Разве эта вещь включена в программу? — удивилась Элизабет.

Элис села на кровати.

— Расширяем кругозор, сестричка. Повышаем интеллектуальный уровень. Растем, Лиз.

— А? Что?

— Ты меня слышишь?

— Прости, я, кажется...

— Кажется, ты в отключке.

— Я познакомилась сегодня с парнем. Странный, знаешь, парень.

— Ну еще бы. Оторвать саму Элизабет Роган от любимого учебника!

— Его зовут Эдвард Джексон Хамнер. Да еще «младший». Невысокий, тощий. Волосы последний раз мыл, наверное, в день рождения Джорджа Вашингтона. И носки разного цвета. Черный и коричневый.

— Я-то думала, тебе больше по вкусу наши из общежития.

— Это другое. Я занималась в читалке на третьем этаже, он спрашивает: «Как насчет мороженого?» Я отказалась, и он вроде отвалил. Но после этого мне уже ничего не лезло в голову, только и думала о мороженом. Ладно, сказала я себе, устроим маленькую передышку. Спускаюсь в столовку, а у него уже тает в руках клубничный пломбир в вафельных стаканчиках.

— Я трепещу в ожидании развязки.

Элизабет хмыкнула.

— Отказаться было неудобно. Ну, сели. Он, оказывается, в прошлом году изучал социологию у профессора Браннера.

— Чудны дела твои, Господи. Подумать только, чтобы...

— Погоди, сейчас ты действительно упадешь. Ты же знаешь, я пахала как зверь.

— Да. Ты даже во сне сыплешь терминами.

— У меня средний балл — семьдесят восемь, а чтобы сохранить стипендию, нужно восемьдесят. Значит, за экзамен я должна получить минимум восемьдесят четыре. Короче, Эд Хамнер говорит, что Браннер каждый год дает на экзамене практически один и тот же материал. А Эд — эйдетик.

— Ты хочешь сказать, что у него... как это называется?.. фотографическая память?

— Вот именно. Смотри. — Она раскрыла учебник, между страниц которого лежали три исписанных тетрадных листка.

Элис пробежала их глазами.

— Тут что, все варианты?

— Да. Все, что в прошлом году давал Браннер, *слово в слово.*

— Это невозможно, — тоном, не терпящим возражений, сказала Элис.

— Но они охватывают весь материал!

— И тем не менее. — Элис возвратила листки. — Если это пугало...

— Он не пугало. Не называй его так.

— Хорошо. Уж не склонил ли тебя этот *молодой человек* к тому, чтобы ты вызубрила эту шпаргалку и не тратила попусту время на подготовку?

— Нет, — ответила Элизабет через силу.

— А даже если бы здесь были все варианты, по-твоему, это честно?

Она не ожидала от себя столь бурной реакции, с языка сами слетали обидные слова:

— Тебе хорошо говорить. Каждый семестр в списке отличников, за все платят предки, голова ни о чем не болит... Ой, прости. Я не хотела.

Элис передернула плечами и снова раскрыла «Маркизу О».

— Все правильно, — сказала она подчеркнуто бесстрастным тоном. — Нечего соваться в чужие дела. И все же... что тебе мешает проштудировать учебник? Для собственного спокойствия.

— Само собой.

Но в основном она штудировала конспект Эдварда Джексона Хамнера-младшего.

Когда она вышла после экзамена, в коридоре сидел Эд в своей армейской курточке защитного цвета. Он с улыбкой поднялся ей навстречу:

— Ну как?

Она не удержалась и поцеловала его в щеку. Давно она не испытывала такого восхитительного чувства облегчения.

— Кажется, попала в яблочко.

— Да? Здорово. Как насчет гамбургера?

— С удовольствием, — ответила она рассеянно. Она еще вся была там. На экзамене ей попалось именно то, что было в конспекте Эда, почти дословно, так что она благополучно миновала все рифы.

За едой она спросила, сдал ли он уже свой экзамен.

— Мне нечего сдавать. Я ведь закончил семестр с отличием. Хочу — сдаю, хочу — нет.

— Почему же ты тогда сидел в коридоре?

— Я должен был узнать, чем там у тебя кончилось.

— Эд, стоило ли из-за меня... Это, конечно, мило с твоей стороны, но... — Ее смутила откровенность его взгляда. На нее часто так смотрели — она была хорошенькая.

— Да, — тихо сказал он. — Стоило.

— Эд, спасибо тебе, ты спас мою стипендию. Правда. Но, понимаешь, у меня есть друг.

— Это серьезно? — Он попытался придать вопросу оттенок беспечности.

— Более чем, — ответила она ему в тон. — Вот-вот помолвка.

— Везунчик. Он сам-то знает, как ему повезло?

— Мне тоже повезло, — сказала она, вызывая в памяти лицо Тони Ломбарда.

— Бет, — вдруг сказал он.

— Что? — Она вздрогнула.

— Тебя ведь так никто не называет?

— Н-нет. Никто.

— И он тоже?

— Нет...

Тони звал ее Лиз. Иногда Лиззи, что ей совсем уже не нравилось.

Эд подался вперед.

— Но тебе хотелось бы, чтобы тебя называли Бет, ведь так?

Она засмеялась, маскируя этим свое смущение.

— С чего ты взял, что...

— Не важно. — Опять эта улыбка шкодливого мальчика. — Я буду звать тебя Бет. Красивое имя. Что же ты не ешь свой гамбургер?

Вскоре заканчивался ее первый учебный год, и пришло время прощаться с Элис. Отношения между ними стали натянутыми, о чем Элизабет искренне сожалела. Она чувствовала свою вину: не стоило, конечно, распускать хвост, когда объявили оценки по социологии. Она получила девяносто семь — высший балл на всем отделении.

В аэропорту, ожидая посадки на самолет, она убеждала себя, что ее действия не более аморальны, чем зубрежка, которой ее вынуждали заниматься в кабинке библиотеки. Нельзя же назвать зубрежку серьезным изучением предмета. Повторяешь как попугай, чтобы после экзамена сразу все забыть.

Она нащупала конверт, торчавший у нее из сумочки, — извещение о стипендии на следующий год, две тысячи долларов. Этим летом она будет подрабатывать вместе с Тони в Бутбэе, штат Мэн, и эти деньги плюс стипендия решат все проблемы. Спасибо Эду Хамнеру, теперь она проведет чудесное лето. Все идет как по маслу.

Знала бы она, какое лето ее ожидает.

Июнь выдался дождливый, перебои с горючим ударили по туризму, и чаевые, которые Элизабет получала в «Бутбэйской харчевне», оставляли желать лучшего. Но еще больше ее удручала та настойчивость, с которой Тони торопил ее с женитьбой. Он собирался устроиться на работу в студенческом городке или где-то рядом; его заработка и ее стипендии должно было хватить им на жизнь, и она могла спокойно получить степень бакалавра. Странно, но сейчас эта перспектива скорее пугала ее, чем радовала.

Вдруг все разладилось.

Она не в силах была понять причины, но ни с того ни с сего, на пустом месте, все как-то стало разваливаться. Однажды, ближе к концу июля, с ней случилась настоящая истерика, со слезами; хорошо еще, ее соседка Сандра Акерман, тихоня с виду, неожиданно убежала на свидание.

В начале августа ей приснился кошмарный сон. Она лежала, беспомощная, в открытой могиле. На лицо падали капли дождя. Вдруг наверху выросла фигура Тони в защитном желтом шлеме строителя.

— Выходи за меня замуж, Лиз. — Он произнес это без всякого выражения. — Выходи за меня замуж или пеняй на себя.

Она пыталась заговорить, сказать «да»; она готова была на все, лишь бы он вытащил ее из этой жуткой размокшей ямы. Но язык не слушался ее.

— Ну что ж, — сказал он, — пеняй на себя.

Он отошел от края. Она по-прежнему не могла пошевелиться.

И тут она услышала рев бульдозера.

Секундой позже она увидела желтую махину, толкающую своим стальным лезвием гору земли. Из открытой кабины выглядывало окаменевшее лицо Тони.

Он решил похоронить ее заживо.

Недвижимая, безгласная, она могла лишь наблюдать за происходящим с застывшим в глазах ужасом. В яму посыпались комья грязи...

Знакомый голос крикнул:

— Прочь! Оставь ее! Прочь!

Тони выскочил из кабины и побежал.

Волна облегчения захлестнула ее. Она бы заплакала, если бы могла. Над разверстой ямой, точно могильщик, стоял ее спаситель Эд Хамнер, в мешковатой куртке, волосы растрепаны, очки сползли к кончику носа.

— Вылезай, — мягко сказал он. — Я знаю, чего ты хочешь. Вылезай, Бет.

Только сейчас ноги подчинились ей. Она всхлипнула, слова благодарности сами хлынули наружу. Эд кивнул ей с ободряющей улыбкой. Она взяла протянутую руку и на мгновение опустила взгляд, чтобы удобнее поставить ногу. А когда снова подняла, то увидела свою ладонь в мохнатой лапе ощеренного, готового укусить, матерого волчищи с горящими красными глазами.

Она проснулась в холодном поту и несколько минут сидела в постели, дрожа всем телом. Даже после теплого душа и стакана молока она не смогла себя заставить выключить ночник. Так и спала при свете.

Через неделю Тони не стало.

Она пошла открывать в халате, ожидая увидеть Тони, но это был Дэнни Килмер из его бригады. Дэнни был весельчак и балагур; он и его девушка пару раз проводили время вместе с Тони и Элизабет. Но сейчас вид у него был серьезный, чтобы не сказать болезненный.

— Дэнни? — удивилась она. — Что слу...

— Лиз, ты должна взять себя в руки. Ты должна... о Господи! — Он стукнул по косяку грязным кулачищем, и она увидела у него в глазах слезы.

— Тони? Что-нибудь с...

— Он погиб. Произошла... — Но Элизабет его уже не слышала: она потеряла сознание.

Неделю она прожила как во сне. Подробности случившегося она узнала из короткой, до обидного короткой заметки в газете и, конечно, от Дэнни за кружкой пива в «Харбор Инн».

Их бригада ремонтировала дренажную систему под дорожным полотном. Часть дорожного покрытия была снята, и Тони стоял с флажком, предупреждая водителей об опасности. С холма спускался красный «фиат» с молоденьким парнишкой за рулем. Тони помахал ему флажком, но тот даже не притормозил. У Тони за спиной находился самосвал, отпрыгнуть было некуда.

Паренек поранил себе голову и сломал руку, его била нервная дрожь, но он был трезв как стеклышко. Полиция обнаружила странные ямки на всем протяжении тормозного пути: в отдельных местах асфальт словно подтаял. У паренька была высшая водительская квалификация — просто машина ему не подчинилась. Тони оказался жертвой редчайшего из дорожных происшествий — аварии в чистом виде.

Шок и депрессия, которая за ним последовала, усугублялись чувством вины. Богини судьбы взяли решение их участи в свои руки, и втайне Элизабет была этому рада. Ей не хотелось выходить замуж за Тони, а точнее, расхотелось... После ночного кошмара.

Накануне отъезда домой у нее произошел нервный срыв.

Она долго сидела в уединенном месте на камне, и вдруг хлынули слезы. Она плакала, пока хватало сил, но облегчения ей это не приносило, только внутреннюю опустошенность.

И тут раздался голос Эда Хамнера:

— Бет?

Успев почувствовать во рту медный привкус страха, она резко повернулась, ожидая увидеть ощеренного волка. Но это был всего лишь Эд Хамнер, загорелый и какой-то беззащитный без своей армейской куртки. На нем были красные шорты до колен, белая футболка, вздувавшаяся на его тощем теле подобно парусу, и легкие сандалии. Слепящее солнце, отражавшееся в очках, не позволяло прочесть истинное выражение его посерьезневшего лица.

— Эд? — с сомнением спросила она, почти уверенная, что это плод ее расстроенного воображения. — Неужели...

— Да, я.

— Но как ты...

— Я подрабатываю в Лейквуд-тиэтр в Скохегане и вот столкнулся с твоей подружкой по общежитию... Элис?

— Да.

— Она мне все рассказала, и вот я здесь. Бет, бедняжка. — Он слегка отклонился, и стекла его очков перестали слепить ее. Ничего волчьего или хищного — ничего, кроме выражения искренней симпатии.

Опять хлынули слезы, плечи затряслись от рыданий. Он прижал ее к себе, и она быстро успокоилась.

Обедали они в ресторанчике «Молчунья» в Уотервилле, милях в двадцати пяти от кампуса — пожалуй, именно на такое расстояние ей и хотелось отъехать. Эд хорошо вел машину — новенький «корвет», без рисовки и без суетливости, которой она от него почему-то ожидала. Ей не хотелось говорить, не хотелось, чтобы ее подбадривали. Словно угадав ее желание, он включил тихую музыку.

Еду он заказал, опять-таки ни о чем не спросив: рыбное блюдо. Ей казалось, что она не голодна, но когда перед ней поставили тарелку, она с жадностью набросилась на еду.

Когда она подняла глаза, тарелка была пуста. Эд курил сигарету, наблюдая за ней. Она сказала с нервным смешком:

— Ну вот, горюющая барышня слопала целую порцию. Ты, наверное, считаешь меня чудовищем.

— Нисколько. Тебе пришлось несладко, и теперь надо восстанавливать силы. Как после болезни, точно?

— Точно.

Он взял ее руку в свою, осторожно сжал и тотчас отпустил.

— Сейчас ты быстро пойдешь на поправку, Бет.

— Думаешь?

— Уверен, — сказал он. — Расскажи мне про твои планы.

— Завтра лечу домой. А что потом — неизвестно.

— Но ты вернешься к новому семестру?

— Даже не знаю. После того что случилось, все это кажется таким... мелким. Ушла цель. И просто радость.

— Все вернется, можешь мне поверить. Через полтора месяца сама увидишь. Тебе ведь не остается ничего другого.

Последняя фраза прозвучала как вопрос.

— Ты прав... Можно мне тоже сигаретку?

— Разумеется. Только они с ментолом. Извини, других нет.

Она закурила.

— Как ты догадался, что я не люблю ментоловые?

Он пожал плечами:

— Тип, что ли, не такой.

Она улыбнулась:

— А знаешь, ты смешной.

Улыбнулся и он, подчеркнуто вежливо.

— Нет, правда. Примчался... Я ведь никого не хотела видеть, и все же я рада, что это оказался ты, Эд.

— Иногда приятно видеть человека, с которым тебя ничего не связывает.

— Пожалуй. — Она помолчала. — Эд, кто ты? Помимо того что ты мой чудесный ангел-хранитель? — Она вдруг почувствовала непраздность этого вопроса.

— Да, в общем, никто. Один из тех смешных субъектов, что снуют по кампусу со стопкой книг под мышкой.

— Неправда, Эд. Ты не такой.

— Такой, такой, — улыбнулся он. — Не расставшийся со школьными прыщиками, не приглашенный ни в одно студенческое общество, не сделавший ничего достойного внимания. Обыкновенный книжный червь, протирающий штаны ради хороших отметок. Как только следующей весной здесь появятся представители крупных фирм, чтобы провести собеседования с выпускниками, Эд Хамнер скорее всего подпишет с кем-нибудь контракт и навсегда исчезнет с горизонта.

— Очень жаль, — сказала она негромко.

Он снова улыбнулся, и это была горькая улыбка.

— А твои родители? — спросила она. — Где вы живете, чем ты занимаешься дома?

— В другой раз, — сказал он. — Надо отвезти тебя обратно. Завтра у тебя долгий перелет и трудный день.

Оставшийся вечер она провела одна и впервые со дня смерти Тони сумела расслабиться, забыть о том, что где-то внутри все наматывается и наматывается пружина, грозя вот-вот лопнуть. Ей казалось, что она легко уснет, но тут она обманулась.

Мозг сверлили всякие вопросики.

*Элис мне все рассказала... Бет, бедняжка.*

Но ведь Элис проводила лето в Киттери, а это в восьмидесяти милях от Скохегана. Наверное, приезжала в Лейквуд на спектакль.

«Корвет», последняя модель. Дорогая игрушка. Явно не по карману рабочему сцены в Лейквуд-тиэтр. Богатые родители?

В ресторане он заказал то, что заказала бы она сама. Возможно, единственное в меню блюдо, которое могло пробудить у нее чувство голода.

А сигареты с ментолом... а поцелуй при расставании, именно такой, какой она ждала. А...

*Завтра у тебя долгий перелет.*

Он знал, что она уезжает домой, она сама ему об этом сказала. Но откуда ему было знать, что она летит самолетом? И что перелет будет долгим?

Все это смущало ее. Смущало потому, что она уже готова была влюбиться в Эда Хамнера.

*Я знаю, чего ты хочешь.*

Подобно зычному голосу лоцмана, оглашающего, сколько футов под килем, эти его слова звучали у нее в ушах, пока она не уснула.

Он не приехал проводить ее в маленький аэропорт Огасты, и это огорчило ее сильнее, чем можно было ожидать. Она думала о том, как легко привыкнуть к человеку, почти как к наркотику. Сев на иглу, иной пытается убеждать себя, что может соскочить в любую минуту, хотя...

— Элизабет Роган, — прозвучало из динамика, — пожалуйста, подойдите к белому телефонному аппарату.

Она поспешила снять трубку и услышала голос Эда:

— Бет?

— Эд! Как я рада тебя слышать! А я, знаешь, подумала, что ты...

— Что я приеду тебя проводить? — рассмеялся он. — Ну, в этом ты как раз не нуждаешься. Ты у нас взрослая. Тут моя помощь не нужна. Так я тебя увижу здесь в сентябре?

— Я... да, скорее всего.

— Отлично. — Секундная пауза, а затем: — Я ведь люблю тебя. С первой минуты.

Она онемела. Язык присох к гортани. В голове роились десятки мыслей.

Он тихо засмеялся:

— Не надо ничего говорить. Сейчас не надо. У нас еще будет время. Очень много времени. Приятного путешествия, Бет. Счастливо.

И он отключился, оставив ее с белой трубкой в руке и с тысячью вопросов, от которых голова шла кругом.

Сентябрь.

Элизабет вернулась к занятиям, как женщина к прерванному вязанию. Ее соседкой снова была Элис — так уж пошло с первого дня, когда компьютер, помогавший расселять студентов-первокурсников, соединил их имена в одну пару. Несмотря на различные характеры и наклонности, они хорошо уживались. Элис всерьез занималась химией и имела довольно высокий балл. Элизабет больше смотрела по сторонам, чем в книги, хотя и у нее были свои профессиональные интересы — педагогика и математика.

Они по-прежнему ладили, но после лета в их отношениях появилась прохладца. Элизабет объясняла ее себе щекотливостью ситуации с экзаменом по социологии и сознательно не возвращалась к этой теме.

Трагические летние события подернулись дымкой. Смешно сказать, но иногда ей начинало казаться, что Тони — всего лишь один из ее бывших одноклассников. Вспоминать о нем было больно, и она избегала говорить о нем с Элис, но боль, безусловно, притупилась.

Больнее было от другого — Эд Хамнер не звонил.

Прошла неделя, две, наступил октябрь. Она раздобыла телефонный справочник и нашла его имя. Что толку? После его имени стояло «Милл-стрит», улица такой протяженности, что всякие поиски бесполезны. Она продолжала ждать и отказывала всем, кто пытался назначить ей свидание, а таких было немало. Элис удивлялась, но помалкивала; она совсем закопалась в биохимических экспериментах, рассчитанных на полтора месяца, и почти все вечера проводила в библиотеке. Элизабет видела, что раз или два в неделю ее соседке приходят длинные белые конверты, обычно после первой пары, но не придавала значения. В этом была заслуга частного сыскного агентства — оно никогда не печатало на конверте обратного адреса.

Когда загудел селектор, Элис занималась.

— Лиз, ты не подойдешь? — попросила она. — Скорее всего это тебя.

Элизабет подошла.

— Да?

— Лиз, к тебе тут молодой человек.

*О Господи.*

— Как его зовут? — В ее голосе звучала досада, а в голове мелькали привычные отговорки. Мигрень! Давненько она не пускала ее в ход.

Дежурная откровенно забавлялась:

— Его зовут Эдвард Джексон Хамнер. И не какой-нибудь, а *младший.* — Она перешла на шепот: — И носки у него разного цвета.

Элизабет теребила ворот халата.

— Бог ты мой! Скажи ему, что я сию минуту выйду. То есть через минуту. Нет, через две, хорошо?

— О'кей, — удивилась дежурная. — Ты там смотри не лопни.

Элизабет сорвала с вешалки брюки. Передумала, схватила короткую легкую юбочку. Взвыла, нащупав на голове бигуди, и начала их выдергивать.

Элис наблюдала за ней, не говоря ни слова, а потом еще долго задумчиво глядела ей вслед.

Он был все такой же, нисколько не изменился. Зеленая армейская куртка по виду на два размера больше. Одна дужка очков замотана изолентой. Джинсы стоят колом. И конечно, носки... один зеленый, другой коричневый.

И все предельно ясно, именно он, такой вот, ей и нужен.

— Где ты раньше был? — спросила она, идя ему навстречу.

Он заложил руки в карманы куртки и смущенно улыбался.

— Я решил дать тебе возможность развлечься. Присмотреться к другим парням. Сделать выбор.

— Я уже сделала.

— Отлично. Может, в кино сходим?

— Все что угодно.

С каждым днем она все больше убеждалась в том, что не было второго такого человека, который бы так безошибочно угадывал ее настроения и желания. Их вкусы во всем совпадали. Если Тони нравились фильмы с насилием, вроде

«Крестного отца», то Эд предпочитал комедию или «бескровную» драму. Однажды, когда она хандрила, он повел ее в цирк, и это был полный восторг. Если они договаривались позаниматься вместе, то действительно занимались, а не просто слонялись по третьему этажу Дома студентов. На танцплощадке он был особенно хорош в старых танцах, которые она любила. Они даже взяли приз за номер «Когда мы были молодыми». А еще он понимал, когда ей хочется дать волю страсти. Он никогда не давил, не подгонял. С другими парнями у нее было такое чувство, будто все кем-то расписано: от прощального поцелуя в щечку (свидание № 1) до совместной ночи в квартире друга (свидание № 10). У Эда были собственные апартаменты на Милл-стрит; Элизабет часто приходила туда, и ни разу у нее не возникло ощущения, что она попала в любовное гнездышко провинциального донжуана. Он ничего не требовал. Он хотел того же, что хотела она, и именно тогда, когда она хотела. Одним словом, их роман бурно развивался.

Возобновились занятия после зимних каникул. Элис с головой ушла в свои дела. Элизабет украдкой посматривала на соседку, которая с озабоченным видом теребила в руках большой конверт. Лиз подмывало спросить, не случилось ли чего, но так и не спросила. Да и что спрашивать — скорее всего в конверте были результаты очередного эксперимента по биохимии.

Когда они возвращались из ресторана, пошел сильный снег. Эд остановил машину у двери общежития.

— Завтра у меня?

— Да. Я приготовлю кукурузные хлопья.

— Отлично. — Он поцеловал ее. — Я тебя люблю, Бет.

— А я тебя.

— Может, останешься на ночь? — Вопрос был задан как бы между прочим. — Я о завтрашнем вечере.

— Как скажешь, Эд.

— Ну и чудно. Спокойной ночи.

— Тебе тоже.

Элизабет вошла к себе на цыпочках, но Элис не спала, она сидела за письменным столом.

— Элис, ты что это так поздно?

— Мне надо с тобой поговорить, Лиз. Об Эде.

— А в чем дело?

Элис тщательно подбирала слова:

— Боюсь, что, когда я закончу, между нами все будет кончено. Мне бы этого очень не хотелось, поэтому выслушай меня внимательно.

— Тогда, может, не стоит начинать?

— Я все же попробую.

Возникшее было у Элизабет чувство любопытства сменилось гневом:

— Уж не шпионила ли ты за Эдом?

Элис встретилась с ней взглядом и промолчала.

— Ты завидовала?

— Нет. Если бы я тебе завидовала, я бы давным-давно отсюда съехала.

Элизабет была обескуражена. У нее не было оснований не верить подруге. Ей вдруг стало не по себе.

— Меня насторожили два момента, связанные с Эдом Хаммером, — начала Элис. — Первое. Ты написала мне подробное письмо о смерти Тони и упомянула о том, как, мол, удачно мы с Эдом встретились в Лейквуд-тиэтр... как он после этого сразу примчался в Бутбэй и помог тебе обрести почву под ногами. Так вот, Лиз, мы с ним не встречались. Меня там близко не было.

— Но...

— Но как же он узнал о смерти Тони? Понятия не имею. Во всяком случае, не от меня. И второе. Его так называемая эйдетическая память. Лиз, неужели ты это серьезно? Да он не помнит, в каких он носках!

— Это совсем другое, — сухо возразила Лиз. — Это...

— Летом Эд Хамнер был в Лас-Вегасе, — спокойно продолжала Элис. — Вернулся он в середине июля и снял номер в мотеле «Пемакид» на берегу Бутбэйского залива, сразу за городской чертой. Он словно ждал, когда тебе понадобятся его услуги.

— Абсурд! И откуда ты знаешь, что Эд был в Лас-Вегасе?

— Перед началом учебного года я встретила Шерли Д'Антонио. Она подрабатывала в ресторане Пойнса как раз напротив театра. Эда Хамнера там близко не было. Тут мне окончательно стало ясно, что тебя водят за нос. Я пошла к отцу, все ему рассказала и получила «добро».

— На что? — не поняла Элизабет.

— На то, чтобы обратиться в частное сыскное агентство.

Элизабет резко вскочила.

— Все, Элис. Довольно.

Сейчас она сядет в автобус, идущий в город, и проведет эту ночь с Эдом. Она давно была готова к такому повороту.

— Тебе не мешало бы все знать, — сказала Элис. — А там уж делай свои выводы.

— Я знаю только то, что он хороший и добрый, а...

— А любовь слепа, да? — Элис горько усмехнулась. — А что, если я тебя тоже по-своему люблю? Тебе это никогда не приходило в голову, Лиз?

Элизабет внимательно на нее посмотрела.

— В таком случае твоя любовь проявляется весьма странно. Что ж, продолжай. Возможно, ты права. Возможно, ты заслужила такое право. Я тебя слушаю.

— Ты с ним знакома тысячу лет, — тихо произнесла Элис.

— Я... что ты сказала?

— Публичная школа № 119 в Бриджпорте, штат Коннектикут.

Элизабет онемела. Она шесть лет прожила с родителями в Бриджпорте, на новое место они переехали в год, когда она закончила второй класс. Да, она ходила в школу № 119, но...

— Элис, ты в этом уверена?

— А ты его не помнишь?

— Естественно, я его не помню! — Однако память услужливо напомнила ей первое ощущение, что где-то она видела Эда.

— Хорошенькие болоночки не помнят беспородных щенков. Вы с ним учились в первом классе. Он мог в тебя по уши влюбиться. Может, он сидел на задней парте и глаз с тебя не сводил. Или посматривал издалека во дворе школы. Ничем не примечательный недопесок в очечках, с металлическими скобками на передних зубах. Конечно, ты его не запомнила, но он-то тебя наверняка запомнил.

— Что еще? — спросила Элизабет.

— Сыскное агентство нашло его по отпечаткам пальцев, дальше было просто: найти тех, кто его знал. Агента, которому поручили это дело, некоторые моменты ставили в тупик. Меня тоже. Жутковатые, прямо скажем, моменты.

— Ну еще бы, — мрачно отреагировала Элизабет.

— Эд Хамнер-старший был прирожденный игрок. Работал в шикарном рекламном агентстве в Нью-Йорке. Увез он семью в Бриджпорт с такой поспешностью, словно скрывался от преследования. По словам агента, ни одна крупная игра в покер не проходила без его участия. Во всех казино он оставил свой след.

Элизабет закрыла глаза:

— Да, эти люди честно отработали свои доллары — вон сколько грязи.

— Тебе виднее. Короче, в Бриджпорте отец Эда попал в новую заварушку. Он занял кругленькую сумму у какой-то местной акулы. Это для него кончилось двумя переломами. По словам агента, на несчастный случай не похоже.

— Что еще? Избиение ребенка? Растрата казенных денег?

— В 1961 году он перебрался в Лос-Анджелес, все та же реклама. До Лас-Вегаса уже было рукой подать. Он стал летать туда на субботу и воскресенье. Проигрывался в пух и прах. А затем он стал брать с собой Эда-младшего. И сразу начал выигрывать.

— По-моему, ты это все сочинила. От первого до последнего слова.

Элис положила перед собой досье.

— Здесь все материалы, Лиз. Возможно, коечто из этого суд изъял бы из дела за недоказанностью состава преступления, но агент уверен: людям, с которыми он встречался, не было смысла говорить неправду. Эд-старший называл сына «мой талисман». Поначалу никто особенно не возражал против присутствия ребенка за игорным столом, хотя это было нарушением закона. Слишком желанным клиентом считался Эд-старший. Со временем, однако, тот перешел на рулетку, причем ставил исключительно на «чет-нечет» или «красное-черное». Так вот, к концу года перед мальчиком закрылись двери всех казино. Тогда его отец переключился на другую игру.

— Какую же?

— Биржу. В шестьдесят первом, когда Хамнеры перебрались в Лос-Анджелес, они снимали клетушку за девяносто долларов и глава семьи ездил на подержанном «шевроле». Спустя шестнадцать месяцев они уже жили в собственном доме в Сан-Хосе; Эд-старший оставил работу и разъезжал на новехоньком «сандерберде», а его жена на «фольксвагене». Да, закон запрещает несовершеннолетнему находиться в казино штата Невада, но на биржевые ведомости запрета, как ты понимаешь, не существует.

— Ты намекаешь на то, что Эд... что он мог... Элис, ты с ума сошла!

— Ни на что я не намекаю. Разве только на то, что он, по-видимому, знал, чего хочет его отец.

*Я знаю, чего ты хочешь.*

Элизабет вздрогнула: ей показалось, будто эти слова кто-то шепнул ей прямо в ухо.

— Последующие шесть лет, с небольшими перерывами, миссис Хамнер провела в различных психолечебницах с диагнозом «нервное расстройство», однако, по словам санитара, с которым говорил агент, это был самый настоящий психоз. Она утверждала, что ее сын — прихвостень дьявола. В шестьдесят четвертом году она пырнула его ножницами. Пыталась убить. Она... Лиз? Лиз, что с тобой?

— Шрам, — пробормотала Элизабет. — Мы были в университетском бассейне, и я увидела у него глубокую вмятину... вот здесь. — Она показала точку над левой грудью. — Он тогда сказал... — К горлу подступила тошнота, и пришлось сделать вынужденную паузу. — Он тогда сказал, что напоролся в детстве на кол в заборе.

— Мне продолжать?

— Почему бы и нет? Хуже уже не будет.

— В шестьдесят восьмом году его мать вышла из дорогой клиники в долине Сан-Джоакин. Они втроем отправились путешествовать. На трассе 101-го шоссе есть стоянка для пикника, там они сделали привал. Пока Эд-младший собирал хворост для костра, миссис Хамнер разогнала машину и вместе с мужем сиганула с высокого утеса в океан. Не исключен вариант, что она рассчитывала сбить машиной собственного сына. Эду тогда было под восемнадцать. От отца ему осталось наследство — ценные бумаги на сумму один миллион долларов. Через полтора года Эд перебрался на Восточное побережье и поступил в наш колледж. Вот, собственно, и вся история.

— Новых трупов в шкафу не предвидится?

— Тебе этого мало?

Элизабет прошлась по комнате.

— Теперь понятно, почему он избегал разговоров о своих родителях. Тебе непременно надо было разворошить их могилы, да?

— Предпочитаешь ничего не видеть. — Элис смотрела, как Лиз надевает платье. — Сейчас ты, конечно, к нему?

— Угадала.

— Ты ведь его любишь.

— Вот именно.

Элис подошла к подруге и слегка встряхнула ее за плечо.

— Ты можешь на секунду поджать свои коготки и просто подумать? Эд Хамнер обладает способностями, о которых мы, обычные люди, можем только догадываться. Он помог своему отцу развернуться на рулетке, а после озолотил, играя на бирже. Видимо, он обладает даром внушения. Может, он экстрасенс. Или ясновидящий. Не мне судить. Но что такие, как он, существуют — это факт. Лиз, неужели ты еще не поняла — ведь он заставил тебя полюбить его.

Лиз медленно повернулась к Элис.

— Это уже ни в какие ворота не лезет.

— Да? Он подсказал тебе правильные ответы на экзамене, как раньше подсказывал своему папаше, в каком секторе остановится металлический шарик! Не прослушал ни одного курса по социологии, я проверила! Просто нахватался всяких терминов, чтобы пустить тебе пыль в глаза!

— Замолчи! — Лиз закрыла уши руками.

— Он знал, что будет на экзамене, знал, когда погиб Тони, знал, что ты летишь домой самолетом. Он даже знал, в какой момент психологически выигрышно снова появиться в твоей жизни после летнего перерыва.

Элизабет высвободилась и направилась к двери.

— Лиз, выслушай, прошу тебя. Я не знаю, как он это делает. Он и сам, возможно, не знает. Я допускаю, что он не желает причинить тебе зла, но уже причинил. Пользуясь тем, что ему известно каждое твое сокровенное желание, он заставил тебя полюбить его. Но это не любовь. Это насилие.

Элизабет хлопнула дверью и побежала вниз по лестнице.

Она успела на последний городской автобус. Валил густой снег, и автобус продирался сквозь заносы, как хромоногий жук. Элизабет сидела сзади, погруженная в свои мысли. Кроме нее, в салоне было еще шесть или семь пассажиров.

Он попал в самую точку с ментоловыми сигаретами. И с тем, что ее мать все домашние зовут Диди. Первоклашка, который заглядывается на хорошенькую девчурку, а той и невдомек, что...

*Я знаю, чего ты хочешь.*

*Нет, нет, нет. Я люблю его!*

Любит? А может, ей просто доставляет удовольствие находиться в компании того, кто всегда заказывает в ресторане блюда по ее вкусу, и никогда не ошибается в кинотеатре с выбором фильма, и вообще делает только то, что нравится ей? Не превратился ли он для нее давно в своего рода зеркало, которое показывает ей лишь то, что она хочет увидеть? Он замечательно угадывает с подарками. Когда вдруг похолодало и она начала мечтать о фене, кто ей его подарил? Эд Хамнер, кто же. Заглянул случайно к «Дэйзу» — и вот пожалуйста. Она, само собой, пришла в восторг.

*Но это не любовь. Это насилие.*

Она сошла на углу Мэйн и Милл-стрит, холодный ветер обжег лицо, и она поежилась, а автобус уже отъехал с мягким ворчанием. Задние фары помигали в сумерках и растворились.

Никогда еще ей не было так одиноко.

Эда дома не оказалось.

Она стучала минут пять, а потом в растерянности стояла под дверью, не зная, как быть дальше. У нее не было ни малейшего представления, чем Эд занимается и с кем встречается, когда они не видятся. Об этом как-то речь не заходила.

*Может, зарабатывает сейчас покером на новый фен?*

Неожиданно решившись, она встала на цыпочки и поискала над дверью, где, она знала, лежал запасной ключ. Пальцы нашарили ключ, и он со звоном упал к ногам.

Она вставила ключ в замочную скважину.

В отсутствие Эда квартира выглядела совсем другой — неживой, как бутафорская мебель в театре. Ее всегда забавляло, что человек, совершенно безразличный к своему внешнему виду, сделал из квартиры игрушку, хоть фотографируй для модного журнала. Квартира была вся точно специально устроена для нее, а не для него. Ну это, положим, бредовая мысль. Бредовая?

Словно впервые она отметила про себя, как ей нравится заниматься, сидя на этом стуле, или смотреть телевизор. Как сказала бы Златовласка, усевшись на стул младшего Медвежонка: «В самый раз». Не слишком твердо и не слишком мягко. Идеально. Как и все остальное, что ассоциировалось у нее с Эдом Хамнером.

Из гостиной вели две двери — в кухоньку и в спальню.

За окном разгулялся ветер, и старый дом скрипел, как бы вжимаясь в землю.

В спальне она стояла над железной кроватью. Тоже в самый раз. Внутренний голос не удержался от язвительного вопроса: «Шикарная кроватка, а?»

Элизабет остановилась перед стеллажами, взгляд скользнул по корешкам книг. Одно название привлекло ее внимание. Она сняла книгу с полки: «Что мы танцевали в пятидесятых?» Томик раскрылся на танце «Стролл». Пояснения обведены жирным красным карандашом, а на полях крупно, с вызовом: БЕТ.

Уходи, сказала она себе. Еще что-то можно спасти. Если он сейчас вернется, я не смогу смотреть ему в глаза. То-то Элис восторжествует. Не зря платила денежки.

Но она уже не могла остановиться. Слишком далеко все зашло.

Она подошла к чулану и повернула ручку, но дверь не поддалась. Заперто.

На всякий случай она пошарила над дверью и сразу нащупала ключ. «Не делай этого», — предупредил ее внутренний голос. Она вспомнила, что случилось с женой Синей Бороды, когда она открыла заветную дверь. Но остановиться сейчас — значило навсегда остаться в неведении. Она открыла дверь.

И в тот же миг у нее возникло странное чувство, что Эд Хамнер-младший жил именно здесь.

Чулан являл собой страшный кавардак: гора скомканной одежды, книги, теннисная ракетка без струн, изношенные спортивные тапочки, разбросанные конспекты, пачка табака «Боркум Рифф», наполовину рассыпанного. Зеленая армейская куртка валялась в дальнем углу.

Она подняла с пола книжку. «Золотая ветвь» Фрэзера. Подняла вторую. «Древние ритуалы, современная мистика». Третью. «Гаитянские вуду». Последняя книжка, в старом потрескавшемся переплете, с почти стершимся заглавием, запахом своим напоминала тухлую рыбу. «Некрономикон». Она открыла наугад и с омерзением отшвырнула книгу. Низкопробная похабщина.

Она потянулась к куртке Эда как к спасительной соломинке, даже самой себе в этот момент не признаваясь, что собирается шарить по карманам. Под курткой обнаружилась жестяная коробочка...

Она с любопытством повертела ее в руках, внутри что-то погромыхивало. В таких жестянках мальчишки обычно хранят свои сокровища. На крышке рельефными буквами было написано: «Бриджпортовские леденцы». Она сняла крышку.

Сверху лежала куколка. Куколка, с которой она играла в далеком детстве.

Элизабет затрясло.

Куколка была одета в красный нейлоновый лоскут, оторванный от шарфика, который Лиз потеряла два-три месяца назад. Потеряла в кино, где она была вдвоем с Эдом. Ручки куколки обернуты мохом. Уж не кладбищенский ли? Волосы... волосы были какие-то не такие. Белые, шелковистые, неумело приклеенные к розоватой целлулоидной головке, тогда как ее «натуральные» волосы были песочного цвета и грубее. Эти скорее напоминали волосы Элизабет...

*В детстве.*

Она сглотнула слюну. В первом классе им всем выдали маленькие ножницы с круглыми лезвиями. Неужели ее тайный воздыхатель подкрался к ней сзади и...

Элизабет отложила в сторону куколку и снова заглянула в коробку. Голубой чип для игры в покер с необычным шестигранником, нарисованным на одной стороне красными чернилами. Ветхая газетная вырезка с некрологом мистера и миссис Хамнер. Оба улыбались бессмысленной улыбкой с приложенной к некрологу фотографии, и оба лица были опять-таки заключены в шестигранники, но уже черные. Еще две куколки, мужская и женская. Сходство с лицами на фотографии было пугающим.

И кое-что еще.

Пальцы у нее так дрожали, что она едва не выронила вещицу. Из груди вырвался сдавленный стон.

Это был игрушечный автомобильчик типа «Склей сам» — такие продаются в сувенирных лавках. Красный «фиат». На радиаторе — клок от рубашки бедного Тони.

Она перевернула автомобильчик. Весь низ был раскурочен.

— Докопалась, значит, тварь неблагодарная.

Она вскрикнула и выронила игрушку вместе с жестянкой. Все эти омерзительные сокровища рассыпались на полу.

Он стоял в дверях, разглядывая ее в упор. Она не подозревала, что в человеческих глазах может быть столько ненависти.

— Ты убил Тони, — сказала она.

Он криво усмехнулся:

— Интересно, как ты это докажешь?

— Не важно. — Ее удивила твердость собственного голоса. — Главное, я теперь знаю. Больше мы с тобой не увидимся. Никогда. А если ты... проделаешь это... с кем-нибудь еще, я сразу пойму. И тогда тебе не поздоровится. Можешь мне поверить.

Лицо его исказила гримаса.

— Вот она, твоя благодарность. Я дал тебе все, что ты хотела. Кто дал бы тебе столько? Разве я не сделал тебя счастливой?

— Ты убил Тони! — Она сорвалась на крик.

Он шагнул ей навстречу.

— Да, ради тебя. А на что способна ты, Бет? Ты не знаешь, что такое настоящая любовь. Я полюбил тебя с первой минуты и люблю вот уже семнадцать лет. А что твой Тони? К тебе все само плыло в руки. Потому что ты красивая. Все к твоим услугам, и одиночества можно не опасаться. Не надо... прилагать усилия, как некоторым. Всегда найдется какой-нибудь очередной Тони. Все, что от тебя требовалось, это улыбнуться и сказать «пожалуйста». — Он возвысил голос. — А мне ничего не давалось само! Думаешь, *мне* не хотелось? Да не тут-то было. Отец сам из меня тянул что мог. Я не услышал от него ни одного доброго слова, пока не сделал его богатым. И мать была такая же. Я вернул ей мужа — думаешь, она воспылала благодарностью? Она меня ненавидела! Шарахалась, как от прокаженного! Считала выродком! Я ей и то и это, а она... Бет, не надо! не на-аа-а...

Она наступила на детскую куколку — свое подобие — и раздавила ее каблуком. И сразу отпустило сердце. Страх прошел. Перед ней был не мужчина — жалкий мальчишка, не умеющий даже подобрать носки одного цвета.

— Теперь ты мне ничего не сделаешь, Эд, — сказала она. — Ничего. Что, разве не так?

Он повернулся к ней спиной.

— Уходи, — сказал он упавшим голосом. — Только коробку оставь. Хоть это.

— Ладно, так и быть. Пустую.

Когда она поравнялась с ним, он дернулся, словно желая остановить ее, и тут же весь обмяк.

Она уже была на втором этаже, когда он выскочил на лестницу и истерично закричал ей вслед:

— Иди, иди! Но учти, ни с одним мужчиной тебе не будет так, как со мной! А когда ты состаришься и они перестанут исполнять твои желания, ты меня еще вспомнишь! Ты еще пожалеешь о том, что так легко все отбросила.

Она вышла на заснеженную улицу. Легкий морозец приятно холодил лицо. Ей предстояло пройти пешком добрые две мили, но это ее не смущало. Ей даже хотелось пройти по морозу. Хотелось очиститься.

Странно, но ей по-своему было жаль этого взрослого мальчика, чья изуродованная душа с кулачок разрывалась под напором сверхъестественных сил. Да, ей было жаль этого мальчика, который пытался сделать из взрослых людей послушных солдатиков и в ярости давил их, если они артачились или разгадывали его намерения.

А что сказать о ней? О ней, от природы награжденной всем, чего лишен он, хотя тут не было ни его вины, ни ее заслуги? Она вспомнила свой спор с Элис. С каким слепым безрассудством, с какой безоглядной ревностью хваталась она за того, с кем было не столько хорошо, сколько удобно.

*А когда ты состаришься и они перестанут исполнять твои желания, ты меня еще вспомнишь!.. Я знаю, чего ты хочешь.*

Неужели она так ничтожна, чтобы хотеть так мало?

Господи, сохрани и помилуй.

Половина пути осталась позади. На мосту она помедлила, и вот вниз, один за другим, полетели магические атрибуты Эда Хамнера. Последним вниз полетел игрушечный красный «фиат», он несколько раз перевернулся в воздухе и наконец исчез в снежной метели. Дальше она шла налегке.

# КАРНИЗ*

— Ну, смелее, — повторил Кресснер. — Загляните в пакет.

Дело происходило на сорок третьем, последнем этаже небоскреба, в квартире-люкс. Пол был устлан рыжим с подпалинами ворсистым ковром. На ковре между изящным шезлонгом, в котором сидел Кресснер, и обитой настоящей кожей кушеткой, на которой никто не сидел, выделялся блестящим коричневым пятном пластиковый пакет.

— Если это отступное, будем считать разговор законченным, — сказал я. — Потому что я люблю ее.

— Деньги, да, но не отступные. Ну, смелее. Загляните. — Он курил турецкую сигарету в мундштуке из оникса; работали кондиционеры, и запах едва чувствовался. На нем был шелковый халат с вышитым драконом. Спокойный взгляд из-под очков — взгляд человека себе на уме. С этим все ясно: всемогущий, сказочно богатый, самоуверенный сукин сын. Я любил его жену, а она меня. Я был готов к неприятностям,

---

* The Ledge. © 1998. С. Таск. Перевод с английского.

и я их дождался, оставалось только узнать — каких.

Я подошел к пластиковому пакету и перевернул его. На ковер высыпались заклеенные пачки банкнот. Двадцатидолларовые купюры. Я присел на корточки, взял одну пачку и пересчитал. По десять купюр. Пачек было много.

— Здесь двадцать тысяч, — сказал он затягиваясь.

Я встал.

— Ясно.

— Они ваши.

— Мне не нужны деньги.

— И жена в придачу.

Я молчал. Марсия меня предупредила. Это кот, сказала она. Старый и коварный. Ты для него мышка.

— Так вы теннисист-профессионал, — сказал он. — Вот, значит, как вы выглядите.

— Разве ваши агенты не сделали снимков?

— Что вы! — Он отмахнулся ониксовым мундштуком. — Даже фильм отсняли — счастливая парочка в Бэйсайдском отеле. Камера снимала из-за зеркала. Но что все это, согласитесь, в сравнении с натурой.

— Возможно.

«Он будет то и дело менять тактику, — сказала Марсия. — Он вынуждает человека обороняться. И вот ты уже отбиваешь мяч наугад и неожиданно пропускаешь встречный удар. Поменьше слов, Стэн. И помни, что я люблю тебя».

— Я пригласил вас, мистер Норрис, чтобы поговорить как мужчина с мужчиной. Непринужденный разговор двух цивилизованных людей, один из которых увел у другого жену.

Я открыл было рот, но потом решил промолчать.

— Как вам понравилось в Сан-Квентине? — словно невзначай спросил Кресснер, попыхивая сигаретой.

— Не очень.

— Три года, если не ошибаюсь. Кража со взломом — так, кажется, звучала статья.

— Марсия в курсе, — сказал я и сразу пожалел об этом. Он навязал мне свою игру, от чего меня предостерегала Марсия. Я даю свечи, а он успешно гасит.

— Я позволил себе отогнать вашу машину, — сказал он, мельком глянув в окно. Впрочем, окна как такового не было, вся стена — сплошное стекло. Посередине, тоже стеклянная, раздвижная дверь. За ней балкончик. Ну а за балкончиком — бездна. Что-то в этой двери меня смущало. Я только не мог понять что. — Великолепное здание, — сказал Кресснер. — Гарантированная безопасность. Автономная телесеть — и все такое. Когда вы вошли в вестибюль, я отдал распоряжение по телефону. Мой человек запустил мотор вашей машины и отогнал ее на общественную стоянку в нескольких кварталах отсюда. — Он взглянул на циферблат модных настенных часов в виде солнца, что висели над кушеткой. Часы показывали 8.05. — В 8.20 тот же человек позвонит в полицию по поводу вашей машины. Не позднее 8.30 блюстители порядка обнаружат в багажнике запасную покрышку, а в ней шесть унций героина. У них возникнет большое желание познакомиться с вами, мистер Норрис.

Угодил-таки в капкан. Все, казалось бы, предусмотрел — и на тебе, влип как мальчишка.

— Это произойдет, если я не скажу своему человеку, чтобы он забыл о предыдущем звонке.

— Мне достаточно сообщить, где Марсия, — подсказал я. — Не могу, Кресснер. Не знаю. Мы с ней нарочно так договорились.

— Мои люди выследили ее.

— Не думаю. Мы от них оторвались в аэропорту.

Кресснер вздохнул и отправил дотлевающую сигарету в хромированную пепельницу с вращающейся крышкой. Все отработано. Об окурке и о Стэне Норрисе позаботились в равной степени.

— Вообще-то вы правы, — сказал он. — Старый трюк — зашел в туалет, и тебя нет. Мои люди были вне себя: попасться на такой крючок. Наверно, из-за его примитивности они даже не приняли его в расчет.

Я промолчал. После того как Марсия улизнула в аэропорту от агентов Кресснера, она вернулась рейсовым автобусом обратно в город, с тем чтобы потом добраться до автовокзала. Так мы решили. При ней было двести долларов — все мои сбережения. За двести долларов туристский автобус доставит тебя в любую точку страны.

— Вы всегда такой неразговорчивый? — спросил Кресснер с неподдельным интересом.

— Марсия посоветовала.

Голос его стал жестче:

— Значит, попав в лапы полиции, будете держаться до последнего. А когда в следующий раз наведаетесь к моей жене, вы застанете тихую старушку в кресле-качалке. Об этом вы не подумали? Насколько я понимаю, за шесть унций героина вы можете схлопотать сорок лет.

— Этим вы Марсию не вернете.

Он усмехнулся.

— Положеньице, да? С вашего позволения я обрисую ситуацию. Вы и моя жена полюбили друг друга. У вас начался роман... если можно назвать романом эпизодические ночные свидания в дешевых мотелях. Короче, я потерял жену. Зато заполучил вас. Ну а вы, что называется, угодили в тиски. Я верно изложил суть дела?

— Теперь я понимаю, почему она от вас устала, — сказал я.

К моему удивлению, он расхохотался, даже голова запрокинулась.

— А знаете, вы мне нравитесь. Вы простоваты, мистер Норрис, и замашки у вас бродяги, но, чувствуется, у вас есть сердце. Так утверждала Марсия. Я, честно говоря, сомневался. Она не очень-то разбирается в людях. Но в вас есть какая-то... искра. Почему я и затеял все это. Марсия, надо полагать, успела рассказать вам, что я люблю заключать пари.

— Да.

Я вдруг понял, чем меня смутила раздвижная дверь в стеклянной стене. Вряд ли кому-нибудь могло прийти в голову устроить чаепитие среди зимы на балконе сорок третьего этажа. Вот и шезлонг стоит в комнате. А ветрозащитный экран почему-то сняли. Почему, спрашивается?

— Я не питаю к жене особых чувств, — произнес Кресснер, аккуратно вставляя в мундштук новую сигарету. — Это ни для кого не секрет. И вам она наверняка сказала. Да и при вашем... опыте вам наверняка известно, что от хорошей жизни замужние женщины не прыгают в стог сена к заурядному профи по мановению ракетки. Но Марсия, эта бледная немочь, эта кривляка, эта ханжа и зануда, эта размазня, эта...

— Достаточно, — прервал я его.

Он изобразил на лице улыбку.

— Прошу прощения. Все время забываю, что мы говорим о вашей возлюбленной. Кстати, уже 8.16. Нервничаете?

Я пожал плечами.

— Держимся до конца, ну-ну, — сказал он и закурил новую сигарету. — Вас, вероятно, удивляет, что при всей моей нелюбви к Марсии я почему-то не хочу отпустить ее на...

— Нет, не удивляет.

На его лицо набежала тень.

— Не удивляет, потому что вы махровый эгоист, собственник и сукин сын. Только у вас не отнимают ничего вашего. Даже если это вам больше не нужно.

Он побагровел, потом вдруг расхохотался.

— Один — ноль в вашу пользу, мистер Норрис. Лихо это вы.

Я снова пожал плечами.

— Хочу предложить вам пари, — посерьезнел он. — Выиграете — получите деньги, женщину и свободу. Ну а проиграете — распрощаетесь с жизнью.

Я взглянул на настенные часы. Это получилось непроизвольно. Часы показывали 8.19.

— Согласен, — сказал я. А что мне оставалось? По крайней мере выиграю несколько минут. Вдруг придумаю, как выбраться отсюда — с деньгами или без.

Кресснер снял трубку телефона и набрал номер.

— Тони? Этап второй. Да.

Он положил трубку на рычаг.

— Этап второй — это как понимать? — спросил я.

— Через пятнадцать минут я позвоню Тони, он заберет... некий сомнительный груз из багажника вашей машины и подгонит машину к подъезду. Если я не перезвоню, он свяжется с полицией.

— Страхуетесь?

— Войдите в мое положение, мистер Норрис. На ковре лежит двадцать тысяч долларов. В этом городе убивают и за двадцать центов.

— В чем заключается спор?

Лицо Кресснера исказила страдальческая гримаса.

— Пари, мистер Норрис, пари. Спорит всякая шушера. Джентльмены заключают пари.

— Как вам будет угодно.

— Отлично. Вы, я заметил, посматривали на мой балкон.

— Нет ветрозащитного экрана.

— Верно. Я велел его снять сегодня утром. Итак, мое предложение: вы проходите по карнизу, огибающему это здание на уровне нашего этажа. В случае успеха срываете банк.

— Вы сумасшедший.

— Отчего же? За десять лет, что я живу здесь, я предлагал это пари шести разным людям. Трое из них, как и вы, были профессиональными спортсменами — популярный защитник, который больше прославился блестящими выступлениями в телерекламе, чем своей бледной игрой, бейсболист, а также довольно известный жокей с баснословными заработками и не менее баснословными алиментами. Остальные трое — попроще. Разные профессии, но два общих момента — денежные затруднения и неплохие физические данные. — Он в задумчивости затянулся и, выпустив дым, продолжал: — Пять раз мое предложение с ходу отвергали. И лишь однажды приняли. Условия — двадцать тысяч против шести месяцев тюрьмы. Я выиграл. Тот человек глянул вниз с моего балкона и чуть не потерял сознание. — На губах Кресснера появилась брезгливая улыбка. — Внизу, — сказал он, — все кажется таким крошечным. Это его сломало.

— Почему вы считаете, что...

Он остановил меня жестом, выражавшим досаду.

— Давайте без этой тягомотины, мистер Норрис. Вы согласитесь, потому что у вас нет выбора. На одной чаше — сорок лет в Сан-Квентине, на другой — свобода. И в качестве легкой приправы — деньги и моя жена. Я человек щедрый.

— Где гарантия, что вы не устроите мне ловушку? Что я пройду по карнизу, а вы тем временем не позвоните Тони?

Он вздохнул:

— У вас мания преследования, мистер Норрис. Я не люблю свою жену. Моя многосложная натура страдает от ее присутствия. Двадцать тысяч долларов для меня не деньги. Я каждую неделю отстегиваю в четыре раза больше своим людям в полиции. А что касается пари... — Глаза у него заблестели. — На такое дело никаких денег не жалко.

Я раздумывал, он не торопил с ответом — хороший товар не нуждается в рекламе. Кто я для него? Средней руки игрок, которого в тридцать шесть лет могли попросить из клуба, если бы не Марсия, нажавшая на кое-какие пружины.

Кроме тенниса, я ничего не умею, да и не так-то просто куда-нибудь устроиться, даже сторожем, когда у тебя за плечами судимость. И дело-то пустяковое, так, детские шалости, но поди объясни это любому боссу.

Ничего не скажешь, смешная история: по уши влюбился в Марсию Кресснер, а она в меня. Называется, разок сыграли утром в теннис. Везет вам, Стэн Норрис. Тридцать шесть лет жил себе Стэн Норрис холостяком в свое удовольствие и — на тебе — втрескался в жену короля подпольного мира.

Этот старый кот, развалившийся в шезлонге и дымящий дорогой турецкой сигаретой, надо думать, многое разнюхал. Если не все. Я могу принять его пари и даже выиграть — и все равно останусь с носом; а откажусь — через пару часов буду в тюряге. И на свет Божий выйду уже в новом тысячелетии.

— Один вопрос, — сказал я.

— Я вас слушаю, мистер Норрис.

— Ответьте, глядя мне в глаза: вы не имеете обыкновения жульничать?

Он посмотрел мне в глаза.

— Я никогда не жульничаю, мистер Норрис, — сказал он с тихим достоинством.

— О'кей.

А что мне оставалось?

Он просиял и сразу поднялся.

— Вот это разговор! Вот это я понимаю! Давайте подойдем к балконной двери, мистер Норрис.

Мы подошли. У него был вид человека, который сотни раз рисовал себе эту картину в своем воображении и сейчас, когда она стала реальностью, наслаждался ею в полной мере.

— Ширина карниза двенадцать сантиметров, — произнес он мечтательно. — Я измерял. Да, я сам стоял на нем, разумеется, держась за перила. Видите чугунное ограждение — когда вы опуститесь на руках, оно вам окажется по грудь. Ограждение кончится — держаться, сами понимаете, будет не за что. Придется двигаться на ощупь, стараясь не терять равновесия.

Вдруг мой взгляд приковал один предмет за оконным стеклом... я почувствовал, как у меня стынет в жилах кровь. Это был анемометр, или ветромер. Небоскреб находился рядом с озером, а квартира Кресснера — под крышей небоскреба, открытой всем ветрам, поскольку все соседние здания были ниже. Этот ветер вопьется в тело ледяными иглами. Столбик анемометра показывал десять метров в секунду, но при первом же сильном порыве столбик подскочит до двадцати пяти, прежде чем опустится до прежней отметки.

— Я вижу, вас заинтересовал ветромер, — обрадовался Кресснер. — Вообще-то здесь дует еще не так сильно, преобладающий ветер — с противоположной стороны. И вечер сегодня довольно тихий. В это время тут иногда такой ветрище поднимается, все восемьдесят пять будет... чувствуешь, как тебя покачивает. Точно на корабле. А сейчас, можно сказать, штиль, да и тепло не по сезону, видите?

Следуя за его пальцем, я разглядел световое табло на небоскребе слева, где размещался банк. Семь градусов тепла. На таком ветру ощущения будут как при нуле.

— У вас есть что-нибудь теплое? — спросил я. На мне был легкий пиджак.

— Боюсь, что нет. — Электронное табло на здании банка переключилось на время: 8.32. — Вы бы поторопились, мистер Норрис, а то я должен дать команду, что мы приступаем к третьему этапу нашего плана. Тони мальчик хороший, но ему не всегда хватает выдержки. Вы понимаете, о чем я?

Я понимал. Уж куда понятнее.

Я подумал о Марсии, о том, что мы с ней вырвемся из щупальцев Кресснера, имея при себе приличные деньги для начала, и, толкнув раздвижную стеклянную дверь, шагнул на балкон. Было холодно и влажно; дул ветер, и волосы залепляли глаза.

— Желаю вам приятно провести вечер, — раздался за спиной голос Кресснера, но мне уже было не до него. Я подошел к перилам, вниз я не смотрел. Пока. Я начал глубоко вдыхать воздух.

Это не какое-нибудь там специальное упражнение, а что-то вроде самогипноза. С каждым выдохом голова очищается от посторонних мыслей, и вот ты уже думаешь лишь об одном — о предстоящей игре. Вдох-выдох — и я забыл о пачках банкнот. Вдох-выдох — и я забыл о Кресснере. С Марсией оказалось потруднее — она стояла у меня перед глазами и просила не делать глупостей, не играть с Кресснером по его правилам, потому что даже если он жульничает, он, как всегда, наверняка подстраховался. Я ее не слушал. Не до этого мне было. Это не то пари, когда в случае проигрыша ты идешь покупать несколько кружек пива под аккомпанемент дружеских шуточек; тут тебя будут долго собирать в совок от одного угла Дикман-стрит до другого.

Когда я посчитал, что уже достаточно владею собой, я глянул вниз.

Отвесная стена небоскреба напоминала гладкую поверхность меловой скалы. Машины на стоянке походили на миниатюрные модели, какие можно купить в сувенирном киоске. Сновавшие взад-вперед автомобили превратились в лучики света. Если отсюда навернуться, успеешь не только осознать, что с тобой происходит, но и увидеть, как стремительно надвигается на тебя земля и ветер раздувает одежду. И еще хватит времени на долгий, долгий крик. А когда наконец грохнешься об асфальт, раздастся такой звук, будто раскололся перезрелый арбуз.

Неудивительно, что у того типа очко сыграло. Правда, ему грозили какие-то шесть месяцев. Передо мной же разворачивалась перспектива в мрачную клеточку и без Марсии, шутка сказать, на сорок лет.

Мой взгляд упал на карниз. Двенадцать сантиметров... а на вид им больше пяти никак не дашь. Хорошо еще, что здание сравнительно новое — по крайней мере карниз не рухнет.

Может быть.

Я перелез через перила и осторожно опустился на руках, пока не почувствовал под собой карниз. Каблуки висели в воздухе. Пол балкона приходился мне на уровне груди, сквозь ажурную решетку просматривалась шикарная квартира Кресснера. Сам он стоял по ту сторону порога с дымящейся сигаретой в зубах и следил за каждым моим движением, как какой-нибудь ученый за поведением подопытной морской свинки после только что сделанной инъекции.

— Звоните, — сказал я, держась за решетку.

— Что?

— Звоните Тони. Иначе я не двинусь с места.

Он отошел от двери — вот она, гостиная, такая теплая, уютная и безопасная — и поднял трубку. И что? Из-за этого ветра я все равно ничего не мог расслышать. Он положил трубку и снова появился в дверях.

— Исполнено, мистер Норрис.

— Так-то оно лучше.

— Счастливого пути, мистер Норрис. До скорого свидания... если оно состоится.

А теперь к делу. Я позволил себе в последний раз подумать о Марсии, о ее светло-каштановых волосах, и больших серых глазах, и изящной фигурке, а затем как бы отключился. И вниз я больше не смотрел. А то лишний раз заглянешь в эту бездну, и руки-ноги отнимутся. Или перестоишь и замерзнешь, а тогда можно просто оступиться или даже сознание потерять от страха. Сейчас главное — мысленно видеть карниз. Сейчас все внимание на одно — шажок правой, шажок левой.

Я двинулся вправо, держась, пока возможно, за решетку. Мне придется, это ясно, предельно напрячь сухожилия ног, которые я развил теннисом. С учетом того, что пятки у меня свисают с карниза, на носки выпадает двойная нагрузка.

Я добрался до конца балкона — ну и как теперь заставить себя оторваться от спасительных перил? Я заставлял. Двенадцать сантиметров — это же будь здоров какая ширина! Да если б до земли было не сто двадцать метров, а сантиметров тридцать, ты бы обежал по карнизу это здание за какие-нибудь четыре минуты, урезонивал я себя. Вот и считай, что так оно и есть.

Легко сказать. Если упадешь с тридцатисантиметровой высоты, то чертыхнешься и попробуешь еще раз. Здесь второго случая не предвидится.

Я сделал шажок правой ногой, подтянул левую... и отпустил перила. Я распластал руки по стене, прижимаясь ладонями к шершавой поверхности. Я оглаживал ее. Я был готов ее поцеловать.

Порыв ветра заставил меня покачнуться; воротник пиджака хлестнул по лицу. Сердце подпрыгнуло и застряло где-то в горле, где и оставалось, пока стихия не успокоилась. Если ветер ударит как следует, меня снесет к чертовой матери с этого насеста. А ведь с противоположной стороны ветер будет посильнее.

Я повернул голову влево, прижимаясь щекой к стене. Кресснер наблюдал за мной, перегнувшись через перила.

— Отдыхаете в свое удовольствие? — поинтересовался он дружелюбным тоном.

На нем было пальто из верблюжьей шерсти.

— Вы, кажется, сказали, что у вас нет ничего теплого, — заметил я.

— Соврал, — спокойно отреагировал он. — Частенько, знаете, приходится врать.

— Как это понимать?

— А никак... никак это не надо понимать. А может быть, и надо. Нервишки-то шалят, а, мистер Норрис? Не советую вам долго задерживаться на месте. Лодыжки устают. А стоит им расслабиться... — Он вынул из кармана яблоко, откусил от него и выбросил в темноту. Долго ничего не было слышно. И вдруг раздался едва слышный омерзительный шлепок. Кресснер хохотнул.

Он совершенно выбил меня из колеи, и сразу же паника вонзила в мозг свои стальные когти. Волна ужаса готова была захлестнуть меня. Я отвернулся от Кресснера и начал делать глубокие вдохи, пытаясь сбросить с себя парализующий страх. Световое табло на здании банка показывало 8.46, и рядом — ДЕЛАЙТЕ ВАШИ ВКЛАДЫ НА ВЗАИМОВЫГОДНЫХ УСЛОВИЯХ!

Когда на табло зажглись цифры 8.49, самообладание, кажется, снова ко мне вернулось. По всей видимости, Кресснер решил, что я примерз к стене, потому что едва я начал переставлять ноги, держа путь к углу здания, как сзади послышались издевательские аплодисменты.

Давал себя знать холод. Ветер, пройдясь по озерной глади, словно по точильному камню, превратился в немыслимо острую косу, которая своим увлажненным лезвием полосовала мою кожу. На спине пузырился худосочный пиджак. Стараясь не замечать холода, я медленно продвигался, не отрывая подошв от карниза. Если и можно преодолеть этот путь, то только так — медленно, со всеми предосторожностями. Поспешность губительна.

Когда я добрался до угла, банковские часы показывали 8.52. Задача казалась вполне выполнимой — карниз опоясывал здание четким прямоугольником — вот только, если верить правой руке, за углом меня подстерегал встречный ветер. Один неверный наклон, и я отправлюсь в долгий полет.

Я все ждал, что ветер поутихнет, однако ничуть не бывало — не иначе как он находился в сговоре с Кресснером. Своей невидимой пятерней он хлестал меня наотмашь, давал тычки, забирался под одежду. Особенно сильный порыв ветра заставил меня покачнуться. Так можно простоять до бесконечности, подумал я.

Улучив момент, когда стихия немного унялась, я завел правую ногу за угол и, держась за стены обеими руками, совершил поворот. Сразу два воздушных потока обрушились на меня с разных сторон, выбивая из равновесия. Ну вот Кресснер и выиграл пари, подумал я обреченно. Но мне удалось продвинуться еще на шаг и вжаться в стену; только после этого я выдохнул, чувствуя, как пересохло горло.

Тут-то и раздался над самым моим ухом оглушительный хлопок.

Я дернулся всем телом и едва устоял на ногах. Руки, потеряв опору, описывали в воздухе невообразимые зигзаги. Садани я со всего маху по стене, скорее всего это бы меня погубило. Но вот прошла целая вечность — закон равновесия позволил мне снова прижаться к стене, вместо того чтобы отправить меня в полет протяженностью в сорок три этажа.

Мое судорожное дыхание напоминало сдавленный свист. В ногах появилась предательская слабость, мышцы гудели, как высоковольтные провода. Никогда еще я не чувствовал столь остро, что я смертен. Старуха с косой уже, казалось, готова была пробормотать у меня за спиной отходную.

Я вывернул шею и увидел примерно в метре над собой Кресснера, который высунулся из окна спальни. Он улыбался. В правой руке он держал новогоднюю хлопушку.

— Проверка на устойчивость, — сказал он.

Я не стал тратить силы на диалог. Да и не перекричать бы мне эти завывания. Сердце колотилось бешено. Я незаметно продвинулся метра на полтора — на случай, если ему придет в голову высунуться по пояс и дружески похлопать меня по плечу. Затем я остановился, закрыл глаза и подышал всей грудью, пока не пришел в норму.

Эта сторона здания была короче. Справа от меня возвышались самые большие небоскребы Нью-Йорка. Слева подо мной темным пятном лежало озеро, по которому перемещались отдельные светлые штрихи. В ушах стояли вой и стоны.

Встречный ветер на втором повороте оказался менее коварным, и я обогнул угол без особых хлопот. И тут меня кто-то укусил.

Я дернулся, судорожно глотнул воздух. Страх потерять равновесие вынудил меня прижаться к стене. Вновь кто-то укусил меня. Не укусил, нет... клюнул. Я опустил взгляд.

На карнизе стоял голубь и смотрел на меня блестящими ненавидящими глазами.

Мы, жители городов, привыкли к голубям, как привыкли к таксистам, которые не могут разменять вам десятидолларовую бумажку. Городские голуби тяжелы на подъем и уступают дорогу крайне неохотно, считая облюбованные ими тротуары своей собственностью. Их визитные карточки мы частенько обнаруживаем на капотах наших машин. Но что нам за дело! Да, порой они нас раздражают, но владения-то все равно наши, а эти пернатые — чужаки.

Здесь были его владения, я ощущал свою беспомощность, и он, похоже, это понимал. Он опять клюнул меня в перетруженную лодыжку, и всю правую ногу тотчас пронзила боль.

— Убирайся, — прорычал я. — Убирайся отсюда.

В ответ он снова клюнул. Он, очевидно, давал мне понять, что я вторгся на его территорию. И действительно, карниз был помечен птичьим пометом, старым и свежим.

Вдруг тихий писк.

Я как мог задрал голову, и в ту же секунду сверху обрушился клюв. Я чуть не отпрянул. Я мог стать первым ньюйоркцем, погибшим по вине птицы божьей. Это была голубка, защищающая своих птенцов. Гнездо помещалось под самой крышей. Мне повезло, при всем желании мамаша не могла дотянуться до моего темечка.

Зато ее супруг так меня клюнул, что пошла кровь. Я это почувствовал. Я двинулся вперед в надежде спугнуть голубя. Пустой номер. Эти голуби ничего не боятся — городские, во всяком случае. Если при виде грузовика они с ленцой ковыляют прочь, то какую угрозу может представлять для них человек, застрявший на карнизе под самой крышей небоскреба?

Я продвигался черепашьим шагом, голубь же пятился, глядя мне в лицо блестящими глазками, — опускал он их только для того, чтобы вонзить в мою лодыжку свой острый клюв. Боль становилась нестерпимой: еще бы, эта птица сейчас терзала живое мясо... если бы она его ела, я бы тоже не удивился.

Я отпихнул его правой ногой. Рассчитывать на большее не приходилось. Голубь встрепенулся и снова перешел в атаку. Что до меня, то я чуть не сорвался вниз.

Один, второй, третий удар клювом. Новый порыв ветра заставил меня балансировать на грани падения; я цеплялся подушечками пальцев за каменную стену, с которой успел сродниться, я прижимался к ней щекой, с трудом переводя дыхание.

Думай Кресснер хоть десять лет, вряд ли он придумал бы страшнее пытку. Ну клюнули тебя разок, велика беда. Ну еще раза два клюнули — тоже терпимо. Но эта чертова птица клюнула меня, наверное, раз шестьдесят, пока я добрался до чугунной решетки с противоположной стороны здания.

Добраться до нее было все равно что до райских врат. Пальцы мои любовно обвились вокруг холодных концов ограждения — ничто, казалось, не заставит их оторваться.

Удар клювом.

Голубь смотрел на меня, если можно в данном случае так выразиться, сверху вниз, в его блестящих глазках читалась уверенность в моей беспомощности и собственной безнаказанности; так смотрел Кресснер, выставляя меня на балкон.

Вцепившись понадежней в чугунное ограждение, я изловчился и наддал голубю что было мочи. Вот уж бальзам на раны — он заквохтал, точно курица, и с шумом поднялся в воздух. Несколько сизых перьев упало на карниз, другие плавными кругами пошли на снижение, постепенно исчезая в темноте.

Я перелез, едва живой, через ограждение и рухнул на балкон. Я обливался потом, несмотря на холод. Не знаю, сколько я пролежал, собираясь с силами. Световое табло на здании банка осталось по ту сторону, я же был без часов.

Боясь, как бы не свело мышцы, я сел и осторожно спустил носок. Искромсанная правая лодыжка кровоточила, а впрочем, ничего серьезного. Как бы то ни было, при первой же возможности ранку надо обработать. Эти голуби могут быть разносчиками любой заразы. Я подумал, не перевязать ли мне ногу, но потом раздумал. Еще, не дай Бог, наступлю на повязку. Успеется. Скоро ты сможешь купить бинтов на двадцать тысяч долларов.

Я поднялся и с тоской посмотрел на темные окна квартиры-люкс по эту сторону здания. Голо, пусто, безжизненно. На балконной двери плотный ветрозащитный экран. Наверное, я мог бы влезть в квартиру, но это значило бы проиграть пари. А ставка была больше, чем деньги.

Хватит оттягивать неизбежное. Я снова перелез через перила и ступил на карниз. Голубь, недосчитавшийся нескольких перьев, смерил меня убийственным взглядом; он стоял под гнездом своей подруги, там, где карниз был украшен пометом особенно щедро. Навряд ли он станет досаждать мне, видя, что я удаляюсь.

Удаляюсь — красиво сказано; оторваться от этого балкона оказалось потруднее, чем от балкона Кресснера. Разумом я понимал, что никуда не денешься, надо, но тело и особенно ступни криком кричали, что покидать такую надежную гавань — это безумие. И все же я ее покинул — я шел на зов Марсии, взывавшей ко мне из темноты.

Я добрался до следующего угла, обогнул его медленно, не отрывая подошв от карниза, двинулся вдоль короткой стены. Сейчас, когда цель была уже близка, я испытал почти непреодолимое желание ускорить шаг, побыстрее покончить с этим. Но это означало верную смерть, и я заставил себя не торопиться.

На четвертом повороте встречный ветер чуть меня не опрокинул, и если я все-таки сумел обогнуть угол, то скорее за счет везения, нежели сноровки. Прижавшись к стене, я перевел дух. И вдруг понял: моя возьмет, я выиграю пари. Руки у меня превратились в свежемороженые обрубки, лодыжки (особенно правая, истерзанная голубем) горели огнем, пот застилал глаза, но я понял — моя возьмет. Вот он, гостеприимный желтый свет, льющийся из квартиры Кресснера. Вдали, подобно транспаранту «С возвращением в родные края!», горело табло на здании банка: 10.48. А казалось, я прожил целую жизнь на этом карнизе шириной в двенадцать сантиметров.

И пусть только Кресснер попробует сжульничать. Желание побыстрее дойти пропало. На банковских часах было 11.09, когда моя правая, а затем левая рука легли на чугунные перила балкона. Я подтянулся, перевалил через ограждения, с невыразимым облегчением рухнул на пол... и ощутил виском стальной холодок — дуло пистолета.

Я поднял глаза и увидел головореза с такой рожей, что будь на моем месте часы Биг Бена, они бы остановились как вкопанные. Головорез ухмылялся.

— Отлично! — послышался изнутри голос Кресснера. — Мистер Норрис, вы заслужили аплодисменты! — Каковые и последовали. — Давайте его сюда, Тони.

Тони рывком поднял меня и так резко поставил, что мои ослабевшие ноги подогнулись. Я успел привалиться к косяку.

У камина Кресснер потягивал бренди из бокала величиной с небольшой аквариум. Пачки банкнот были уложены обратно в пакет, по-прежнему стоявший посреди рыжего с подпалинами ковра.

Я поймал свое отражение в зеркале напротив. Волосы всклокочены, лицо бледное, щеки горят. Глаза как у безумца.

Все это я увидел мельком, потому что в следующую секунду я уже летел через всю комнату. Я упал, опрокинув на себя шезлонги, и вырубился.

Когда голова моя немного прояснилась, я приподнялся и выдавил из себя:

— Грязное жулье. Вы все заранее рассчитали.

— Да, рассчитал. — Кресснер аккуратно поставил бокал на камин. — Но я не жульничаю, мистер Норрис. Ей-богу, не жульничаю. Просто я как-то совершенно не привык падать лапками кверху. А Тони здесь для того, чтобы вы не сделали чего-нибудь... этакого. — С довольным смешком он слегка надавил себе пальцами на кадык. Посмотреть на него, и сразу ясно: уж онто привык падать на лапки. Вылитый кот, не успевший снять с морды перья канарейки. Мне стало страшно — страшнее, чем на карнизе, — и я заставил себя встать.

— Вы что-то подстроили, — сказал я, подбирая слова. — Что-то такое подстроили.

— Вовсе нет. Багажник вашей машины очищен от героина. Саму машину подогнали к подъезду. Вот деньги. Берите их — и вы свободны.

— О'кей, — сказал я.

Все это время Тони стоял у балконной двери — его лицо вызывало в памяти жутковатую маску, оставшуюся от Дня всех святых. Пистолет 45-го калибра был у него в руке. Я подошел, взял пакет и нетвердыми шагами направился к выходу, ожидая в любую секунду выстрела в спину. Но когда я открыл дверь, я вдруг понял, как тогда на карнизе после четвертого поворота: моя возьмет.

Лениво-насмешливый голос Кресснера остановил меня на пороге:

— Уж не думаете ли вы всерьез, что кто-то мог клюнуть на этот дешевый трюк с туалетом?

Я так и застыл с пакетом в руке, потом медленно повернулся.

— Что это значит?

— Я сказал, что никогда не жульничаю, и это правда. Вы, мистер Норрис, выиграли три вещи: деньги, свободу и мою жену. Первые две вы, будем считать, получили. За третьей вы можете заехать в окружной морг.

Я оцепенел, я таращился на него, не в силах вымолвить ни слова, как будто меня оглушили невидимым молотком.

— Не думали же вы всерьез, что я вот так возьму и отдам ее вам? — произнес он сочувственно. — Как можно. Деньги — да. Свободу — да. Марсию — нет. Но, как видите, никакого жульничества. Когда вы ее похороните...

Нет, я его не тронул. Пока. Это было впереди. Я шел прямо на Тони, взиравшего на меня с праздным любопытством, и тут Кресснер сказал скучным голосом:

— Можешь его застрелить.

Я швырнул пакет с деньгами. Удар получился сильный, и пришелся он точно в руку, державшую пистолет. Я ведь, когда двигался по карнизу, не напрягал кисти, а они у теннисистов развиты отменно. Пуля угодила в ковер, и на какой-то миг я оказался хозяином положения.

Самым выразительным в облике Тони была его страхолюдная рожа. Я вырвал у него пистолет и хрястнул рукоятью по переносице. Он с выдохом осел.

Кресснер был уже в дверях, когда я выстрелил поверх его плеча.

— Стоять, или я уложу вас на месте.

Долго раздумывать он не стал, а когда обернулся, улыбочка пресыщенного туриста успела несколько поблекнуть. Еще больше она поблекла, стоило ему увидеть распростертого на полу Тони, который захлебывался собственной кровью.

— Она жива, — поспешно сказал Кресснер. — Это я так, для красного словца, — добавил он с жалкой, заискивающей улыбкой.

— Совсем уже меня за идиота держите? — выжал я из себя. Голос стал какой-то бесцветный, мертвый. Оно и неудивительно. Марсия была моей жизнью, а этот мясник разделал ее, как какую-нибудь тушу.

Дрожащий палец Кресснера показал на пачки банкнот, валявшихся в ногах у Тони.

— Это, — давился он, — это не деньги. Я дам вам сто... пятьсот тысяч. Миллион, а? Миллион в швейцарском банке? Или, если хотите...

— Предлагаю вам спор, — произнес я медленно, с расстановкой.

Он перевел взгляд с пистолета на мое лицо.

— С-с...

— Спор, — повторил я. — Не пари. Самый что ни на есть обычный спор. Готов поспорить, что вы не обогнете это здание по карнизу.

Он побелел как полотно. Сейчас, подумал я, хлопнется в обморок.

— Вы... — просипел он.

— Вот мои условия, — сказал я все тем же мертвым голосом. — Сумеете пройти — вы свободны. Ну как?

— Нет, — просипел он. Глаза у него стали круглые.

— О'кей. — Я наставил на него пистолет.

— Нет! — воскликнул он, умоляюще простирая руки. — Нет! Не надо! Я... хорошо. — Он облизнул губы.

Я сделал ему знак пистолетом, и он направился впереди меня к балкону.

— Вы дрожите, — сказал я. — Это осложнит вам жизнь.

— Два миллиона. — Казалось, он так и будет теперь сипеть. — Два миллиона чистыми.

— Нет, — сказал я. — Ни два, ни десять. Но если сумеете пройти, я вас отпущу. Можете не сомневаться.

Спустя минуту он стоял на карнизе. Он был ниже меня ростом — из-за перил выглядывали только его глаза, в которых были страх и мольба, да еще побледневшие пальцы, вцепившиеся в балконную решетку, точно тюремную.

— Ради Бога, — просипел он. — Все что угодно.

— Напрасно вы теряете время, — сказал я. — Лодыжки быстро устают.

Но он так и не двинулся с места, пока я не приставил к его лбу пистолет. Тогда он застонал и начал ощупью перемещаться вправо. Я взглянул на банковские часы — 11.29.

Не верилось, что сможет дойти хотя бы до первого поворота. Он все больше стоял без движения, а если двигался, то как-то дерганно, с раскачкой. Полы его халата развевались в темноте.

В 12.01, почти сорок пять минут назад, он завернул за угол. Там его подстерегал встречный ветер. Я напряг слух, ожидая услышать постепенно удаляющийся крик, но так и не услышал. Может, ветер стих. Помнится, идя по карнизу, я подумал о том, что ветер находился с ним в сговоре. А может, ему просто повезло. Может быть, в эту самую минуту он лежит пластом на противоположном балконе, не в силах унять дрожь, и говорит себе: все, шагу отсюда не сделаю!

Хотя вообще-то он должен понимать, что стоит мне проникнуть в соседнюю квартиру и застукать его на балконе, — я пристрелю его как собаку. Кстати, о той стороне здания, интересно, как ему понравился этот голубь?

Не крик ли там послышался? Толком и не разберешь. Возможно, это ветер. Не важно. Световое табло на здании банка показывает 12.44. Еще немного подожду, и надо будет проникнуть в соседнюю квартиру — проверить балкон: а пока я сижу здесь, на балконе Кресснера, с пистолетом 45-го калибра. Вдруг произойдет невероятное и он появится из-за последнего поворота в своем развевающемся халате?

Кресснер утверждал, что он никогда не жульничает.

Про меня этого не скажешь.

# КОРПОРАЦИЯ «БРОСАЙТЕ КУРИТЬ»*

В тот день Моррисон сидел в баре аэропорта Кеннеди и ждал человека. Самолету, на котором тот должен был прилететь, не давали посадки — над аэропортом образовалась так называемая воздушная «карусель». В конце стойки Моррисон увидел знакомое лицо и решил подойти.

— Джимми? Джимми Маккэнн?

Так оно и оказалось. Хотя Маккэнн немного располнел со времени их последней встречи на выставке в Атланте, все равно он в отличной форме. Моррисон вспомнил, что в колледже это был заядлый курильщик, худой и бледный. Его лица почти не было видно за огромными очками в роговой оправе. Теперь Маккэнн, похоже, носит контактные линзы.

— Дик Моррисон?

— Точно. Прекрасно выглядишь. — Они пожали друг другу руки.

---

* Quitters, Inc. © 1998. Л. Володарский. Перевод с английского.

— Ты тоже, — сказал Маккэнн, но Моррисон знал, что это ложь. Он слишком много работал, ел, курил. — Что будешь пить?

— Бурбон, — ответил Моррисон, сел поудобнее и закурил. — Кого-нибудь встречаешь, Джимми?

— Нет. Лечу в Майами на совещание с каждым клиентом, который стоит шесть миллионов. Поручено его успокоить. Мы упустили серьезный контракт, а работы должны начаться следующей весной.

— Все еще работаешь на фирме «Крэгер и Бартон»?

— Я у них теперь первый вице-президент.

— Вот это да! Поздравляю! Когда тебя назначили? — Моррисон попытался убедить себя, что изжога у него не от зависти, а от повышенной кислотности. Он вынул таблетки, положил в рот, разжевал.

— В августе. А до этого произошли события, которые изменили всю мою жизнь. — Маккэнн внимательно посмотрел на Моррисона, сделал глоток. — Это может тебя заинтересовать.

Боже мой, подумал Моррисон, внутренне содрогаясь, но виду не подал. Джимми Маккэнн ударился в религию.

— Разумеется, мне интересно, — ответил Моррисон и отхлебнул из стакана, который подал бармен.

— Дела мои были хуже некуда, — начал Маккэнн. — Неурядицы с Шэрон, отец умер от инфаркта, самого одолевал жуткий кашель. Както ко мне в кабинет зашел Бобби Крэгер и энергично, вроде бы по-отцовски, провел воспитательную беседу. Помнишь такие беседы?

— Еще бы! — Моррисон проработал полтора года на фирме «Крэгер и Бартон», а потом перешел в агентство «Мортон». — «Берись за ум... или бери ноги в руки».

Маккэнн рассмеялся.

— Ну вот. А тут еще доктор сказал мне: «У вас язва в начальной стадии, бросайте курить». — Маккэнн скорчил гримасу. — С тем же успехом он мог бы сказать мне: «Бросайте дышать».

Моррисон кивнул — уж он-то это прекрасно понимал. Некурящие могут позволить себе подобные шутки. Он с отвращением посмотрел на свою сигарету и погасил ее, зная, что тут же закурит новую.

— И ты бросил курить?

— Бросил. Сначала даже не думал, что смогу, — курил украдкой при первой же возможности. Потом встретил парня, который рассказал мне про корпорацию на Сорок шестой улице. Это настоящие специалисты. Я решил, что терять нечего, и обратился к ним. С тех пор не курю.

Глаза Моррисона расширились.

— Они пичкали тебя препаратами?

— Нет. — Маккэнн достал бумажник и начал в нем рыться. — Вот. Помню, где-то она у меня завалялась. — Он положил на стойку обычную белую визитную карточку.

КОРПОРАЦИЯ «БРОСАЙТЕ КУРИТЬ»

Остановитесь!
Ваше здоровье улетучивается с дымом!

237 Ист, Сорок шестая улица
Лечение по предварительной договоренности

— Хочешь, оставь себе, — сказал Маккэнн. — Они тебя вылечат. Даю гарантию.

— Как?

— Не имею права об этом говорить.

— Как это? Почему?

— Есть такой пункт в контракте, который они дают тебе подписать. Да там тебе все объяснят в первой же беседе.

— И ты подписал *контракт*?

Маккэнн кивнул.

— И на основе этого...

— Так точно... — Он улыбнулся Моррисону, а у того мелькнула мысль: Джим Маккэнн записался в чертовы умники.

— К чему такая секретность, если они эффективно работают? Почему я никогда не видел их рекламных роликов по телевизору, плакатов, объявлений в журналах...

— У них достаточно клиентов, которые о них просто что-то слышали.

— Ты же специалист по рекламе, Джимми. Как можно этому поверить?

— Я верю, — ответил Маккэнн. — Девяносто восемь процентов их клиентов бросают курить.

— Минутку, — сказал Моррисон, заказал еще выпить и закурил. — Они связывают тебя и заставляют курить до тошноты?

— Нет.

— Дают что-то, и тебе становится плохо, как только ты заку...

— Ничего подобного. Сходи к ним, убедись сам. — Он показал на сигарету Моррисона. — Тебе же это не доставляет удовольствия, а?

— Нет, но...

— Я бросил курить, и многое переменилось в моей жизни, — объяснил Маккэнн. — У всех бывает по-разному, но у меня пошло одно к другому. Прибавилось сил, наладились отношения с Шэрон, стал лучше работать.

— Слушай, ты меня заинтриговал. Но хоть что-то можешь рас...

— Прости, Дик. Не имею права, — ответил Маккэнн железным голосом.

— Наверное, растолстел, как бросил курить? — спросил Моррисон, и ему показалось, что Джимми вроде бы помрачнел.

— Даже слишком. Но я согнал лишний вес — ведь всегда был худым. Сейчас я в норме.

— Рейс двести шесть, регистрация в девятой секции, — объявили по громкоговорителю.

— Мой, — сказал Маккэнн, поднялся, бросил на стойку пять долларов. — Выпей еще, если хочешь. — И, честное слово, Дик, подумай над тем, что я сказал. — С этими словами он ушел, пробираясь сквозь толпу к эскалаторам. Моррисон взял карточку, задумчиво посмотрел на нее, спрятал в бумажник и забыл.

Через месяц карточка выпала из бумажника Моррисона на стойку другого бара. Он рано ушел с работы и собирался скоротать за выпивкой вечер. Дела на работе были ни к черту. Моррисон дал Генри десять долларов, взял карточку, перевернул ее. 237 Ист, Сорок шестая улица — совсем рядом, в двух кварталах. Стоит солнечный прохладный октябрьский день: может, смеха ради...

Когда Генри принес сдачу, Моррисон допил стакан и пошел прогуляться.

Корпорация «Бросайте курить» помещалась в новом здании, где арендная плата за кабинет, наверное, равнялась годовому жалованью Моррисона. По указателю в вестибюле он понял, что «Бросайте курить», похоже, занимает целый этаж, значит, деньги у них водятся, причем солидные.

Он поднялся на лифте и, пройдя по роскошному ковру коридора, попал в изящно обставленную приемную с огромным окном. На стульях вдоль стены сидели трое мужчин и женщина — читали журналы. На вид — бизнесмены. Моррисон подошел к столу, протянул карточку секретарше.

— Мне дал ее приятель. Можно сказать, ваш выпускник.

Она улыбнулась, заправила анкету в пишущую машинку:

— Ваша фамилия, сэр?

— Ричард Моррисон.

Стук-стук-стук. Еле слышно печатала машинка фирмы ИБМ.

— Ваш адрес?

— 29 Мейпл-лейн, Клинтон, Нью-Йорк.

— Женаты?

— Да.

— Дети есть?

— Один ребенок. — Он подумал об Элвине, слегка нахмурился: «один» неточно сказано, правильнее «полребенка». Его сын умственно отсталый и живет в специальном интернате в Нью-Джерси.

— Кто рекомендовал вам обратиться сюда, мистер Моррисон?

— Джеймс Маккэнн, старый университетский друг.

— Прекрасно. Присядьте, пожалуйста. У нас сегодня много народу.

— Хорошо.

Он сел между женщиной в строгом голубом костюме и молодым человеком с модными бакенбардами и твидовом пиджаке, достал пачку сигарет и, обнаружив, что вокруг нет пепельниц, убрал ее.

Ничего, он их игры видит насквозь, выждет сколько надо, а когда будет уходить, закурит. Если они заставят его одного ждать, можно даже стряхнуть пепел на их шикарный коричневый ковер. Моррисон взял журнал «Тайм», принялся листать.

Никотин, накопившийся в его организме, настоятельно требовал добавки. Мужчина, пришедший в приемную следом за ним, достал портсигар, открыл его, щелкнув крышкой, но, увидев, что вокруг нет пепельниц, с виноватым видом, как показалось Моррисону, спрятал его в карман. От этого Моррисон почувствовал себя лучше.

Наконец секретарша одарила его лучезарной улыбкой и пригласила пройти.

Моррисон оказался в тускло освещенном коридоре. Коренастый мужчина с такими белоснежными волосами, что они казались париком, пожал ему руку и любезно улыбнулся:

— Следуйте за мной, мистер Моррисон.

Он повел его мимо закрытых дверей без табличек и номеров. Где-то посередине коридора коренастый открыл ключом одну из них. Они оказались в маленькой комнатке со стенами, обшитыми белыми панелями. Обстановка спартанская: стол и два стула. В стене, за столом, очевидно, проделано маленькое окошко; его закрывает короткая занавеска. На стене, слева от Моррисона, — портрет невысокого седого мужчины с листком бумаги в руке. Лицо его вроде бы показалось Моррисону знакомым.

— Меня зовут Вик Донатти, — представился коренастый. — Если согласитесь пройти наш курс, я буду заниматься вами.

— Рад познакомиться. — Моррисону ужасно хотелось закурить.

— Присаживайтесь.

Донатти положил на стол заполненную секретаршей анкету, достал из ящика стола новый бланк и посмотрел Моррисону прямо в глаза:

— Вы действительно хотите бросить курить?

Моррисон откашлялся, положил ногу на ногу, хотел ответить уклончиво, но придумать ничего не смог:

— Да.

— Тогда подпишите.

Он протянул бланк Моррисону. Тот быстро пробежал его глазами: нижеподписавшийся обязуется не разглашать методы и так далее, и так далее.

— Разумеется.

Донатти дал ему ручку, Моррисон нацарапал свою фамилию, Донатти расписался под ней. Мгновение спустя бланк исчез в ящике стола. «Что ж, — с иронией подумал Моррисон, — я дал клятву». И раньше такое было. Как-то он даже не курил два дня.

— Отлично, — резюмировал Донатти. — Мы здесь пропагандой не занимаемся, мистер Моррисон. Вопросы здоровья, расходов, социального милосердия нас не интересуют, как и причины, по которым вы хотите бросить курить. Мы — люди практичные.

— Прекрасно, — безучастно сказал Моррисон.

— Никаких препаратов не применяем, не читаем проповедей в духе Дэйла Карнеги*, не рекомендуем никаких особых диет. Заплатите нам после того, как год не будете курить.

— Боже мой, — выдавил из себя Моррисон.

— Мистер Маккэнн вам об этом не рассказывал?

— Нет.

— Кстати, как у него дела? Все в порядке?

— Прекрасно. Просто великолепно!

— А сейчас... несколько личных вопросов, мистер Моррисон. Заверяю вас, ответы будут храниться в тайне.

— Да? — безразлично спросил Моррисон.

— Как зовут вашу жену?

— Люсинда Моррисон. Девичья фамилия — Рэмзи.

— Любите ее?

Моррисон резко поднял глаза, но Донатти благожелательно смотрел на него.

— Разумеется.

— Ссоритесь с ней? Какое-то время жили врозь?

— Какое отношение это имеет к тому, что я собираюсь бросить курить? — резче, чем ему хотелось бы, спросил Моррисон, но его тянуло — да чего там — он жаждал закурить.

— Самое непосредственное. Отвечайте на мои вопросы.

---

* Карнеги, Дэйл (1888—1955) — вел в Нью-Йорке курсы ораторского искусства для бизнесменов, автор книги «Как приобретать друзей и оказывать влияние на людей».

— Ничего подобного не было. — Хотя в последнее время отношения между ними *действительно* стали напряженными.

— У вас один ребенок?

— Да, его зовут Элвин, он в частной школе.

— В какой?

— Этого я вам не скажу, — мрачно ответил Моррисон.

— Хорошо, — любезно согласился Донатти и обезоруживающе улыбнулся. — Завтра на первом сеансе курса я смогу ответить на все ваши вопросы.

— Очень приятно, — сказал Моррисон и поднялся.

— И последний вопрос: вы не курили в течение часа. Как себя чувствуете?

— Прекрасно, — солгал Моррисон, — просто прекрасно.

— Вы молодец! — воскликнул Донатти, обошел стол, открыл дверь. — Сегодня еще можете покурить. С завтрашнего дня вы не выкурите ни одной сигареты.

— Не может быть!

— Это мы вам гарантируем.

На следующий день, ровно в три, Моррисон сидел в приемной корпорации «Бросайте курить». С утра он разрывался от сомнений: не идти на встречу или же пойти, просто из-за собственного ослиного упрямства — посмотрим, чего они еще придумали.

В конце концов одна фраза, сказанная Джимми Маккэнном, убедила его, что пойти надо:

*Многое переменилось в моей жизни.*

Видит Бог, жизнь его нуждается в изменениях. Да и любопытство не на шутку разыгралось. Перед тем как войти в лифт, он докурил сигарету до фильтра. Очень жаль, черт побери, если она окажется последней, — отвратительный у нее вкус.

В этот раз долго ждать не пришлось. Когда секретарша предложила ему войти, Донатти уже ждал. Он пожал Моррисону руку и улыбнулся хищной улыбкой. Моррисону стало немного не по себе и захотелось курить.

— Пойдемте, — предложил Донатти, и они направились в комнату. Донатти сел за стол, Моррисон присел напротив.

— Рад, что вы пришли, — сказал Донатти. — Многие клиенты не приходят после первого обследования. Они понимают, что не так уж сильно хотят бросить курить. Я с удовольствием буду работать с вами.

— Когда начнется курс лечения? — Гипноз, подумал он, наверняка гипноз.

— Он начался с того момента, когда мы пожали руки в коридоре. У вас есть сигареты, мистер Моррисон?

— Да.

— Вы не могли бы дать их мне?

Пожав плечами, Моррисон отдал Донатти пачку. В ней все равно оставалось две или три сигареты.

Донатти положил пачку на стол, улыбнулся Моррисону, сжал правую руку в кулак и принялся молотить им по пачке, она сплющилась, из нее вылетела сломанная сигарета, посыпались табачные крошки. Удары громко отдавались по комнате. Несмотря на их силу, Донатти продолжал улыбаться. У Моррисона по спине побежали мурашки. Может быть, они добиваются именно этого эффекта, подумал он.

Наконец стук прекратился. Донатти взял то, что осталось от пачки, выбросил в мусорную корзину:

— Вы не представляете себе, какое я получаю от этого удовольствие все три года, что работаю здесь.

— Подобный курс лечения оставляет желать лучшего, — мягко заметил Моррисон. — В вестибюле есть киоск, где можно купить любые сигареты.

— Совершенно верно, — согласился Донатти и скрестил руки на груди. — Ваш сын, Элвин Доус Моррисон, находится в Пэтерсоновской школе для умственно отсталых детей. В результате родовой травмы он никогда не станет нормальным. Его коэффициент интеллектуальных способностей — 46. Ваша жена...

— Как вы это узнали? — рявкнул Моррисон. Он был потрясен. — Какое вы имеете право совать свой...

— Мы многое о вас знаем, — тем же ровным голосом сказал Донатти, — но, как я уже говорил, все останется в тайне.

— Я ухожу, — с трудом проговорил Моррисон и поднялся.

— Останьтесь еще ненадолго.

Моррисон внимательно посмотрел на Донатти — тот был спокоен. Казалось, происходящее даже немного забавляет его. По выражению лица можно было сказать, что Донатти наблюдал подобную реакцию сотни раз.

— Хорошо, я задержусь. А вы давайте ближе к делу.

— Обязательно. — Донатти откинулся назад. — Я вам объяснил — мы люди практичные. Поэтому с самого начала мы должны были понять, насколько сложно излечить от страсти к курению. Восемьдесят пять процентов бросивших снова начинают курить. Среди наркоманов, отказавшихся от употребления героина, эти цифры ниже. Проблема необыкновенно сложная. *Необыкновенно.*

Моррисон посмотрел на мусорную корзину. Одна сигарета была измята, перекручена, но курить ее можно. Донатти добродушно рассмеялся, полез в корзину, сломал сигарету.

— В законодательных собраниях некоторых штатов иногда предлагается отменить в тюрьмах еженедельную выдачу сигарет. При голосовании эти предложения неизбежно терпят крах. Иногда они все же проходили, и тогда в тюрьмах начинались *мятежи*, настоящие *мятежи*, мистер Моррисон. Вы можете представить подобное?

— Это меня не удивляет, — сказал Моррисон.

— Попробуйте вникнуть в суть! Когда человека сажают в тюрьму, его лишают секса, спиртного, возможности заниматься политической деятельностью, путешествовать... И никаких мятежей. Может быть, незначительное количество по отношению к общему числу тюрем. Но когда вы лишаете заключенных сигарет — бабах! — Донатти стукнул кулаком по столу, чтобы подчеркнуть свою мысль. — Во время первой мировой войны, когда в Германии никто не мог достать сигареты, аристократы, собиравшие окурки на улицах, были обычным явлением. Во время второй мировой войны многие американцы начали курить трубки, когда не могли раздобыть сигареты. Интересная задачка для практичного человека, мистер Моррисон.

— Давайте приступим к лечению.

— Одну минутку. Подойдите, пожалуйста, сюда. — Донатти встал, отодвинул зеленую занавеску, которую Моррисон заметил еще накануне. За прямоугольным окошком — пустая комната. Нет, не пустая. На полу кролик ел из миски хлебные шарики.

— Симпатичный кролик, — заметил Моррисон.

— Согласен. Понаблюдайте за ним. — Донатти нажал на кнопку у подлокотника — кролик прекратил есть и запрыгал как сумасшедший. Когда он касался пола, казалось, его подбрасывало еще выше, шерсть вставала дыбом и торчала во все стороны, глаза становились дикими.

— Прекратите! Вы же убьете его током!

Донатти отпустил кнопку:

— Ну что вы, это очень слабый заряд. Посмотрите на кролика, мистер Моррисон.

Тот свернулся метрах в трех от миски с хлебными шариками. Его нос подергивался. Тут же кролик отскочил в угол.

— Если его бить током достаточно сильно, когда он ест, животное быстро свяжет эти ощущения: еда — боль. Следовательно, кролик не будет есть. Тряхнуть его током еще несколько раз — он умрет от голода перед миской с едой. Это называется воспитание отвращения.

Тут Моррисона осенило — он пошел к двери.

— Мне это не надо, большое спасибо.

— Подождите, мистер Моррисон.

Моррисон даже не остановился, взялся на дверную ручку... дверь оказалась заперта.

— Откройте.

— Мистер Моррисон! Сядьте, пожалуйста!

— Откройте дверь, или я вызову полицию быстрее, чем вы скажете «Мальборо».

— Сядьте. — Это было сказано каким-то жутким ледяным голосом.

Моррисон посмотрел на Донатти, заглянул в его карие страшные, затуманенные глаза и подумал: «Господи, я же заперт в комнате с психом». Он облизнул губы. Никогда в жизни ему так не хотелось курить.

— Я подробнее расскажу вам о курсе лечения, — сказал Донатти.

— Вы не поняли, — возразил Моррисон с деланным спокойствием. — Мне не нужен ваш курс. Я решил от него отказаться.

— Нет, мистер Моррисон, это вы не поняли. У вас уже нет выбора. Я не обманул вас, когда сказал, что курс лечения начался. Мне казалось, вы все поняли.

— Вы сумасшедший, — изумленно произнес Моррисон.

— Нет, я практичный человек, который расскажет вам о курсе лечения.

— Валяйте, — бросил Моррисон. — Только поймите, что как только я отсюда выйду, я куплю пять пачек сигарет и выкурю их по дороге в полицейский участок. — Он внезапно заметил, что грызет ноготь большого пальца, и заставил себя прекратить это занятие.

— Как вам будет угодно. Но мне кажется, вы передумаете, когда я вам все объясню.

Моррисон промолчал, снова сел, скрестил руки на груди.

— В первый месяц курса лечения наши люди будут постоянно следить за вами, — объяснил Донатти. — Вы заметите некоторых, но не всех.

Следить за вами будут постоянно. *Всегда.* Если они увидят, что вы закурили, то позвонят сюда.

— Меня привезут и посадят вместо кролика? — Моррисон попытался говорить спокойным, саркастическим тоном, но неожиданно ощутил дикий страх. Это просто кошмарный сон.

— Нет, — ответил Донатти. — Вместо кролика посадят вашу жену, не вас.

Моррисон тупо посмотрел на него.

Донатти улыбнулся:

— А вы посмотрите в окошко.

Когда Донатти отпустил его, Моррисон два квартала прошел как в тумане. Снова выдался прекрасный день, но он этого не замечал. Улыбающееся лицо чудовища Донатти заслонило все.

— Поймите, — сказал напоследок тот, — практическая задача требует практического решения, мы заботимся только о ваших интересах.

По словам Донатти, корпорацию «Бросайте курить» (нечто вроде фонда благотворительной организации) основал мужчина, изображенный на портрете. Он весьма успешно занимался традиционными делами своей «семьи» — игральные автоматы, массажные кабинеты, подпольная лотерея и оживленная (хотя и незаконная) торговля между Нью-Йорком и Турцией. Этот человек, Морт Минелли, по кличке Трехпалый, был заядлым курильщиком — выкуривал по три пачки в день. Листок бумаги, который он держит в руке на портрете, — окончательный диагноз врача: рак легких. Морт умер в 1970 году, передав все «семейные» фонды корпорации «Бросайте курить».

— Стараемся в финансах выйти в ноль, — объяснил Донатти, — но более всего мы заинтересованы в том, чтобы помочь людям, нашим братьям. Ну и, конечно, эта благотворительность помогает нам при выплате налогов.

Курс лечения оказался до ужаса прост. Первое нарушение — Синди привозят, как выразился Донатти, в «крольчатник». Второе нарушение — и там оказывается сам Моррисон. Третье — током бьют их обоих вместе. Четвертое нарушение свидетельствует о негативном отношении к курсу лечения и требует более сурового наказания. В школу к Элвину будет послан человек, чтобы избить мальчика.

— Представьте себе, — с улыбкой говорил Донатти, — каково придется мальчику. Он ничего не поймет, даже если ему и попытаются как-то объяснить происходящее. До него только дойдет, что его больно бьют из-за того, что папа плохой. Элвин насмерть перепугается.

— Сволочь, — беспомощно сказал Моррисон, он готов был расплакаться, — сволочь проклятая.

— Поймите меня правильно, — сочувственно улыбаясь, объяснил Донатти. — Я уверен, что этого не произойдет. К сорока процентам наших клиентов мы не применяем никаких дисциплинарных мер, и только десять процентов допускают более трех нарушений. Эти цифры утешают, не так ли?

Ничего утешительного Моррисон в них не видел. Он нашел их ужасающими.

— Разумеется, если вы нарушите правила в пятый раз...

— Что вы хотите сказать?

Донатти просто расцвел в улыбке:

— Вас с женой — в «крольчатник», сына изобьют во второй раз, а жену в первый.

Доведенный до такого состояния, когда он потерял способность здраво мыслить, Моррисон бросился через стол на Донатти. Тот, хотя и сидел вроде бы в расслабленной позе, действовал с поразительной быстротой: отодвинулся вместе со стулом назад и через стол ударил Моррисона двумя ногами в живот. Задыхаясь и кашляя, Моррисон отлетел в сторону.

— Сядьте, мистер Моррисон, — благожелательно сказал Донатти, — давайте поговорим, как разумные люди.

Отдышавшись, Моррисон сделал то, о чем его попросили. Ведь должен же когда-нибудь закончиться этот кошмарный сон?

В корпорации «Бросайте курить», объяснил Донатти, существует десять градаций наказаний. Шестая, седьмая, восьмая провинности — сила тока возрастает, избиения становятся все ужаснее. Если Моррисон закурит в девятый раз, его сыну сломают обе руки.

— А в десятый? — спросил Моррисон. В горле у него пересохло.

Донатти печально покачал головой:

— В этом случае мы сдаемся. Вы войдете в два процента неисправимых клиентов.

— Вы действительно сдаетесь?

— Можно сказать и так. — Донатти открыл один из ящиков и положил на стол кольт 45-го калибра с глушителем. — Но даже эти два процента неисправимых никогда больше не закурят. Мы это гарантируем.

***

В пятницу вечером по телевизору показывали «Буллит», один из самых любимых фильмов Синди. В течение часа Моррисон бормотал, ерзал на месте — Синди уже не могла внимательно смотреть кино.

— Что с тобой? — спросила она, когда фильм прервался.

— Ничего... да все плохо, — прорычал он. — Я бросил курить.

Синди рассмеялась.

— Когда? Пять минут назад?

— С трех часов дня.

— Что, с тех пор не курил?

— Нет, — сказал он и принялся грызть ноготь большого пальца. Моррисон уже сгрыз его почти до мяса.

— Это великолепно. Что заставило тебя бросить?

— Я должен думать о тебе... об Элвине.

Ее глаза расширились — она даже не заметила, что снова начался фильм, — Дик так редко говорил об их сыне. Она подошла к мужу, посмотрела сначала на пустую пепельницу, стоявшую недалеко от его правой руки, потом ему в глаза.

— Ты действительно собираешься бросить курить, Дик?

— Действительно. А если обращусь в полицию, банда местных громил сделает тебе подручными средствами пластическую операцию.

— Я очень рада. Даже если ты снова закуришь, мы с Элвином все равно благодарим тебя за заботу.

— Думаю, я больше курить не буду, — сказал он и вспомнил глаза Донатти, когда тот ударил его ногами в живот, затуманенные глаза убийцы.

***

Ночью он спал плохо, дремал, просыпался, а часа в три проснулся окончательно. Курить хотелось так, что Моррисону показалось — у него небольшая температура. Он спустился вниз, прошел в свой кабинет, расположенный в глубине дома. Эта комната была без окон. Моррисон выдвинул верхний ящик своего стола, как завороженный уставился на коробку с сигаретами, огляделся, облизал губы.

Постоянная слежка в течение первого месяца, сказал Донатти. Потом два месяца за ним будут следить по восемнадцать часов в сутки. Четвертый месяц (именно тогда большинство клиентов закуривают) снова двадцать четыре часа в сутки. Потом двенадцать часов выборочной слежки каждый день до конца года. А затем? До конца жизни слежка возобновляется в любое время.

*До конца жизни.*

— Мы можем проверять вас каждый второй месяц, — объяснил Донатти. — Или через день. Или через два года организуем круглосуточную слежку. Все дело в том, что *вы этого знать не будете*. Если закурите, это можно сравнить с тем, что вы будете играть с нами нашей крапленой колодой. Следят они или нет? Схватили уже мою жену или послали своего человека к сыну? Здорово, правда? А если вдруг и выкурите тайком сигарету, у нее будет ужасный вкус, вкус крови вашего сына.

Но сейчас, глубокой ночью, они не могут следить за ним в его собственном кабинете. В доме тихо, как на кладбище.

Почти две минуты он не мог оторвать взгляда от сигарет в коробке, потом подошел к двери, выглянул в пустой коридор, вернулся обратно, снова уставился на сигареты. Ужасное видение явилось ему: ни одной сигареты в жизни. Как он сможет изложить сложную проблему недоверчивому клиенту без небрежно дымящейся в руке сигареты, когда он подходит к графикам и планам? Как сможет без сигареты вынести бесконечные садоводческие выставки Синди? Как сможет проснуться утром и начать день без сигареты, пока пьет кофе и читает газету?

Моррисон проклял себя за то, что влез в эту историю, проклял Донатти, а самые страшные проклятия послал Джимми Маккэнну. Как он мог так поступить? Сукин сын, ведь все знал! У Моррисона задрожали руки от желания схватить за горло Иуду Маккэнна.

Украдкой он снова оглядел кабинет, полез в ящик, взял сигарету, поднес ко рту и застыл, склонив набок голову.

Еле слышный шорох раздался из стенного шкафа? Еле слышный. Разумеется, нет. Но...

Еще одна картина встала перед его глазами: кролик, прыгающий, как сумасшедший, под ударами электрического тока. Мысль, что Синди может оказаться в этой комнате...

Он принялся лихорадочно прислушиваться, но ничего не услышал. Моррисон сказал себе, что надо всего-навсего подойти к стенному шкафу и открыть дверцу. Ему стало страшно только при одной мысли, что́ может там оказаться. Он лег в постель, но сон еще долго не приходил.

Несмотря на то что с утра он чувствовал себя отвратительно, завтрак пришелся Моррисону по вкусу. Поколебавшись секунду, после традиционной тарелки кукурузных хлопьев Моррисон съел еще яичницу. Он с раздраженным видом мыл сковородку, когда сверху спустилась Синди в халате.

— Ричард Моррисон! Ты в последний раз ел с утра яйца, когда наш пес Гектор был щенком.

Моррисон что-то недовольно проворчал. Выражение жены «когда наш пес Гектор был щенком» он считал по глупости равным другой ее фразе: «Все надо делать с улыбкой».

— Закурил уже? — спросила она, наливая себе апельсинового соку.

— Нет.

— К полудню закуришь, — весело заявила Синди.

— Хорошенькая из тебя помощница, нечего сказать! — обрушился он на жену. — Все вы, некурящие, считаете... а, ладно, чего тут.

Моррисон решил, что Синди сейчас рассердится, но она, похоже, смотрела на него с большим удивлением.

— Ты серьезно хочешь бросить курить, честное слово, серьезно?

— Конечно. Надеюсь, ты никогда не узнаешь, насколько серьезно.

— Бедняжка, — сказала жена, подойдя к нему. — Ты стал сейчас похож на живого мертвеца.

Моррисон крепко обнял ее.

Сцены из жизни Ричарда Моррисона, октябрь — ноябрь:

Моррисон с приятелем, который работает на «Ларкин студиос», в баре Джека Демпси. Приятель предлагает Моррисону сигарету, тот крепче сжимает в руке стакан:

— Я бросил.

Приятель смеется:

— Больше недели не продержишься.

Моррисон ждет утреннюю электричку, поверх газеты «Нью-Йорк таймс» наблюдает за молодым человеком в синем костюме. Он видит его практически каждое утро, встречает и в других местах; в баре Онди, где Моррисон беседует с клиентом, в магазине грампластинок Сэма Гуди, когда Моррисон ищет альбом Сэма Кука. Однажды Дик видел этого молодого человека на местном поле для гольфа, где сам играет.

Моррисон выпивает в гостях — как же хочется закурить! — но он недостаточно выпил, чтобы решиться на это.

Он приезжает проведать сына, привозит ему большой мяч, который пищит, если его жать. Слюнявые восторженные поцелуи Элвина сейчас почему-то не так противны, как раньше. Моррисон прижимает сына к себе и понимает, что Донатти и компания поняли раньше его: любовь — самый сильный из всех наркотиков. Это пусть романтики спорят, существует ли она. Люди практичные уверены в этом и используют ее в своих целях.

Мало-помалу Моррисон утрачивает физическую потребность в курении, но избавиться от психологической тяжести не может, как и от привычки держать что-то во рту: таблетки от кашля, леденцы, зубочистку. Все это слабо заменяет сигарету.

И вот Моррисон попадает в гигантскую автомобильную пробку в туннеле «Мидтаун». Темно. Ревут клаксоны, вонь выхлопных газов, безнадежное рычание неподвижных машин. Внезапно Моррисон открывает перчаточный ящик, видит полуоткрытую пачку сигарет, секунду смотрит на них, хватает одну, прикуривает от автомобильной зажигалки. Если что-то случится, Синди сама виновата, дерзко говорит он себе. Черт побери, я же сказал ей выкинуть все сигареты.

Первая затяжка — его начинает раздирать страшный кашель. От второй у него слезятся глаза, третья — кружится голова. Он вот-вот потеряет сознание. Какой гадкий вкус, думает Моррисон.

И сразу нетерпеливо загудели клаксоны. Впереди машины поехали. Он гасит сигарету в пепельнице, открывает оба передних окна и начинает руками разгонять дым — беспомощно, как мальчишка, только что спустивший в унитаз свой первый окурок.

Рывками он выбрался из пробки и поехал домой.

— Синди, это я, — позвал он.

Молчание.

— Синди? Дорогая, где ты?

Зазвонил телефон, Моррисон поспешно схватил трубку:

— Синди? Ты где?

— Здравствуйте, мистер Моррисон, — сказал Донатти приятным, бодрым, деловым голосом. — Мне кажется, нам надо обсудить один вопрос. Вы сможете зайти к нам в пять?

— Моя жена у вас?

— Разумеется, — снисходительно ответил Донатти.

— Послушайте, отпустите ее, — сбивчиво забормотал Моррисон, — это больше не повторится. Я просто сорвался — и все. Затянулся всего три раза. Клянусь Богом, *мне даже было противно*...

— Очень жаль. Значит, я могу рассчитывать, что вы придете в пять?

— Прошу вас, — произнес Моррисон. Он готов был расплакаться, — умоляю...

Но Донатти уже повесил трубку.

В пять часов в приемной никого не было, кроме секретарши, которая ослепительно улыбнулась Моррисону, не обращая внимания на его бледное лицо и растрепанный вид.

— Мистер Донатти? — спросила она по селектору. — К вам пришел мистер Моррисон. — Она кивнула ему. — Проходите.

Донатти ждал его перед дверью без номера и таблички вместе с гориллообразным мужчиной в майке с надписью «Улыбайтесь» и револьвером 38-го калибра.

— Послушайте, — сказал Моррисон, — мы же можем договориться. Я заплачу вам. Я...

— Заткнись! — отрезал мужчина в майке.

— Рад вас видеть, — произнес Донатти. — Жаль, что это происходит при столь печальных обстоятельствах. Будьте любезны, пройдемте со мной. Сделаем все как можно быстрее. Будьте спокойны: с вашей женой ничего страшного не случится... на этот раз.

Моррисон напрягся, приготовился броситься на Донатти.

— Не вздумайте, — обеспокоенно сказал тот. — Если вы это сделаете, Костолом изобьет вас рукояткой револьвера, а жену вашу все равно тряхнут током. Какая в этом выгода?

— Чтоб ты сдох, — бросил Моррисон Донатти.

Тот вздохнул:

— Если б я получал по пять центов за каждое такое пожелание, то давно бы мог уйти на заслуженный отдых. Пусть это будет вам уроком, мистер Моррисон. Когда романтик пытается сделать доброе дело и у него это не получается, его награждают медалью. Когда же практичный человек добивается успеха, ему желают смерти. Пойдемте.

Костолом револьвером показал куда.

Моррисон первым вошел в комнату и словно онемел. Маленькая зеленая занавеска отодвинута. Костолом подтолкнул его стволом револьвера. Наверное, то же самое испытывает свидетель казни в газовой камере, подумал Моррисон, заглянул в окошко и увидел ошеломленно оглядывающуюся Синди.

— Синди, — жалобно позвал он, — Синди, они...

— Она не видит и не слышит вас, — разъяснил Донатти. — Это зеркальное стекло. Ладно, давайте побыстрее закончим. Провинность небольшая — полагаю, тридцати секунд будет достаточно. Костолом!

Одной рукой тот нажал кнопку, другой упер дуло револьвера в спину Моррисона.

Это были самые долгие тридцать секунд в его жизни.

Когда все закончилось, Донатти положил руку на плечо Моррисону и сказал:

— Вас не стошнит?

— Нет, не думаю, — слабым голосом ответил тот и прижался лбом к стеклу — ноги его не держали. Моррисон обернулся — Костолома не было.

— Пойдемте со мной, — предложил Донатти.

— Куда? — безразлично спросил Моррисон.

— Мне кажется, вы кое-что должны объяснить своей жене.

— Как я смогу посмотреть ей в глаза? Как скажу, что я... я...

— Думаю, вас ожидает сюрприз.

В комнате, кроме дивана, ничего не было. На нем, беспомощно всхлипывая, лежала Синди.

— Синди, — ласково позвал он.

Она подняла на него глаза с расширенными от слез зрачками.

— Дик, — прошептала Синди. — Дик? Господи... Господи... — Он крепко обнял ее. — Двое... В нашем доме... Сначала я подумала — это грабители, потом решила, что они меня изнасилуют, а они отвезли меня куда-то с завязанными глазами и... и... это было *у-ужасно...*

— Успокойся, успокойся.

— Но почему? — спросила жена, посмотрела на него. — Зачем они...

— Все из-за меня. Я должен тебе кое-что рассказать, Синди.

Он закончил рассказ, немного помолчал и сказал:

— Наверное, ты меня ненавидишь.

Моррисон смотрел в пол, когда Синди прижала свои ладони к его лицу и повернула к себе:

— Нет. Я не испытываю к тебе ненависти.

В немом изумлении он посмотрел на нее.

— Все в порядке. Да благословит Господь этих людей. Они освободили тебя, Дик.

— Ты что, серьезно?

— Да, — ответила она и поцеловала его. — Поедем домой. Мне гораздо лучше. Не помню, когда мне было так хорошо.

Когда через неделю как-то вечером зазвонил телефон и Моррисон узнал голос Донатти, он сказал:

— Ваши люди ошиблись. Я даже в руки сигарету не брал.

— Нам это известно. Надо обсудить последний вопрос. Можете зайти завтра вечером?

— Это...

— Ничего серьезного. Просто для отчетности. Кстати, поздравляю с повышением по службе.

— Откуда вы это знаете?

— Учет ведем, — небрежно бросил Донатти и повесил трубку.

Когда они вошли в ту же комнату, Донатти сказал:

— Что вы так нервничаете? Никто вас не укусит. Подойдите сюда.

Моррисон подошел и увидел обычные напольные весы.

— Послушайте, я немного растолстел, но...

— Да-да. Это происходит с семьюдесятью тремя процентами наших клиентов. Пожалуйста, встаньте на весы.

Моррисон встал, весы показали семьдесят девять килограммов.

— Прекрасно, можете сойти с весов. Какой у вас рост, мистер Моррисон?

— Метр семьдесят девять сантиметров.

— Посмотрим. — Донатти достал из нагрудного кармана небольшую карточку, закатанную в прозрачную пластмассу. — Совсем неплохо. Сейчас я выпишу вам рецепт на получение незаконных таблеток для диеты. Принимайте их редко и в соответствии с инструкцией. Ваш максимальный вес будет... — Он еще раз взглянул на карточку. — Восемьдесят три килограмма. Сегодня первое декабря, значит, первого числа каждого месяца жду вас на взвешивание. Не сможете прийти — ничего страшного, если, конечно, заранее предупредите.

— Что случится, если я буду весить больше восьмидесяти трех килограммов?

Донатти улыбнулся:

— Кто-то из наших людей придет к вам в дом и отрежет вашей жене мизинец. Счастливо, мистер Моррисон. Выйдете через эту дверь.

Прошло восемь месяцев.

Моррисон встречает в баре Джека Демпси, своего приятеля с «Ларкин студиос». Моррисон, как гордо говорит Синди, в своей весовой категории — он весит семьдесят пять килограммов, три раза в неделю занимается спортом и великолепно выглядит. Приятель же похож черт знает на кого.

Приятель:

— Боже мой, как тебе удалось бросить курить? Я курю даже больше своей жены. — С этими словами он с настоящим отвращением гасит сигарету и допивает виски.

Моррисон оценивающе смотрит на него, достает из бумажника белую визитную карточку, кладет ее на стойку.

— Знаешь, — говорит он, — эти люди изменили мою жизнь.

***

Прошел год.

Моррисон получает по почте счет:

---

КОРПОРАЦИЯ «БРОСАЙТЕ КУРИТЬ»

237 Ист, Сорок шестая улица,

Нью-Йорк, штат Нью-Йорк, 10017

---

| | |
|---|---|
| Курс лечения | 2500 долларов |
| Услуги специалиста (Виктор Донатти) | 2500 долларов |
| Электричество | 50 центов |
| ВСЕГО к оплате | 5000 долларов 50 центов |

---

— Сукины дети! — взрывается он. — Включили в счет электричество, которым...

— Заплати, — говорит жена и целует его.

Прошло еще двадцать месяцев.

Совершенно случайно Моррисон и Синди встречают в театре «Хелен Хэйс» Джимми Маккэнна с женой. Они знакомятся. Джимми выглядит так же, как и в аэропорту, если не лучше. Моррисон никогда раньше не встречался с его женой. Она красива, как бывают красивы ничем не примечательные женщины, когда они очень и очень счастливы.

Моррисон пожимает ей руку. У нее странное рукопожатие. Только в середине второго действия Моррисон понимает почему. У жены Маккэнна на правой руке нет мизинца.

# Чужими глазами*

Мы с Ричардом сидели на крыльце моего дома и любовались песчаными дюнами и заливом. Дым от его сигары клубился над нами, заставляя москитов держаться на расстоянии. Залив был нежно-зеленоватого цвета, небо — темно-синего. Приятное сочетание.

— Ты их окно в мир, — задумчиво повторил Ричард. — Ну а если ты никого не убивал? Если это тебе приснилось?

— Не приснилось. Только мальчика убил не я. Повторяю: это они. Я их окно в мир.

Ричард вздохнул:

— Ты его закопал?

— Да.

— Где, помнишь?

— Да. — Я нашарил сигарету в нагрудном кармане. Сделать это было непросто с забинтованными руками. Чесались они нестерпимо. — Если хочешь убедиться, приезжай на вездеходе. Эта штуковина, — я показал на инвалидное кресло, — по песку не проедет.

Говоря о вездеходе, я имел в виду его «фольксваген» модели 1959 года со специаль-

---

* I Am the Doorway. © 1998. С. Таск. Перевод с английского.

ными шинами. Он пользовался им, когда собирал на отмели деревянные обломки. Выйдя на пенсию и перестав заниматься делами о недвижимости в Мэриленде, он перебрался в Ки Кэролайн и принялся изготовлять деревянные скульптуры, которые зимой загонял туристам по баснословной цене.

Ричард подымил сигарой, глядя на залив.

— Это точно. Расскажи-ка еще раз, как все было.

Я вздохнул и завозился со спичками. Он забрал их у меня и помог закурить. Я сделал две глубокие затяжки. Зуд в пальцах сводил меня с ума.

— Ладно. Вчера в семь вечера я вот так же сидел здесь с сигаретой и...

— Нет, раньше, — попросил он.

— Раньше?

— Начни с полета.

Я покачал головой:

— Слушай, сколько можно. Я же больше ничего...

— Вдруг вспомнишь, — перебил он. Его лицо, все в морщинах, казалось таким же загадочным, как его скульптуры. — Именно сейчас.

— Думаешь?

— Попробуй. А потом поищем могилу.

— Могилу, — повторил я. Слово прозвучало, словно из черной ямы — черней, чем межпланетная пустыня, сквозь которую мы с Кори неслись пять лет назад. Кромешная тьма.

Под бинтами мои новые глаза силились что-то разглядеть в темноте. И сводили меня с ума этим зудом.

Нас с Кори вывел на орбиту ракетоноситель «Сатурн-16», телекомментаторы называли его не иначе как Эмпайр стейт билдинг. Да, махина, скажу я вам. Для полета ей потребовалась пусковая шахта глубиной в двести футов — в противном случае она бы разворотила половину мыса Кеннеди. Рядом с ней старенький «Сатурн-1В» показался бы игрушкой.

Мы облетели Землю, проверили бортовые системы, а затем взяли курс на Венеру. А в сенате тем временем разгорались нешуточные дебаты вокруг дополнительных ассигнований на освоение глубокого космоса, и руководство НАСА готово было на нас молиться, чтобы мы вернулись не с пустыми руками.

— Все что угодно, — говорил после третьего бокала Дон Ловингер, тайный вдохновитель программы «Зевс». — Ваш корабль нафарширован аппаратурой. Телекамеры, уникальный телескоп. Найдите нам золото или платину. А еще лучше — каких-нибудь симпатичных синих человечков, которых мы бы потом изучали, как козявок, с чувством собственного превосходства. Что угодно. Даже тень отца Гамлета сойдет для начала.

Кто бы возражал, только не мы с Кори. Но пока дальняя космическая разведка не приносила желаемых результатов. Шестьдесят восьмой: экипаж Бормана, Андреса и Ловелла, достигнув Луны, обнаружил пустой и бесприютный мир, напоминавший наши грязные песчаные пляжи. Семьдесят девятый: Маркхэн и Джекс высадились на Марсе, где не росло ничего, кроме чахлого лишайника. Миллионы, пущенные на ветер. Плюс человеческие жертвы. Педерсен с Ледекером до сих пор болтаются вокруг Солнца в результате аварии на предпоследнем «Аполлоне». Джону Дэвису тоже не повезло — осколок метеорита пробил его орбитальную обсерваторию. Нет, что ни говори, а космическая программа не приносила никакой отдачи. Похоже, не хватало только экспедиции к Венере, чтобы окончательно в этом убедиться.

Прошло шестнадцать дней — мы съели не одну банку концентратов, сыграли не одну партию в джин и успели наградить друг друга насморком, но с практической точки зрения дело шло ни шатко ни валко. На третий день мы потеряли увлажнитель воздуха, достали запасной — вот, собственно, и все «успехи». Ну а затем мы вошли в атмосферные слои Венеры. На наших глазах она превратилась из звезды в четвертак, из четвертака в хрустальный шар молочной белизны. Мы обменивались шутками с центром управления полетами, слушали записи Вагнера и «Битлз», проводили различные эксперименты в автоматическом режиме. Мы сделали две промежуточные коррекции орбиты, практически не показавшие никаких отклонений, и на девятый день полета Кори вышел в открытый космос, чтобы постучать по ДЭЗЕ, решившей вдруг забарахлить. В остальном все было в норме...

— Что это — ДЭЗА? — поинтересовался Ричард.

— Этот эксперимент провалился. НАСА делала ставку на гала-антенну: мы передавали программные команды на коротких волнах — вдруг кто-нибудь услышит? — Я почесал пальцы о брюки, но стало только хуже. — Вроде этого радиотелескопа в Западной Виргинии, который ловит сигналы из космоса. Они слушали, а мы передавали, в основном на далекие планеты — Юпитер, Сатурн, Уран. Если там и была разумная жизнь, она отсыпалась...

— В открытый космос выходил один Кори?

— Да. И если он подхватил какую-то межзвездную заразу, телеметрия ничего не показала.

— Но...

— Это все не важно, — возразил я мрачнея. — Важно то, что происходит здесь и сейчас. Вчера они убили мальчика. Понимаешь, каково это было видеть? Там более в этом участвовать. Его голова... разлетелась на мелкие осколки. Точно внутри разорвалась ручная граната.

— Рассказывай дальше, — попросил он.

Я невесело рассмеялся.

— Да что рассказывать?

Мы вращались вокруг планеты по эксцентрической орбите. Семьдесят шесть в апогее, двадцать три в перигее — первый виток. На втором витке орбита еще более вытянулась. За четыре витка мы хорошо ее разглядели. Сделали шестьсот снимков, а сколько метров пленки накрутили — это одному Богу известно.

Облако состоит из метана, аммиака, пыли и всякой дряни. Планета похожа на Большой Каньон, по которому гуляет ветер. Кори прикинул: шестьсот миль в час. Наш бур, все время сигналя, сел на поверхность и с визгом принялся за дело. Растительности или иных признаков жизни мы не обнаружили. Спектроскоп отметил лишь залежи ценных минералов. Вот вам и Венера. Казалось бы, пусто и пусто, но у меня душа ушла в пятки. Это было все равно что кружить над домом с привидениями. Понимаю ненаучность такого сравнения, а только пока мы не повернули обратно, я чуть не рехнулся. Еще немного, и горло бы себе перерезал. Это вам не Луна. Луна пустынная, но, я бы сказал, стерильно чистая. То, что мы увидели здесь, было за гранью. Спасибо еще, эта облачная пелена. Представьте себе совершенно лысый череп — точнее образа не подберу.

На обратном пути мы узнаем: сенат проголосовал за то, чтобы урезать фонды на освоение космоса вдвое. Кори прокомментировал это решение примерно так: «Ну что, Арти, возвращаемся к метеоспутникам?» Я же, признаться, был даже доволен. Нечего нам соваться во все дыры.

Через двенадцать дней Кори погиб, а я стал на всю жизнь инвалидом. Как говорится, мягкой посадки. Ну не ирония судьбы? Провести месяц в космосе, вернуться из немыслимой дали и так кончить... а все потому, что какой-то тип ушел попить кофейку и не проверил какое-то реле.

Мы шмякнулись будь здоров. Один из вертолетчиков сказал потом, что это было похоже на летящего к земле гигантского младенца с развевающейся пуповиной. При ударе оземь я потерял сознание.

В себя я пришел уже на палубе авианосца «Портленд». Вместо красной ковровой дорожки меня ждали носилки. Впрочем, красного цвета хватало. Я был весь в крови.

— Я провел два года в Вифезде. Получил медаль, кучу денег и это инвалидное кресло. А потом перебрался сюда. Люблю смотреть, как взлетают ракеты.

— Да, я знаю, — сказал Ричард. Он помолчал. — Покажи мне свои руки.

— Нет! — ответ получился быстрым и резким. — Тогда они смогут все видеть. Я тебе говорил.

— Прошло пять лет, Артур. Почему сейчас, вдруг? Можешь ты мне это толком объяснить?

— Не знаю. Не знаю! Может, такой длительный инкубационный период. А может, я подцепил эту штуку не там, а позже, в форте Лодердейл. Или даже тут, на крылечке.

Ричард со вздохом перевел взгляд на залив, красный в закатных лучах солнца.

— Я пытаюсь найти разумный ответ, Артур. Очень не хочется думать, что тебе изменил рассудок.

— В крайнем случае я покажу тебе свои руки. — Я сказал это через силу. — Но только в крайнем случае.

Ричард поднялся и взял трость. Он казался старым и немощным.

— Я пригоню вездеход, и мы поищем мальчика.

— Спасибо, Ричард.

Он двинулся домой по разбитой проселочной дороге, которая уходила через Большие Дюны в сторону Ки Кэролайна. На другом конце залива, ближе к мысу, небо стало цвета гнилой сливы, и уже можно было расслышать отдаленные раскаты грома.

Я не знал имени мальчика, но я часто видел, как он с решетом под мышкой прогуливался по песку перед закатом солнца. Мальчик был черным от загара, в заношенных шортах, сделанных из летних брюк. На городском пляже предприимчивый человек может собрать за день, если повезет, до пяти долларов, отсеивая решетом четвертаки и десятипенсовики. Иногда я махал ему издали, и он махал мне в ответ — две незнакомые, но родственные души, два местных жителя, противостоящих легиону крикливых туристов на «кадиллаках» с туго набитыми кошельками. Вероятно, мальчик жил на хуторе близ почты, в полумиле отсюда.

Вчера, когда он появился, я уже с час сидел сиднем на своем наблюдательном пункте. Бинты я снял — зуд был нестерпимый. Когда же открывались глаза — *их* глаза, — становилось полегче.

Невероятное ощущение: тебя, как дверь, приоткрыли и подглядывают в щель на мир, вызывающий ненависть и страх. Ужаснее всего то, что я отчасти тоже видел его таким в эти минуты. Вообразите, что ваша душа переселилась в слепня и он в упор разглядывает это ваше бренное тело. Теперь вам ясно, почему я бинтовал руки, даже если рядом не было ни души?

Все началось в Майами. Я там имел дела с человеком из департамента ВМФ по фамилии Крессвелл. Он навещал меня раз в год. Кажется, его боссы готовы были снабдить меня грифом «секретно». Интересно, что они ожидали увидеть: странный блеск в глазах? алую букву на лбу? Кто их знает. Не зря же мне отвалили пенсию, какую и получать-то неловко.

Я сидел у Крессвелла в отеле, на террасе, и мы за бутылкой обсуждали будущее космической программы Соединенных Штатов Америки. Было начало четвертого. Вдруг у меня зачесались пальцы. Как-то по-особенному, словно по ним ток прошел. Я сказал об этом Крессвеллу.

— Небось трогал ядовитый плющ на этом своем золотушном острове, — ухмыльнулся он.

— Там, кроме кустарника пальметто, и потрогать-то нечего. Может, это инфекция семилетней давности? — Я разглядывал свои пятерни. Руки как руки. Только чешутся.

В тот день я подписал стандартный бланк («Торжественно клянусь, что я не получал и не передавал никакой информации, которая бы могла...») и поехал домой на своем старом «форде» с ручным управлением. Отлично придумано — сразу чувствуешь себя человеком.

Дорога предстояла неблизкая, и пока я добрался до поворота к дому, я уже изнывал от чесотки. Знаете, как заживает глубокий порез? Вот-вот. Ощущение такое, будто под кожу проникли живые существа и роют там ходы.

Солнце почти село, и мне пришлось разглядывать свои руки при свете приборного щитка. На подушечках, там, где снимают отпечатки пальцев, появилась краснота, маленькие такие пятнышки. И еще несколько — на суставах. Я лизнул кончики пальцев и тут же отдернул руку от омерзения. Кожа была воспаленной и какой-то желеобразной, вроде мякоти подгнившего яблока.

Остаток пути я пытался убедить себя в том, что всему виной ядовитый плющ, но мозг сверлила жутковатая мысль. Дело в том, что моя тетушка провела последние десять лет жизни в мансарде нашего дома, отрезанная от внешнего мира. Моя мать, носившая наверх еду, запретила мне, ребенку, даже упоминать ее имя. Позже я узнал, что у тетушки была болезнь Хансена — проказа.

Приехав домой, я сразу позвонил на материк доктору Фландерсу. Мне ответили, что он отправился на рыбную ловлю, но если что-то срочное, доктор Баллэнджер...

— Когда вернется доктор Фландерс? — не выдержал я.

— Завтра к обеду. Вы можете?

— Могу.

Я набрал номер Ричарда — телефон не отвечал. Я сидел в нерешительности. Зуд усиливался. От рук исходила какая-то энергия.

Я подъехал в кресле к книжному стеллажу и снял с полки потрепанную медицинскую энциклопедию. В разъяснениях было столько тумана, что они больше смахивали на издевку. Я мог быть болен чем угодно... или ничем.

Я откинулся на спинку кресла и закрыл глаза. В дальнем углу комнаты тикали старые «космические» часы. Издалека доносилось высокое ровное гудение самолета, держащего курс на Майами. Я слышал собственное дыхание.

И вдруг я с ужасом понял: *вижу страницы раскрытой энциклопедии*. Вижу, хотя глаза мои закрыты. Правда, это было какое-то иное, четвертое измерение книги, искаженной почти до неузнаваемости, но это была она, вне всякого сомнения.

И я был не единственный, кто ее разглядывал.

Я скорее открыл глаза, чувствуя, как у меня сжалось сердце. Пережитое секундой назад ощущение не то чтобы прошло, но чуть притупилось. Я видел текст и диаграммы своим обычным зрением и одновременно, под острым углом, какими-то другими глазами. И эти последние воспринимали книгу как совершенно чужеродный предмет уродливейшей формы и исполненный зловещего смысла.

Я медленно поднес ладони к лицу, и вдруг вся комната явилась мне во всем своем отталкивающем бесстыдстве.

Я вскрикнул.

Воспаленная кожа на пальцах потрескалась, и из этих язвочек на меня глядело множество глаз. Раздвигая мягкие ткани, глаза упрямо, бессмысленными толчками выталкивали себя на поверхность.

Но даже не это заставило меня вскрикнуть. Я впервые увидел таким свое лицо — лицо монстра.

Вездеход преодолел песчаный бархан и остановился возле самого крыльца. Мотор прерывисто поревывал. Я съехал в кресле по специальному пандусу, и Ричард помог мне перелезть в машину.

— Ну что, Артур, сегодня ты за главного. Командуй.

Я показал в сторону залива, где Большие Дюны постепенно сходили на нет. Ричард согласно кивнул. Из-под задних колес брызнул песок, и вездеход рванул с места в карьер. Обычно я не пропускал случая попенять Ричарду на то, что он лихачит, но сегодня я помалкивал. В голове крутились мысли поважнее: темнота их бесила, я чувствовал, как они лезут вон из кожи, чтобы я снял бинты.

Вездеход, взвывая, мчался скачками по буграм, перелетал через высокие барханы. Слева садилось солнце во всем своем кровавом великолепии. Из глубины залива наползали черные тучи. Вот первая молния острогой вонзилась в воду.

— Направо, — сказал я. — Возле той односкатной крыши.

Ричард лихо тормознул, перегнулся через сиденье и достал заступ. Меня передернуло.

— Где? — бесстрастным голосом спросил он.

— Там, — показал я.

Он выбрался из машины, не спеша подошел к этому месту, секунду поколебался и всадил заступ в песок. Он копал и копал, бросая мокрый тяжелый песок через плечо. Тучи наливались чернотой, вода в заливе стала свинцово-холодной.

Он еще не кончил копать, а я уже знал, что он не найдет мальчика. Они его перезахоронили. Я разбинтовал руки на ночь, так что они могли все видеть — и действовать. Если меня так легко заставили убить, могли заставить и перенести тело. Пока я спал.

— Ты видишь, Артур: никого.

Ричард бросил заступ в машину и устало сел за руль. По пляжу скользили тени, словно убегая от надвигающейся грозы. Порывы ветра швыряли пригоршнями песок в проржавевшее крыло вездехода.

Зуд в пальцах совершенно изводил меня.

— Они заставили меня перенести тело, — возразил я мрачно. — Они все больше забирают надо мной власть. Раз за разом все больше приоткрывают дверь. Я вдруг ловлю себя на том, что разглядываю банку бобов, а когда я перед ней остановился — не помню, хоть убей. Я выставляю вперед пальцы и вижу банку *их* глазами: смятую, искореженную, уродливую...

— Артур, — перебил он меня. — Ну все. Подумай, что ты говоришь. — В слабом свете сумерек на его лице была написана откровенная жалость. — *Остановился... перенес тело...* О чем ты говоришь, Артур? Ты же давно не ходишь. У тебя омертвели ноги.

Я притронулся к приборному щитку.

— Эта штука тоже мертвая. Но когда ты поворачиваешь ключ зажигания, ты заставляешь вездеход тронуться с места. Ты можешь заставить его сбить человека. Он бессилен помешать тебе в этом. — Голос у меня уже дрожал. — Я их окно в мир, ты можешь это понять? Они убили мальчика! Они перенесли тело!

— По-моему, тебе надо обратиться к врачу, — тихо сказал он. — Поехали обратно. Все равно ты...

— А ты проверь! Убедись, что мальчик никуда не исчез!

— Но ведь ты даже имени его не знаешь.

— Он должен быть с хутора. Там всего несколько домов. Поинтересуйся...

— Я говорил по телефону с Мод Харрингтон. Вряд ли в целом штате найдется еще одна женщина, которая бы все про всех знала. Я поинтересовался, не пропал ли у кого-нибудь в округе мальчик прошлой ночью. Она сказала, что ни о чем таком не слышала.

— Он местный! Можешь мне поверить!

Ричард потянулся к зажиганию, но я его остановил. Он с удивлением повернулся, и тут я начал разбинтовывать руки.

Со стороны залива угрожающе заворчал гром.

В тот раз я решил не обращаться к врачу. Просто в течение трех недель бинтовал руки, перед тем как выползти на свет Божий. В течение трех недель я слепо верил, что все еще поправимо. Нельзя сказать, что в этом было много здравого смысла. Будь я нормальным человеком, передвигающимся на своих двоих, я бы скорее всего воспользовался услугами доктора Фландерса или хотя бы Ричарда. Но у меня еще не изгладились в памяти воспоминания о моей тетушке, приговоренной судьбой к пожизненному заключению, заживо пожираемой страшной болезнью. Я тоже приговорил себя к мучительному затворничеству и только молился в душе, чтобы проснуться однажды утром, стряхнув с себя этот дурной сон.

Но с каждым днем я все отчетливее ощущал их присутствие. *Их.* Безымянного разума. Я никогда не задавался вопросом, как они выглядят или откуда появились. Тут можно слишком долго спорить. Главное — я был их окном и дверью. Мне передавались их ужас и отвращение перед миром, столь отличным от их собственного. Мне передавалась их слепая ненависть. Но своих наблюдений они не прекращали. Они пустили корни в мою плоть и теперь манипулировали мной, как марионеткой.

Когда мальчик, проходя мимо, помахал мне вместо приветствия, я уже для себя решил, что звоню Крессвеллу в военно-морской департамент. Лично я не сомневался, что подцепил эту заразу в космосе, а точнее — на орбите Венеры. Пусть обследуют меня и убедятся, что я не какой-нибудь там полудурок. Я не хочу просыпаться среди ночи от собственного крика, чувствуя всей кожей, что они смотрят, смотрят, смотрят...

Мои руки сами потянулись к мальчику, и я с опозданием сообразил, что они не забинтованы.

Дюжина глаз — огромных, с золотистой радужницей и расширенными зрачками — словно затаясь, следили за происходящим. Однажды я попал в один из них кончиком карандаша и едва не взвыл от боли. Глаз уставился на меня с холодной, еле сдерживаемой яростью, которая была хуже, чем физическая боль. Отныне я аккуратно обращался с острыми предметами.

Сейчас они разглядывали мальчика. Внезапно мой мозг словно отключился, я потерял контроль над собой. *Окно приоткрылось.* Мои собственные глаза перестали видеть, а чужие словно препарировали на фоне гипсово-мертвого моря и зловеще пурпурного неба загадочное и ненавистное существо с непонятным предметом из дерева и проволочной сетки, вызывающим в своей прямоугольности.

Мне никогда не узнать, о чем подумал этот бедолага с решетом под мышкой, с карманами, набитыми туристскими монетками, о чем он подумал, видя простертые к нему руки, руки незрячего дирижера, потерявшего свой безумный оркестр, о чем он подумал перед тем, как его черепная коробка лопнула, точно мыльный пузырь.

Зато мне хорошо известно, о чем подумал я.

Я подумал о том, что шагнул за край самой жизни и оказался низвергнутым в геенну огненную.

Тучи окончательно затянули небо, и на дюны опустились сумерки. Ветер рвал бинты у меня из рук.

— Ричард, обещай мне... — приходилось почти кричать, так завывало вокруг. — Обещай мне, что побежишь, если... если я попытаюсь причинить тебе боль. Обещаешь?

— Хорошо. — Воротник открытой на груди рубашки Ричарда хлопал на ветру. Лицо его сделалось сосредоточенным.

Последние бинты упали к моим ногам.

Я поднял глаза на Ричарда, и *они* тоже. Я видел человека, которого успел полюбить за пять лет. *Они* видели бесформенную человеческую тушу.

— Убедился? — спросил я охрипшим голосом. — Теперь ты убедился?

Он невольно попятился. Лицо исказил ужас. Сверкнула молния, и через секунду гром прокатился по черной поверхности залива.

— Артур...

Господи, как же он мерзок! И я с ним встречался, вел с ним беседы! Это же не человек, это же...

— Беги! Беги, Ричард!

Он побежал. Помчался большими прыжками, нелепо раскидывая руки. Мои зрячие пальцы сами потянулись вверх, к тучам, к единственной близкой им реальности в этом мире кошмаров.

И тучи *им* ответили.

Небо сверху донизу прошила гигантская молния, словно предвещая конец света. И Ричард словно испарился — остался запах озона и другой, горелый запах.

...Очнулся я на крыльце в своем кресле. Гроза миновала, воздух был по-весеннему свеж. Светила луна. На всем пространстве девственно белых дюн не видно было ни Ричарда, ни его вездехода.

Я посмотрел на руки. Глаза были открытые, остекленевшие. Отдав всю свою энергию, они дремали.

И я решился. Прежде чем окно приотворится еще на дюйм, я должен его захлопнуть. Навсегда. Вот уже начались необратимые изменения: пальцы явно короче и какие-то... не такие.

В гостиной был камин, зимой я его растапливал, спасаясь от промозглого флоридского холода. Сейчас я это сделал с завидной быстротой — *они* могли проснуться в любую минуту.

Дождавшись, когда огонь хорошо разгорится, я съездил за канистрой и опустил в нее обе руки. От адской боли глаза на пальцах чуть не вылезли из орбит. Я испугался, что не успею добраться до камина.

Но я успел.

Все это происходило семь лет назад.

Я по-прежнему во Флориде и по-прежнему люблю смотреть, как взлетают ракеты. В последнее время это происходит чаще: нынешняя администрация проявляет к космосу куда больший интерес. Поговаривают о новой серии запусков на Венеру пилотируемых кораблей.

Я выяснил, как звали мальчика, хотя это, конечно, ничего не меняло. Он действительно жил на хуторе. Его мать посчитала, что он уехал на материк, и забила тревогу только в понедельник. Что касается Ричарда... у нас в округе его всегда держали за чудака. Все сошлись на том, что он вдруг отчалил в свой родной Мэриленд или сбежал с какой-нибудь новой знакомой.

У меня тоже репутация большого чудака, но относятся ко мне терпимо. Согласитесь, не многие из бывших астронавтов забрасывают своих конгрессменов в Вашингтоне письмами о том, что ассигнования на космос следовало бы употребить с большей пользой.

Я научился вполне сносно управлять своими крючками. Целый год меня мучили сильные боли, но человек ко всему привыкает. Я сам бреюсь и сам завязываю шнурки. А как я печатаю на машинке, вы уже могли убедиться. Словом, не думаю, что мне будет трудно вставить в рот стволы дробовика или нажать на спуск. Видите ли, три недели назад история повторилась.

Дюжина золотистых глаз, расположившихся по окружности, проступила у меня на груди.

# ПОЛЕ БОЯ*

— Мистер Реншо?

Голос портье остановил Реншо на полпути к лифту. Он обернулся, переложил сумку из одной руки в другую. Во внутреннем кармане пиджака похрустывал тяжелый конверт, набитый двадцати- и пятидесятидолларовыми купюрами. Он прекрасно поработал, и Организация хорошо расплатилась с ним, хотя, как всегда, вычла в свою пользу двадцать процентов комиссионных. Теперь Реншо хотел только принять душ, выпить джину с тоником и лечь в постель.

— В чем дело?

— Вам посылка. Распишитесь, пожалуйста.

Реншо вздохнул, задумчиво посмотрел на коробку, к которой был приклеен листок бумаги; на нем угловатым почерком с обратным наклоном написаны его фамилия и адрес. Почерк показался Реншо знакомым. Он потряс коробку, которая стояла на столе, отделанном под мрамор. Внутри что-то еле слышно звякнуло.

— Хотите, чтоб ее принесли вам попозже, мистер Реншо?

---

* Battleground. © 1998. Л. Володарский. Перевод с английского.

— Нет, я возьму посылку сам.

Коробка около полуметра в длину, держать такую под мышкой неудобно. Он поставил ее на покрытый великолепным ковром пол лифта и повернул ключ в специальной скважине над рядом обычных кнопок — Реншо жил в роскошной квартире на крыше небоскреба. Лифт плавно и бесшумно пошел вниз. Он закрыл глаза и прокрутил на темном экране своей памяти последнюю «работу».

Сначала, как всегда, позвонил Кэл Бэйтс:

— Джонни, ты свободен?

Реншо — очень хороший и надежный специалист, свободен всего два раза в год, минимальная такса — 10 тысяч долларов; клиенты платят деньги за безошибочный инстинкт хищника. Ведь Джон Реншо — хищник, генетика и окружающая среда великолепно запрограммировали его убивать, самому оставаться в живых и снова убивать.

После звонка Бэйтса Реншо нашел в своем почтовом ящике светло-желтый конверт с фамилией, адресом и фотографией. Он все запомнил, сжег конверт со всем содержимым и выбросил пепел в мусоропровод.

В тот раз на фотографии было бледное лицо какого-то Ганса Морриса, бизнесмена из Майами, владельца и основателя «Компании Морриса по производству игрушек». Этот тип кому-то мешал, человек, которому он мешал, обратился в Организацию, она в лице Кэла Бэйтса поговорила с Джоном Реншо. БА-БАХ. На похороны просим являться без цветов.

Двери кабины лифта открылись, он поднял посылку, вышел, открыл квартиру. Начало четвертого, просторная гостиная залита апрельским солнцем. Реншо несколько секунд постоял в его лучах, положил коробку на столик у двери, бросил на нее конверт с деньгами, ослабил узел галстука и вышел на террасу.

Там было холодно, пронизывающий ветер обжег его через тонкое пальто. Но Реншо все же на минуту задержался, разглядывая город, как полководец захваченную страну. По улицам, как жуки, ползут автомобили. Очень далеко, почти невидный в золотой предвечерней дымке, сверкал мост через залив, похожий на почудившийся безумцу мираж. На востоке, за роскошными жилыми небоскребами, еле видны набитые людишками грязные трущобы, над которыми возвышается лес телевизионных антенн из нержавейки. Нет, здесь, наверху, жить лучше, чем там, на помойке.

Он вернулся в квартиру, задвинул за собой дверь и направился в ванную понежиться под горячим душем.

Через сорок минут он присел с бокалом в руке и не торопясь стал разглядывать коробку. За это время тень накрыла половину темно-красного ковра. Лучшая часть дня закончилась, наступал вечер.

*В посылке бомба.*

Разумеется, ее там нет, но вести себя надо так, как будто в посылке бомба. Он делает так всегда, именно поэтому прекрасно себя чувствует, не страдает отсутствием аппетита, а вот многие другие отправились на небеса, в тамошнюю биржу безработных.

Если это бомба, то без часового механизма — никакого тиканья из коробки нс доносится. С виду обычная коробка, но с каким-то секретом. Но вообще-то сейчас пользуются пластиковой взрывчаткой. Поспокойнее штука, чем все эти часовые пружины.

Реншо посмотрел на почтовый штемпель: Майами, 15 апреля. Отправлено пять дней назад. Бомба с часовым механизмом уже бы взорвалась в сейфе отеля.

Значит, посылка отправлена из Майами. Его фамилия и адрес написаны этим угловатым почерком с обратным наклоном. На столе у бледного бизнесмена стояла фотография в рамке. На ней старая карга в платке, сама бледнее этого Ганса Морриса. Наискосок, через нижнюю часть фотографии тем же почерком надпись: «Привет от мамочки, лучшего поставщика идей твоей фирмы». Это что еще за идейка, мамочка? Набор «Убей сам»?

Он сосредоточился и, сцепив руки, не шевелясь, разглядывал посылку. Лишние вопросы, например — откуда близкие Морриса узнали его адрес? — не волновали Реншо. Позже он задаст их Бэйтсу. Сейчас это не важно.

Неожиданно и как бы рассеянно он достал из бумажника маленький пластмассовый календарь, засунул его под веревку, которой была обвязана коричневая бумага, и клейкую ленту — скотч отошел. Он немного подождал, наклонился, понюхал. Ничего, кроме картона, бумаги и веревки. Он походил вокруг столика, легко присел на корточки, проделал все с самого начала. Серые расплывчатые щупальца сумерек вползли в комнату.

Веревка более не придерживала бумагу, которая отошла с одной стороны — там виднелся зеленый металлический ящичек с петлями. Реншо достал перочинный нож, перерезал веревку — оберточная бумага упала на столик.

Зеленый металлический ящичек с черными клеймами. На нем белыми трафаретными буквами написано: «Вьетнамский сундучок американского солдата Джо». И чуть пониже: «Двадцать пехотинцев, десять вертолетов, два пулеметчика с пулеметами «браунинг», два солдата с базуками, два санитара, четыре джипа. Внизу, в углу: «Компания Морриса по производству игрушек», Майами, Флорида».

Реншо протянул руку и отдернул ее — в сундучке что-то зашевелилось. Он встал, не торопясь пересек комнату, направляясь в сторону кухни и холла, включил свет.

«Вьетнамский сундучок» раскачивался, оберточная бумага скрипела под ним. Неожиданно он перевернулся и с глухим стуком упал на ковер. Крышка на петлях приоткрылась сантиметров на пять.

Крошечные пехотинцы — ростом сантиметра по четыре — начали выползать через щель. Реншо, не мигая, наблюдал за ними, не пытаясь разумом объяснить невозможность происходящего. Он только прикидывал, какая опасность угрожает ему и что надо сделать, чтобы выжить.

Пехотинцы были в полевой армейской форме, касках, с вещевыми мешками, за плечами миниатюрные карабины. Двое посмотрели через комнату на Реншо. Глаза у них были не больше карандашных точек.

Пять, десять, двенадцать, вот и все двадцать. Один из них жестикулировал, отдавая приказы остальным. Те построились вдоль щели, принялись толкать крышку — щель расширилась.

Реншо взял с дивана большую подушку и пошел к сундучку. Командир обернулся, махнул рукой. Пехотинцы взяли карабины на изготовку, раздались негромкие хлопающие звуки, и

Реншо внезапно почувствовал что-то вроде пчелиных укусов.

Тогда он бросил подушку, пехотинцы попадали, от удара крышка сундучка распахнулась. Оттуда, жужжа, как стрекозы, вылетели миниатюрные вертолеты, раскрашенные в маскировочный зеленый цвет, как для войны в джунглях.

Негромкое «пах! пах! пах!» донеслось до Реншо, он тут же увидел в дверных проемах вертолетов крошечные вспышки пулеметных очередей и почувствовал, как будто кто-то начал колоть его иголками в живот, правую руку, шею. Он быстро протянул руку, схватил один из вертолетов, резкая боль ударила по пальцам, брызнула кровь — вращающиеся лопасти наискось разрубили ему пальцы до кости. Ранивший его вертолет упал на ковер и лежал неподвижно. Остальные отлетели подальше и принялись кружить вокруг, как слепни.

Реншо закричал от неожиданной боли в ноге. Один пехотинец стоял на его ботинке и бил Реншо штыком в щиколотку. На него смотрело крошечное задыхающееся и ухмыляющееся лицо.

Реншо ударил его ногой, маленькое тельце перелетело через комнату и разбилось о стену — крови не было, осталось лишь липкое пятно.

Раздался негромкий кашляющий взрыв — жуткая боль пронзила бедро. Из сундучка вылез пехотинец с базукой — из ее дула лениво поднимался дымок. Реншо посмотрел на свою ногу и увидел в брюках черную дымящуюся дыру размером с монету в двадцать пять центов. На теле был ожог.

Он повернулся и через холл побежал в спальню. Рядом с его щекой прожужжал вертолет, выпустил короткую пулеметную очередь и полетел прочь.

Под рукой у Реншо лежал револьвер «магнум-44», из которого в чем угодно можно сделать дыру, хоть два кулака просовывай. Он схватил револьвер двумя руками, повернулся и ясно понял, что стрелять придется по летающей мишени не больше электрической лампочки.

На него зашли два вертолета. Сидя на постели, Реншо выстрелил, и от одного вертолета ничего не осталось. Двумя меньше, думал он, прицелился во второй... нажал на спусковой крючок...

*Черт подери! Проклятая машинка дернулась!*

Вертолет неожиданно пошел на него по дуге, лопасти винтов вращались с огромной скоростью. Реншо успел заметить пулеметчика, стрелявшего точными короткими очередями, и бросился на пол.

*Мерзавец целился мне в глаза!*

Прижавшись спиной к дальней стене, Реншо поднял револьвер, но вертолет уже удалялся. Казалось, он на мгновение застыл в воздухе, нырнул вниз, признавая преимущество огневой мощи Реншо, и улетел в сторону гостиной.

Реншо поднялся, наступил на раненую ногу, сморщился от боли. Из раны обильно текла кровь. Ничего удивительного, мрачно подумал он. Много ли на свете людей, в кого попали из базуки, а они остались в живых?

Сняв с подушки наволочку, он разорвал ее, сделал повязку, перевязал ногу, взял с комода зеркало для бритья, подошел к двери, ведущей в холл. Встав на колени, Реншо поставил зеркало углом и посмотрел в него.

Они разбили лагерь у сундучка. Крошечные солдатики сновали взад и вперед, устанавливали палатки, деловито разъезжали на малюсеньких — высотой сантиметров шесть — «джипах». Над солдатом, которого Реншо ударил ногой, склонился санитар. Оставшиеся восемь вертолетов охраняли лагерь, барражируя на высоте кофейного столика.

Неожиданно они заметили зеркальце. Трое пехотинцев открыли огонь с колена. Через несколько секунд оно разлетелось на четыре куска.

*Ну ладно, погодите.*

Реншо взял с комода тяжелую красного дерева коробку для разных мелочей, которую Линда подарила ему на Рождество, взвесил ее в руке, подошел к двери, резко открыл ее и с размаху швырнул коробку — так бейсболист бросает мяч. Коробка сбила пехотинцев, как кегли, один «джип» перевернулся два раза. Стоя в дверях, Реншо выстрелил, попал в солдата.

Но несколько пехотинцев пришли в себя: одни, как на стрельбище, вели стрельбу с колена, другие попрятались, остальные отступили в сундучок.

Реншо показалось, что пчелы жалят его в ноги и грудь, но не выше. Может, расстояние слишком большое, но это не имеет значения — он не собирается отступать и сейчас разберется с ними.

Он выстрелил еще раз — мимо. Черт их подери, какие они маленькие! Но следующим выстрелом уничтожил еще одного пехотинца.

Яростно жужжа, на него летели вертолеты, крошечные пульки попадали ему в лицо, выше и ниже глаз. Реншо расстрелял еще два вертолета. От режущей боли ему застилало глаза.

Оставшиеся шесть вертолетов разлетелись на два звена и начали удаляться. Рукавом он вытер кровь с лица, приготовился открыть огонь, но остановился. Пехотинцы, укрывшись в сундучке, что-то оттуда вытаскивали. Похоже...

Последовала ослепительная вспышка желтого огня, и слева от Реншо из стены дождем полетели дерево и штукатурка.

*...Ракетная установка!*

Он выстрелил по ней, промахнулся, повернулся, добежал до ванной в конце коридора и заперся там. Посмотрев в зеркало, он увидел обезумевшего в сражении индейца с дикими перепуганными глазами. Лицо индейца было в потеках красной краски, которая текла из крошечных, как перчинки, дырочек. Со щеки свисает лоскут кожи, как будто борозду пропахали.

*Я проигрываю сражение*!

Дрожащей рукой он провел по волосам. От входной двери, телефона и второго аппарата в кухне они его отрезали. У них есть эта чертова ракетная установка — прямое попадание, и ему башку оторвет.

*Про установку даже на коробке написано не было!*

Он глубоко вздохнул и неожиданно хрипло выдохнул — из двери вылетел кусок обгоревшего дерева величиной с кулак. Маленькие языки пламени лизали рваные края дыры. Он увидел яркую вспышку — они пустили еще одну ракету. В ванную полетели обломки, горящие щепки упали на коврик. Реншо затоптал их — через дыру влетели два вертолета. С яростным жужжанием они посылали ему в грудь пулеметные очереди.

С протяжным гневным стоном он сбил один из них рукой — на ладони вырос частокол порезов. Отчаяние подсказало выход — на второй Реншо накинул тяжелое махровое полотенце и, когда тот упал на пол, растоптал его. Реншо тяжело и хрипло дышал, кровь заливала ему один глаз, он вытер ее рукой.

*Вот так, черт подери, вот так! Теперь они призадумаются!*

Похоже, они действительно призадумались. Минут пятнадцать все было спокойно. Реншо присел на край ванны и принялся лихорадочно размышлять: должен же быть выход из этого тупика? Обязательно. Обойти бы их с фланга.

Он резко повернулся, посмотрел на маленькое окошко над ванной. Есть выход из этой ловушки, конечно, есть.

Его взгляд упал на баллончик сжиженного газа для зажигалки, стоявший на аптечке. Реншо протянул за ним руку — сзади послышалось шуршание — быстро развернулся, вскинул «магнум»... Но под дверь всего лишь просунули клочок бумаги. А ведь щель настолько узкая, мрачно подумал Реншо, что даже ОНИ не пролезут.

Крошечными буковками на клочке бумаги было написано одно слово:

Сдавайся

Реншо угрюмо улыбнулся, положил баллон с жидкостью в нагрудный карман, взял с аптечки огрызок карандаша, написал на клочке ответ:

ЧЕРТА С ДВА

и подсунул бумажку под дверь.

Ему мгновенно ответили ослепляющим ракетным огнем — Реншо отскочил от двери. Ракеты по дуге влетали через дыру в двери и взрывались, попадали в стену, облицованную бело-голубой плиткой, превращая ее в миниатюрный лунный пейзаж. Реншо прикрыл рукой глаза — шрапнелью полетела штукатурка, прожигая ему рубашку на спине.

Когда обстрел закончился, Реншо залез на ванну и открыл окошко. На него смотрели холодные звезды. За маленьким окошком узкий карниз, но сейчас не было времени об этом думать.

Он высунулся в окошко, и холодный воздух резко, как рукой, ударил его по израненному лицу и шее. Реншо посмотрел вниз: сорок этажей. С такой высоты улица казалась не шире полотна детской железной дороги. Яркие мигающие огни города сверкали внизу сумасшедшим блеском, как рассыпанные драгоценные камни.

С обманчивой ловкостью гимнаста Реншо бросил свое тело вверх и встал коленями на нижнюю часть рамы. Если сейчас хоть один из этих слепней-вертолетиков влетит в ванную через дыру и хоть раз выстрелит ему в задницу, он с криком полетит вниз.

Ничего подобного не произошло.

Он извернулся, просунул в окошко ногу... Через мгновение Реншо стоял на карнизе. Стараясь не думать об ужасающей пропасти под ногами, о том, что будет, если хоть один вертолет вылетит вслед за ним, Реншо двигался к углу здания.

Осталось четыре метра... Три... Ну вот, дошел. Он остановился, прижавшись грудью к грубой поверхности стены, раскинув по ней руки, ощущая баллон в нагрудном кармане и придающий уверенность вес «магнума» за поясом.

Теперь надо обогнуть этот проклятый угол.

Он осторожно поставил за угол одну ногу и перенес на нее вес тела. Теперь острый как бритва угол здания врезался ему в грудь и живот.

Боже мой, пришла ему в голову безумная мысль, я и не знал, что они так высоко залетают.

Его левая нога соскользнула с карниза.

В течение жуткой бесконечной секунды он покачивался над бездной, отчаянно размахивая правой рукой, чтобы удержать равновесие, а в следующее мгновение обхватил здание с двух сторон, обнял, как любимую женщину, прижавшись лицом к его острому углу, судорожно дыша.

Мало-помалу он перетащил за угол и левую ногу.

До террасы оставалось метров девять.

Еле дыша, он добрался до нее. Дважды ему приходилось останавливаться — резкие порывы ветра грозили сбросить его с карниза.

Наконец он схватился руками за железные перила, украшенные орнаментом.

Реншо бесшумно залез на террасу, через стеклянную раздвижную дверь заглянул в гостиную. Он подобрался к ним сзади, как и хотел.

Четыре пехотинца и вертолет охраняли сундучок. Наверное, остальные с ракетной установкой расположились перед дверью в ванную.

Так. Резко, как полицейские в кино- или телефильмах, ворваться в гостиную, уничтожить тех, что у сундучка, выскочить из квартиры и быстро на такси в аэропорт. Оттуда в Майами, там найти поставщика идей — мамочку Морриса. Реншо подумал, что, возможно, сожжет ей физиономию из огнемета. Это было бы идеально справедливым решением.

Он снял рубашку, оторвал длинный лоскут от рукава, бросил остальное и откусил пластмассовый носик от баллона с жидкостью для зажигалки. Один конец лоскута засунул в баллон, вытащил и засунул туда другой, оставив снаружи сантиметров двенадцать смоченной жидкостью ткани.

Реншо достал зажигалку, глубоко вздохнул, чиркнул колесиком, поджег лоскут, с треском отодвинул стеклянную дверь и бросился внутрь.

Роняя капли жидкого пламени на ковер, Реншо бежал через гостиную. Вертолет сразу же пошел на него, как камикадзе. Реншо сбил его рукой, не обратив внимания на резкую боль, распространившуюся по руке, — вращающиеся лопасти разрубили ее.

Крошечные пехотинцы бросились в сундучок.

Все остальное произошло мгновенно.

Реншо швырнул газовый баллон, превратившийся в огненный шар, мгновенно повернулся и бросился к входной двери.

Он так и не успел понять, что произошло.

Раздался грохот, как будто стальной сейф скинули с большой высоты. Только этот грохот отозвался по всему зданию, и оно задрожало, как камертон.

Дверь его роскошной квартиры сорвало с петель, и она вдребезги разбилась о дальнюю стену.

Держась за руки, мужчина и женщина шли внизу по улице. Они посмотрели наверх и как раз увидели огромную белую вспышку, словно сразу зажглась сотня прожекторов.

— Кто-то сжег пробки, — предположил мужчина. — Наверное...

— Что это? — спросила его спутница.

Какая-то тряпка медленно и лениво падала рядом с ними. Мужчина протянул руку, поймал ее:

— Господи, мужская рубашка, вся в крови и в маленьких дырочках.

— Мне это не нравится, — занервничала женщина. — Поймай такси, Раф. Если что-нибудь случилось, придется разговаривать с полицией, а я не должна быть сейчас с тобой.

— Разумеется.

Он огляделся, увидел такси, свистнул. Тормозные огни машины загорелись — мужчина и его спутница побежали к такси.

Они не видели, как у них за спиной, рядом с обрывками рубашки Джона Реншо, приземлился листочек бумаги, на котором угловатым, с обратным наклоном почерком было написано:

ЭЙ, ДЕТИШКИ!
ТОЛЬКО В ЭТОМ
ВЬЕТНАМСКОМ СУНДУЧКЕ!

(Выпуск скоро прекращается)

1 ракетная установка
20 ракет «Твистер» класса «земля — воздух»
1 термоядерный заряд,
уменьшенный до масштаба набора.

# Иногда они возвращаются*

Миссис Норман ждала мужа с двух часов, и когда его автомобиль наконец подъехал к дому, она поспешила навстречу. Стол уже был празднично накрыт: бефстроганов, салат, гарниры «Блаженные острова» и бутылка «Лансэ». Видя, как он выходит из машины, она в душе попросила Бога (в который раз за этот день), чтобы ей и Джиму Норману было что праздновать.

Он шел по дорожке к дому, в одной руке нес новенький кейс, в другой — школьные учебники. На одном из них она прочла заголовок: «Введение в грамматику». Миссис Норман положила руки на плечо мужа и спросила: «Ну как прошло?»

В ответ он улыбнулся.

А ночью ему приснился давно забытый сон, и он проснулся в холодном поту, с рвущимся из легких криком.

---

* Sometimes They Come Back. © 1998. С. Таск. Перевод с английского.

***

В кабинете его встретили директор школы Фентон и заведующий английским отделением Симмонс. Разговор зашел о его нервном срыве. Он ждал этого вопроса...

Директор, лысый мужчина с изможденным лицом, разглядывал потолок, откинувшись на спинку стула. Симмонс раскуривал трубку.

— Мне выпали трудные испытания... — сказал Джим Норман.

— Да-да, конечно, — улыбнулся Фентон. — Вы можете ничего не говорить. Любой из присутствующих, я думаю, со мной согласится, что преподаватель — трудная профессия, особенно в школе. По пять часов в день воевать с этими оболтусами. Не случайно учителя держат второе место по язвенной болезни, — заметил он не без гордости. — После авиадиспетчеров.

— Трудности, которые привели к моему срыву, были... особого рода, — сказал Джим.

Фентон и Симмонс вежливо покивали в знак сочувствия; последний щелкнул зажигалкой, чтобы раскурить потухшую трубку. В кабинете вдруг стало нечем дышать. Джиму даже показалось, что ему в затылок ударил свет мощной лампы. Пальцы у него сами забегали на коленях.

— Я заканчивал учебу и проходил педагогическую практику. Незадолго до этого, летом, умерла от рака моя мать, ее последние слова были: «Я верю в тебя, сынок». Мой брат — старший — погиб подростком. Он собирался стать учителем, и перед смертью мама решила...

По их глазам Джим увидел, что его «занесло», и подумал: «Господи, надо же самому все запороть!»

— Я сделал все, чтобы оправдать ее ожидания, — продолжал он, уже не вдаваясь в подробности запутанных семейных отношений. — Шла вторая неделя практики, когда мою невесту сбила машина. Тот, кто ее сбил, скрылся. Какой-то лихач... его так и не нашли.

Симмонс что-то ободряюще гукнул.

— Я держался. А что мне оставалось? Она очень мучилась — сложный перелом ноги и четыре сломанных ребра, — но ее жизнь была вне опасности. Я, кажется, сам не понимал, сколько мне всего выпало.

*Стоп. Эта тема для тебя гроб.*

— Я пришел стажером в профессиональное училище на Сентер-стрит, — сказал Джим.

— Райское местечко, — незамедлительно отреагировал Фентон. — Финки, сапоги с подковками, обрезы на дне чемоданов, прикарманивание денег на детские завтраки, и каждый третий продает наркотики двум другим. Про это училище вы можете мне не рассказывать.

— У меня был паренек Марк Циммерман, — продолжал Джим. — Восприимчивый мальчик, играл на гитаре. Он был в классе с литературным уклоном, и я сразу отметил его способности. Однажды я вошел в класс и увидел, что двое сверстников держат его за руки, а третий разбивает его «Ямаху» о батарею парового отопления. Циммерман истошно вопил. Я закричал, чтобы они отпустили его, но когда я попытался вмешаться, один из них ударил меня изо всех сил. — Джим передернул плечами. — Это была последняя капля, у меня произошел нервный срыв. Нет, никаких истерик или забивания в угол. Просто не мог переступить порог этого заведения. Подхожу к училищу, а у меня вот здесь все сжимается. Воздуха не хватает, лоб в испарине...

— Это мне знакомо, — кивнул Фентон.

— Я решил пройти курс лечения. Групповая терапия. Частный психиатр был мне не по карману. Лечение пошло на пользу. Я забыл сказать: Салли стала моей женой. После того несчастного случая у нее осталась небольшая хромота и рубец на теле, а так она у меня в полном порядке. — Он посмотрел им в глаза. — Как видите, я тоже.

— Педпрактику вы, кажется, закончили в Кортес Скул, — полуутвердительно сказал Фентон.

— Тоже не подарок, — бросил Симмонс.

— Хотелось испытать себя в трудной школе, — объяснил Джим. — Специально поменялся с однокурсником.

— И школьный инспектор, и ваш непосредственный наставник поставили вам высшую отметку, — сказал Фентон.

— Да.

— А средний балл за четыре года составил 3,88. Почти максимум.

— Я любил свою работу.

Фентон с Симмонсом переглянулись и встали. Поднялся и Джим.

— Мы вас известим, мистер Норман, — сказал Фентон. — У нас есть еще кандидаты, не прошедшие собеседование...

— Я понимаю.

— ...но лично меня впечатляют ваши академические успехи и волевой характер.

— Вы очень любезны.

— Сим, я думаю, мистер Норман не откажется выпить перед уходом чашечку кофе.

Они обменялись рукопожатием.

В холле Симмонс сказал ему:

— Считайте, что место — ваше, если, конечно, не передумаете. Разумеется, это не для передачи.

Джим согласно кивнул. Он и сам наговорил много такого, что было не для передачи.

Дэвис Хай Скул, издали напоминавшая неприступную крепость, была оборудована по последнему слову техники — только на научный корпус выделили из прошлогоднего бюджета полтора миллиона долларов. В классных комнатах, которые помнили еще послевоенных ребятишек, стояли парты модного дизайна. Учащиеся были из богатых семей — хорошо одеты, опрятны, развиты. В старших классах шестеро из десяти имели собственные машины. Словом, приличная школа. В ту пору, про которую нынче говорят «больные семидесятые», о такой школе можно было только мечтать. Рядом с ней профессиональное училище, где раньше преподавал Джим, казалось доисторическим монстром.

Однако стоило зданию опустеть, как в свои права вступала некая темная сила из былых времен. Невидимый зверь, который неотвязно следовал за тобой. Иногда, поздно вечером, когда Джим Норман шел пустынным коридором четвертого корпуса на выход, к автостоянке, ему чудилось, что он слышит за спиной его тяжелое дыхание.

В конце октября он снова увидел ночной кошмар и на этот раз не сумел сдержать крика. Хватая руками воздух, он не сразу понял, где он, пока не увидел Салли: она сидела на постели, держа его за плечо. Сердце бешено колотилось.

— О Боже. — Он провел ладонью по лицу.

— Ну как ты?

— Все нормально. Я кричал?

— Еще как. Что-то приснилось?

— Приснилось.

— Эти мальчишки, которые разбили гитару о батарею?

— Нет, давнишние дела. Иногда вдруг все возвращается так отчетливо. Ничего, уже прошло.

— Ты уверен?

— Вполне.

— Хочешь стакан молока? — В ее глазах промелькнула озабоченность.

Он поцеловал ее в плечо:

— Нет-нет. Ты спи.

Она выключила ночник, а он еще долго лежал, вглядываясь в темноту.

Хотя в школе он был человек новый, для него составили удобное расписание. Первый час свободный. Второй и третий — сочинение в младших классах: один класс скучноватый, другой весьма живой. Интереснее всего был четвертый час: курс американской литературы для поступающих в колледж; для этих не было большего наслаждения, чем сплясать на костях признанных классиков. Пятый час, обозначенный как «Консультации», отводился для бесед с теми, кто плохо успевал или у кого возникали сложности личного характера. Таких либо не было, либо они не желали раскрываться, так что он мог спокойно посидеть с хорошей книгой. Шестой час — грамматика — был до того сухим, что казалось, раскрошится, как мел.

Единственным по-настоящему серьезным огорчением был для него седьмой час, «Литература и жизнь», который он проводил в тесной клетушке на третьем этаже — в сентябре там стояла жара, зимой — холод. Здесь были собраны те, кого в школьных каталогах стыдливо именуют «медленно усваивающими».

В классе Джима сидели двадцать семь таких «медленно усваивающих», все как на подбор атлеты. В лучшем случае им можно было поставить в вину отсутствие интереса к предмету, в худшем — откровенное хулиганство. Как-то раз он открыл дверь и увидел на доске столь же удачную, сколь и непотребную карикатуру на себя с явно излишней подписью мелом: «Мистер Норман». Он молча стер ее и начал урок под издевательские смешки.

Он старался разнообразить занятия, включал аудиовизуальные материалы, выписал занимательные, легко запоминающиеся тексты — и все без толку. Его подопечные или ходили на головах, или молчали, как партизаны. В ноябре, во время обсуждения стейнбековского романа «О людях и мышах», затеяли драку двое ребят. Джим разнял их и отправил к директору. Когда он открыл учебник на прерванном месте, в глаза бросилось хамское: «На-ка выкуси!»

Он рассказал об этом Симмонсу, в ответ тот пожал плечами и закурил свою трубку.

— Не знаю, Джим, чем вам помочь. Последний урок всегда выжимает последние со́ки. Не забывайте — получив у вас «неуд», многие из них лишатся футбола или баскетбола. А с языком и литературой у них, как говорится, напряженка. Вот они и звереют.

— Я тоже, — буркнул Джим.

Симмонс покивал:

— А вы покажите им, что с вами шутки плохи, они и подожмут хвост... хотя бы ради своих спортивных занятий.

Но ничего не изменилось: этот последний час был как заноза в теле.

Самой большой проблемой седьмого часа был здоровенный увалень Чип Освей. В начале декабря, в короткий промежуток между футболом и баскетболом (Освей и тут и там был нарасхват), Джим поймал его со шпаргалкой и выставил из класса.

— Если ты меня завалишь, мы тебя, сукин сын, из-под земли достанем! — разорялся Освей в полутемном коридоре. — Понял, нет?

— Иди-иди, — ответил Джим. — Побереги горло.

— Мы тебя, ублюдок, достанем!

Джим вернулся в класс. Детки смотрели на него так, словно ничего не произошло. Ему же казалось, что он в каком-то нереальном мире, и это ощущение возникло у него не впервые... не впервые...

*Мы тебя, ублюдок, достанем!*

Он вынул из стола журнал успеваемости и аккуратно вписал «неуд» против фамилии Чипа Освальда.

В эту ночь он увидел старый сон.

Сон, как медленная пытка. Чтобы успеть все хорошо разглядеть и прочувствовать. Особую изощренность этому сну придавало то, что развязка надвигалась неотвратимо и Джим ничего не мог поделать — как человек, пристегнутый ремнем, летящий вместе со своей машиной в пропасть.

Во сне ему было девять, а его брату Уэйну — двенадцать. Они шли по Брод-стрит в Стратфорде, Коннектикут, держа путь в городскую библиотеку. Джим на два дня просрочил книжки и должен был выудить из копилки четыре цента, чтобы уплатить штраф. Время было летнее, каникулярное. Пахло срезанной травой. Из распахнутого окна доносилась трансляция бейсбольного матча: «Янки» выигрывали у «Ред сокс» 6:0 в последней игре одной восьмой финала, Тед Уильямс, бэтсмен, приготовился к удару... А здесь надвигались сумерки, и тень от здания «Барретс компани» медленно тянулась к противоположному тротуару.

За рынком пролегла железнодорожная колея, под ней тоннель. У выхода из тоннеля, на пятачке возле бездействующей бензоколонки, околачивалась местная шпана — парни в кожаных куртках и простроченных джинсах. Джим многое бы отдал, чтобы не встречаться с ними, не слышать оскорбительных насмешек, не спасаться бегством, как уже случилось однажды. Но Уэйн не соглашался идти кружным путем, чтобы не показать себя трусом.

Во сне тоннель угрожающе надвигался, и девятилетнему Джиму казалось, будто в горле у него начинает бить крыльями испуганный черный дрозд. Все вдруг стало таким отчетливым: мигающая неоновая реклама на здании «Барретс компани», налет ржавчины на траве, шлак вперемешку с битым стеклом на железнодорожном полотне, лопнувший велосипедный обод в кювете.

Он готов был в сотый раз отговаривать Уэйна. Да, шпаны сейчас не видно, но она наверняка прячется под лестницей. Эх, да что там! Говори не говори, брата не переубедишь, и это рождало чувство собственной беспомощности.

Вот они уже под насыпью, от стены тоннеля отлепляются две или три тени, и долговязый белобрысый тип с короткой стрижкой и сломанным носом швыряет Уэйна на выпачканный сажей шлакоблок со словами:

— Гони монету.

— Пусти, — говорит брат.

Джим хочет убежать, но толстяк с зализанными черными волосами подталкивает его к брату. Левый глаз у толстяка дергается.

— Ну что, шкет, — обращается он к Джиму, — сколько там у тебя в кармане?

— Ч-четыре цента.

— Врешь, щенок.

Уэйн пробует высвободиться, и на помощь белобрысому приходит парень с шевелюрой какого-то дикого оранжевого цвета. А в это время тип с дергающимся веком ни с того ни с сего дает Джиму в зубы. Джим чувствует внезапную тяжесть в мочевом пузыре, и в следующую секунду передок его джинсов начинает быстро темнеть.

— Гляди, Винни, обмочился!

Уэйн отчаянно изворачивается, и ему почти удается вырваться из клещей, тогда еще один тип в черных дерюжных брюках и белой футболке пригвождает его к прежнему месту. У типа на подбородке родинка, похожая на спелую землянику. Тут горловина путепровода начинает содрогаться. Металлическим поручням передается мощная вибрация. Приближается состав.

Кто-то выбивает книжки из рук Джима, а меченый, с красной родинкой, отшвыривает их носком ботинка в кювет. Неожиданно Уэйн бьет дерганого ногой в пах, и тот взвывает от боли.

— Винни, сейчас этот слиняет!

Дерганый что-то орет благим матом про свои разбитые погремушки, но его вопли уже тонут в нарастающем грохоте поезда. Когда состав проносится над их головами, кажется, что в мире нет других звуков.

Отблески света на стальных лезвиях. Финка у белобрысого, финка у меченого. Уэйн кричит, и хотя слов не разобрать, все понятно по губам:

— Беги, Джимми, беги!

Джим резко падает на колени, и державшие его руки остаются ни с чем, а он уже проскакивает между чьих-то ног, как лягушонок. Чья-то пятерня успевает скользнуть по его спине. Он бежит обратно, бежит мучительно медленно, как это бывает во сне. Но вот он оборачивается и видит...

Джим проснулся, вовремя подавив крик ужаса. Рядом безмятежно спала Салли.

Он хорошо помнил, что он увидел, обернувшись: белобрысый ударил его брата ножом под сердце, меченый — в пах.

Джим лежал в темноте, учащенно дыша и моля Бога, чтобы тот даровал ему сон без этих страшных призраков его детства.

Ждать ему пришлось долго.

Городские власти объединили школьные каникулы с рождественскими, и в результате школа отдыхала почти месяц. Джим и Салли провели это время у ее сестры в Вермонте, где они вволю покатались с гор на лыжах. Они были счастливы. На морозном чистом воздухе все педагогические проблемы не стоили выеденного яйца. Джим приехал к началу занятий с зимним загаром, а главное, спокойным и полностью владеющим собой.

Симмонс нагнал его в коридоре и протянул папку:

— На седьмом потоке у вас новенький. Роберт Лоусон. Переведен из другой школы.

— Да вы что, Сим, у меня и без того двадцать семь гавриков! Куда больше!

— А их у вас столько же и останется. Во время рождественских каникул Билла Стирнса сбила насмерть машина. Совершивший наезд скрылся.

— *Билли?*

Он увидел его так ясно, словно перед глазами была фотография выпускников. Уильямс Стирнс, один из немногих хороших учеников в этом классе. Сам не вызывался, но отвечал толково и с юмором. И вот погиб. В пятнадцать лет. Вдруг повеяло собственной смертью — как сквозняком протянуло.

— Господи, какой ужас! Как все произошло?

— Полиция этим занимается. Он обменял в центральном магазине рождественский подарок. А когда ступил на проезжую часть Рампарт-стрит, его сбил старенький «форд-седан». Номерного знака никто не запомнил, но на дверце была надпись «Змеиный глаз». Почерк подростка.

— Господи! — снова вырвалось у Джима.

— Звонок, — сказал Симмонс и заспешил прочь. У фонтанчика с питьевой водой он разогнал стайку ребят.

Джим отправился на занятие, чувствуя себя совершенно опустошенным.

Дождавшись свободного урока, он открыл папку с личным делом Роберта Лоусона. Первая страница, зеленая, с печатью Милфорд Хай Скул, о которой Джим никогда раньше не слышал. Вторая — оценка общего развития. Интеллект — 78 баллов, немного. Соображает неважно. Трудовые навыки — тоже не блестящие. Вдобавок тест Барнета-Хадсона выявил антисоциальные тенденции. «Идеально вписывается в мой класс», — с горечью подумал Джим.

Дисциплинарная страница угрожающе заполнена. Что он только не вытворял, этот Лоусон!

Джим перевернул еще одну страницу, увидел фото и не поверил своим глазам. Внутри все похолодело. Роберт Лоусон с вызовом глядел с фотографии, словно позировал он не в актовом зале, а в полицейском участке. На подбородке у Лоусона была родинка, напоминающая спелую землянику.

Каких только резонов не приводил Джим перед седьмым уроком. И что парней с такими родинками пруд пруди. И что головорезу, пырнувшему ножом его брата, сейчас должно быть никак не меньше тридцати двух. Но когда он поднимался в класс, интуиция подсказывала другое. «То же самое и с тобой было накануне нервного срыва», — напоминал он себе, чувствуя во рту металлический привкус страха.

Перед кабинетом № 33, как всегда, околачивалась небольшая группка; кто-то, завидев учителя, вошел в класс, остальные с ухмылочками зашушукались. Рядом с Чипом Освеем стоял новенький в грубых «тракторах», последнем вопле моды.

— Иди в класс, Чип.

— Это что, приказ? — улыбнулся рыжий детина, глядя куда-то мимо.

— Приказ.

— Вы, кажется, вывели мне «неуд», или я ошибаюсь?

— Ты не ошибаешься.

— Ну ладно... — Остальное прозвучало неразборчиво.

Джим повернулся к Лоусону:

— Тебя, вероятно, следует ознакомить с нашими правилами.

— Валяйте, мистер Норман. — Правая бровь у парня была рассечена, и этот шрам Джим уже видел однажды. Определенно видел. Абсурд, бред... и тем не менее. Шестнадцать лет назад этот парень зарезал его брата.

Словно откуда-то издалека услышал он собственный голос, объясняющий школьные правила. Роберт Лоусон засунул большие пальцы рук за солдатский ремень и слушал его с улыбкой, то и дело кивая, как старому знакомому.

— Джим?

— М-м?

— У тебя неприятности?

— Нет.

— Что-нибудь с учениками в классе «Литература и жизнь»?

Без ответа.

— Джим?

— Нет.

— Может, ляжешь сегодня пораньше?

Если бы он мог уснуть!

Его опять мучили ночные кошмары. Когда этот тип с красной родинкой пырнул брата, он успел крикнуть Джиму вдогонку: «Следующий ты, малыш. Готовь пузишко».

Джим очнулся от собственного крика.

Он разбирал в классе «Повелителя мух» Голдинга и говорил о символике романа, когда Лоусон поднял руку.

— Да, Роберт? — голос Джима ничего не выражал.

— Что это вы меня так разглядываете?

Джим оторопело захлопал ресницами. В горле мгновенно пересохло.

— Может, я позеленел? Или у меня ширинка расстегнута?

Класс нервно захихикал.

— Я вас не разглядывал, мистер Лоусон, — возразил Джим все тем же ровным тоном. — Кстати, раз уж вы подали голос, скажите-ка нам, из-за чего поспорили Ральф с Джеком...

— Нет, разглядывали!

— Хотите, чтобы я отпустил вас к директору?

Лоусон на секунду задумался.

— Не-а.

— В таком случае расскажите нам, из-за чего...

— Да не читал я. Дурацкая книга.

Джим выдавил из себя улыбку:

— Вот как? Имейте в виду, вы судите книгу, а книга судит вас. Тогда, может быть, кто-то другой нам ответит, почему мнения мальчиков о звере сильно разошлись?

Кэти Славин робко подняла руку. Лоусон смерил ее презрительным взглядом и бросил пару слов Чипу Освею. Что-то вроде «ничего титьки»? Чип согласно кивнул.

— Мы тебя слушаем, Кэти.

— Наверное, потому, что Джек собирался устроить охоту на зверя?

— Молодец. — Он повернулся спиной к классу и начал писать на доске мелом. Мимо уха просвистел грейпфрут.

Джим резко обернулся. Некоторые тихо прыснули, лица же Освея и Лоусона выражали абсолютную невинность. Он поднял с пола увесистый плод.

— Затолкать бы это в глотку кое-кому. — Слова относились к галерке.

Кэти Славин охнула.

Он швырнул грейпфрут в мусорную корзину и снова заскрипел мелом.

За чашкой кофе он развернул утреннюю газету, и сразу в глаза бросился заголовок в середине страницы. «О Боже!» — его возглас прервал непринужденное щебетанье жены. Казалось, в живот впились изнутри десятки заноз. Он прочел вслух заголовок:

— «Девушка разбивается насмерть».

А затем и сам текст:

— Вчера вечером Кэтрин Славин, семнадцатилетняя школьница из Хэролд Дэвис Хай Скул, выпала или была выброшена из окна многоквартирного дома, где она жила с матерью. По словам последней, ее дочь поднялась на крышу с кормом для голубей, которых она там держала. Анонимная женщина сообщила полиции, что трое каких-то парней пробежали по крыше без четверти семь, почти сразу после того, как тело девушки (продолжение на странице 3)...

— Джим, она случайно не из твоего класса?

Он не ответил жене, так как на время лишился дара речи.

Две недели спустя, после звонка на обед, его нагнал в холле Симмонс с папкой в руке, и у Джима упало сердце.

— Еще один новичок, — сказал он обреченно, опережая сообщение Симмонса. — Класс «Литература и жизнь».

У Сима брови поползли вверх.

— Как вы догадались?

Джим пожал плечами и протянул руку за личным делом.

— Мне надо бежать, — сказал Симмонс. — Летучка по оценке учебной программы. Джим, у вас такой видок, словно вы побывали под колесами машины. Вы как, в порядке?

Словно побывал под колесами машины, вот-вот. Как Билли Стирнс.

— В порядке.

— Так держать. — Симмонс похлопал его по спине и побежал дальше.

А Джим открыл папку, заранее весь сжимаясь, как человек, ожидающий удара.

Однако лицо на фотографии ни о чем ему не говорило. Мог видеть его, мог и не видеть. Дэвид Гарсиа был массивного телосложения, темноволосый, с негроидными губами и полусонным выражением глаз. Он был тоже из Милфорд Хай

Скул и еще два года провел в исправительной школе Грэнвилль. Сел за угон машины.

Джим закрыл папку. Пальцы у него слегка дрожали.

— Салли?

Она оторвала взгляд от гладильной доски. Джим уставился на экран телевизора невидящими глазами — транслировался баскетбольный матч.

— Нет, ничего. Это я так.

— Какая-нибудь скабрезность? — сказала миссис Норман игриво.

Он выжал из себя улыбку и снова уставился на экран. С кончика языка уже готова была сорваться вся правда. Но как о ней расскажешь? Ведь это даже не бред, хуже. С чего начать? С ночных кошмаров? С нервного срыва? С появления Роберта Лоусона?

*Начать надо с Уэйна, его старшего брата.*

Но он никогда и никому об этом не рассказывал, даже на сеансах групповой психотерапии. Он вспомнил свое полуобморочное состояние, когда они с Дэвидом Гарсией первый раз встретились глазами в холле. Да, на фотографии Гарсиа показался ему незнакомым. Но фотография не все может передать... например, нервный тик.

Гарсиа стоял рядом с Лоусоном и Чипом Осеем. Увидев мистера Нормана, он широко осклабился, и вдруг у него задергалось веко. В памяти Джима с необыкновенной отчетливостью зазвучали голоса:

— *Ну что, шкет, сколько там у тебя в кармане?*

— *Ч-четыре цента.*

— *Врешь, щенок... гляди, Винни, обмочился!*

— Джим? Ты что-то сказал? — спросила жена.

— Нет-нет, — отозвался он, вовсе не будучи в этом уверенным. Кажется, у него начинался озноб.

В первых числах февраля, после занятий, когда все преподаватели давно ушли из школы, он проверял в учительской сочинения. В десять минут пятого раздался стук в дверь. На пороге стоял Чип Освей, вид у него был довольно испуганный.

— Чип? — Джим постарался не выказать удивления.

Тот стоял, переминаясь с ноги на ногу.

— Можно с вами поговорить, мистер Норман?

— Можно. Но если насчет теста, ты напрасно тратишь...

— Нет, другое. Здесь, э... можно курить?

— Кури.

Освей чиркнул спичкой, при этом пальцы его заметно дрожали. С минуту он молчал — никак не мог начать. Губы беззвучно шевелились, глаза сузились до щелок. И вдруг его прорвало:

— Если до этого дойдет, поверьте, я ни при чем! Я не хочу иметь с ними никаких дел! Они шизанутые!

— Ты о ком, Чип?

— О Лоусоне и Гарсии. Они оба чокнутые.

— Собираются со мной расправиться, да? — Он уже знал ответ по тому, как подкатила привычная тошнотворная волна страха.

— Сначала они мне понравились, — продолжал Чип. — Мы прошвырнулись, выпили пивка. Тут я немножко приложил вас, сказал, как вы меня завалили. И что я еще отыграюсь. Это я так, для красного словца! Чтоб я сдох!

— Ну а они?

— Они это сразу подхватили. Стали расспрашивать, когда вы обычно уходите из школы, какая у вас машина, и все в таком духе. Я спросил, что они против вас имеют, а Гарсиа мне: «Мы с ним старые знакомые...» Эй, что это с вами?

— Дым, — объяснил Норман внезапно осипшим голосом. — Не могу привыкнуть к сигаретному дыму.

Чип загасил сигарету.

— Я спросил, когда они с вами познакомились, и Боб Лоусон ответил, что я тогда еще мочился в пеленки. Загнул, да? Им же, как и мне, всего семнадцать...

— Дальше.

— Тогда Гарсиа перегибается через стол и говорит мне: «Как ты собираешься отыграться, если ты даже не знаешь, когда он уходит домой из этой гребаной школы?» «А я, — говорю, — проткну ему шины». — Чип поднял на Джима виноватый взгляд. — Я бы этого не стал делать, мистер Норман. Я это просто так сказал, от...

— От страха? — тихо спросил Джим.

— Да. Мне и сейчас не по себе.

— И как же они отнеслись к твоим намерениям?

Чип поежился.

— Боб Лоусон сказал: «И это все, на что ты способен, мудило гороховый?» Ну я ему, чтобы слабость не показать: «А вы, — говорю, — что, способны отправить его на тот свет?» У Гарсии глаз задергался, он руку в карман — щелк, — а это финка. Я как увидел, сразу рванул оттуда.

— Когда это было, Чип?

— Вчера. Я теперь боюсь сидеть с ними в классе, мистер Норман.

— Ничего, — сказал Джим. — Ничего.

Он бессмысленно таращился на разложенные перед ним тетради.

— Что вы собираетесь делать? — полюбопытствовал Чип.

— Не знаю, — честно признался Джим. — Я действительно не знаю.

К понедельнику он так и не принял решения. Первым побуждением было посвятить во все жену, но нет, он не мог этого сделать. Она бы смертельно перепугалась и все равно бы не поверила. Открыться Симмонсу? Тоже невозможно. Сим сочтет его сумасшедшим и, вероятно, будет недалек от истины. Пациент, участвовавший с Джимом в сеансах групповой психотерапии, сказал как-то раз, что пережить нервный срыв — это все равно что разбить вазу, а затем ее склеить. Впредь ты уже будешь брать ее с опаской. И живые цветы в нее не поставишь, потому что от воды могут разойтись склеенные швы.

*Значит, я сумасшедший?*

Но в таком случае Чип Освей тоже сумасшедший. Он подумал об этом, когда садился в машину, и даже немного воспрянул духом.

Как же он раньше не подумал! Лоусон и Гарсиа угрожали ему в присутствии Чипа. Для суда, пожалуй, маловато, но чтобы отчислить из школы эту парочку — вполне достаточно... если, конечно, удастся заставить Чипа повторить его признание в кабинете директора. А почему бы и нет? Чип по-своему тоже заинтересован в том, чтобы его новых дружков отправили подальше.

Въезжая на автостраду, Джим вспомнил о судьбе Билли Стирнса и Кэти Славин и наконец решился. Во время свободного урока он поднялся в офис и подошел к столу секретарши, которая в этот момент составляла списки отсутствующих.

— Чип Освей в школе? — спросил он как бы между прочим.

— Чип?.. — Лицо ее выражало сомнение.

— Вообще-то он Чарльз Освей, — поправился Джим. — А Чип — это кличка.

Секретарша просмотрела стопку бумаг и одну из них протянула Джиму.

— Сегодня он отсутствует, мистер Норман.

— Вы не дадите мне его домашний телефон?

Она намотала на карандаш прядку волос.

— Да, конечно, — и вынула из именной картотеки личную карточку.

Джим воспользовался ее аппаратом. На том конце провода долго не отвечали, и он уже хотел положить трубку, как вдруг услышал заспанный грубоватый голос:

— Да?

— Мистер Освей?

— Барри Освей умер шесть лет назад. А меня зовут Гэри Денкинджер.

— Вы отчим Чипа Освея?

— Что он там натворил?

— Простите...

— Он сбежал. Вот я и спрашиваю: что он натворил?

— Насколько мне известно, ничего. Просто я хотел поговорить с ним. А вы не догадываетесь, где он?

— Я работаю в ночную смену, мистер. Мне некогда интересоваться его компанией.

— Но может быть...

— Нет. Он прихватил с собой старенький чемодан и пятьдесят долларов, которые он выручил от продажи краденых автодеталей или наркотиков... я уж не знаю, чем они там промышляют. И взял курс на Сан-Франциско. Хипповать, наверное, собирается.

— Если узнаете о нем что-нибудь, позвоните мне, пожалуйста, в школу. Джим Норман, английское отделение.

— Ладно.

Джим положил трубку на рычаг. Секретарша одарила его дежурной улыбкой, но ответной улыбки не дождалась.

Через два дня в регистрационном журнале против имени Чипа Освея появилась запись: «Бросил школу». Джим приготовился к тому, что вот-вот на горизонте появится Симмонс с очередной папкой. Спустя неделю ему была вручена папка с личным делом новенького.

Он обреченно взглянул на фото. На этот раз никаких сомнений. Короткую стрижку сменили длинные волосы, но это был он, белобрысый. Винсент Кори. Для своих дружков — Винни. Он глядел с фотографии на Джима, кривя рот в наглоатой ухмылочке.

Джим шел на урок, чувствуя, как у него разрывается грудь. Перед доской объявлений стояли Лоусон, Гарсиа и Винни Кори. Когда он приблизился, все трое повернулись. Рот Винни растянулся в ухмылочке, но глаза были ледяными.

— Если не ошибаюсь, мистер Норман? Привет, Норм!

Лоусон и Гарсиа прыснули.

— Меня зовут мистер Норман, — сказал Джим, не замечая протянутой руки. — Запомнишь?

— Запомню. Как ваш брат?

Джим так и застыл. Он испугался, что не совладает с мочевым пузырем; в каком-то потаенном уголке мозга голос-призрак весело воскликнул: «Гляди, Винни, обмочился!»

— Что вы знаете о моем брате? — хрипло спросил он.

— Ничего, — ответил Винни. — Ничего особенного.

Все трое улыбнулись ему пугающе обезличенными улыбками. Прозвенел звонок, и они вразвалочку двинулись в класс.

Вечером, в десять часов, он зашел в аптеку-закусочную, чтобы позвонить из автомата.

— Оператор, соедините меня, пожалуйста, с полицейским участком в Стратфорде, Коннектикут. Нет, номера я не знаю.

Щелчки в трубке. Выясняют.

Полицейского звали Нелл. Уже тогда он был седоватый, на вид лет сорока пяти. Впрочем, детский взгляд часто бывает ошибочным. Они с братом росли без отца, о чем каким-то образом узнал этот человек...

*Зовите меня, мальчики, мистером Неллом.*

В кафетерии братья съедали свои школьные завтраки, сложенные в пакеты. Мама давала каждому по никелевой монетке — на молоко, дело было еще до того, как в школах ввели бесплатную раздачу молока. Иногда в кафетерий заглядывал мистер Нелл, поскрипывая кожаным ремнем, из которого вываливалось брюшко, с револьвером 38-го калибра сбоку, и покупал им с братом по пирожку с секретом.

*Где вы были, мистер Нелл, когда они убили моего брата?*

Наконец его соединили. Трубку сняли после первого звонка.

— Стратфордская полиция.

— Здравствуйте. Говорит Джеймс Норман. Я звоню из другого города. — Он сказал из какого. — Вы не могли бы связать меня с каким-нибудь офицером, который служил у вас году в пятьдесят седьмом?

— Минуточку, мистер Норман.

Небольшая пауза, и новый голос в трубке:

— Говорит сержант Мортон Ливингстон. Кто вас интересует, мистер Норман?

— В детстве мы звали его мистер Нелл, — сказал Джим. — Вам это что-нибудь...

— Еще бы! Дон Нелл на пенсии. Ему сейчас должно быть семьдесят три или семьдесят четыре.

— Он по-прежнему живет в Стратфорде?

— Да, на Барнем-авеню. Вам нужен его адрес?

— И телефон, если можно.

— О'кей. Вы хорошо знали Дона?

— Он покупал нам с братом пирожки в «Стратфордском кафетерии».

— Вспомнили! Кафетерия уже лет десять как не существует. Обождите немного. — После короткой паузы он продиктовал ему адрес и телефон. Джим записал, поблагодарил, повесил трубку.

Он снова набрал 0, дал оператору номер телефона и стал ждать. Когда на том конце провода раздались гудки, он почувствовал горячий прилив крови и подался вперед, стараясь не глядеть на кран с питьевой водой — в двух шагах от него читала журнал пухлявая девочка.

Донесшийся из трубки мужской голос был звучен и отнюдь не стар: «Алло?» Однако это слово разворошило целый пласт воспоминаний и ощущений, таких же сильных, как павловский условный рефлекс на какую-нибудь забытую мелодию.

— Мистер Нелл? Доналд Нелл?

— Да.

— Говорит Джеймс Норман. Вы случайно меня не помните?

— Как же, — тотчас отозвался голос. — Пирожки с секретом. Твоего брата убили... ножом. Жалко. Милый был мальчик.

Джим ткнулся лбом в стекло кабины. Напряжение вдруг ушло, и он почувствовал себя этакой тряпичной куклой. Он с трудом удержался, чтобы не выложить собеседнику все как есть.

— Тех, кто его убил, так и не поймали, мистер Нелл.

— Я знаю. У нас были ребята на примете. Если не ошибаюсь, мы даже устроили опознание.

— Имена при этом не назывались?

— Нет. На очной ставке к подозреваемым обращаются по номерам. А почему вас сейчас это интересует, мистер Норман?

— С вашего разрешения, я назову несколько имен. Вдруг какое-нибудь из них покажется вам знакомым.

— Сынок, прошло столько...

— А вдруг? — Джиму начинало отказывать самообладание. — Роберт Лоусон, Дэвид Гарсиа, Винсент Кори. Может быть, вы...

— Кори, — изменившимся голосом сказал мистер Нелл. — Да, помню. Винни, по кличке Сенатор. Верно, он проходил у нас по этому делу. Мать доказала его алиби. Имя Роберта Лоусона мне ничего не говорит. Слишком распространенное сочетание. А вот Гарсиа... что-то знакомое. Но что? Ч-черт. Старость не радость. — В его голосе звучала досада.

— Мистер Нелл, а можно отыскать какие-нибудь следы этих ребят?

— В любом случае сейчас это уже не ребята.

*Вы уверены?*

— А что, Джимми, кто-то из них снова появился на твоем горизонте?

— Не знаю, как ответить. В последнее время происходят странные вещи, связанные с убийством брата.

— Что именно?

— Я не могу вам этого сказать, мистер Нелл. Вы решите, что я сошел с ума.

Реакция была быстрая, цепкая, жадная:

— А это не так?

Джим помолчал и ответил коротко:

— Нет.

— Ну хорошо, я проверю их досье в полицейском архиве. Как с тобой связаться?

Джим дал свой домашний телефон.

— Вы меня наверняка застанете вечером во вторник.

Вообще-то он вечером всегда был дома, но по вторникам Салли уходила в гончарную студию.

— Чем ты занимаешься, Джимми?

— Преподаю в школе.

— Ясно. Тебе придется, вероятно, подождать пару дней. Я ведь уже на пенсии.

— По голосу не скажешь.

— Ты бы на меня посмотрел! — раздался смешок в трубке. — Ты по-прежнему любишь пирожки с секретом, Джимми?

— Спрашиваете. — Это была ложь. Он терпеть не мог всяких пирожков.

— Приятно слышать. Ну что ж, если вопросов больше нет, я тебе...

— Еще один. В Стратфорде есть Милфордская средняя школа?

— Не знаю такой.

— Но я своими глазами...

— С таким названием у нас есть только кладбище — туда ведет Эш Хайтс Роуд, и, насколько мне известно, из стен этой школы еще никто не выходил, — смех у мистера Нелла был сухой и напоминал громыхание костей в гробу.

— Спасибо вам, — сказал Джим. — Всего доброго.

Мистер Нелл положил трубку. Оператор попросил Джима опустить шестьдесят центов, что он и сделал автоматически. Затем он повернулся... и увидел обезображенное, расплющенное о стекло лицо, увидел неестественно белый плоский нос и такие же белые суставы пальцев, заключавших это лицо в подобие рамки.

Это ему улыбался Винни, прижавшись к кабине телефона-автомата.

Джим закричал.

Урок.

Класс писал сочинение. Все потели над своими листками, натужно выдавливая из себя какие-то слова. Все, кроме троих. Роберта Лоусона, сидевшего на месте сбитого машиной Билли Стирнса, Дэвида Гарсиа, занявшего место выброшенной из окна Кэти Славин, и Винни Кори, восседавшего за партой ударившегося в бега Чипа Освея. Не обращая внимания на лежащие перед ними чистые листки, все трое откровенно разглядывали учителя.

Перед самым звонком Джим тихо сказал:

— Вы не задержитесь на минуту после урока, мистер Кори?

— Как скажешь, Норм.

Лоусон и Гарсиа громко заржали, все остальные отмалчивались. Не успел отзвенеть звонок, как ученики побросали сочинения на стол преподавателя, и всех их словно корова языком слизала. Лоусон и Гарсиа задержались в дверях, и у Джима неприятно потянуло низ живота.

*Неужели сейчас*?

Но тут Лоусон бросил Винни:

— Увидимся позже.

— Ладно.

И эта парочка вышла. Лоусон прикрыл дверь, а Дэвид Гарсиа заорал: «Норм жрет птичий корм!» Винни поглядел на дверь, потом на Джима и улыбнулся:

— Я уж думал, вы не решитесь.

— Вот как?

— Что, отец, напугал я вас вчера в телефонной будке?

— Никто уже не говорит «отец». Это давно уже не шик-модерн, Винни. Так же как само словечко «шик-модерн». Весь этот молодежный сленг приказал долго жить. Вместе с Бадди Холли.

— Как хочу, так и говорю, — буркнул Винни.

— А где четвертый? Где рыжий?

— Мы разбежались, дядя, — за нарочитой небрежностью сквозила настороженность, и Джим это сразу уловил.

— Он ведь жив, не так ли? Потому его и нет здесь. Он жив, и сейчас ему года тридцать два — тридцать три. И тебе было бы столько же, если бы...

— Этот зануда? — оборвал его Винни. — Было бы о ком говорить. — Он развалился за учительским столом, изрезанным всевозможными художествами; глаза заблестели. — А я тебя хорошо помню во время очной ставки. Я думал, ты со страху обделаешься, когда ты увидел меня и Дэйви. У меня ведь, дядя, дурной глаз.

— Я не сомневаюсь, — сказал Джим. — Шестнадцать лет ночных кошмаров тебе мало? И почему сегодня? И почему я?

На какой-то миг Винни растерялся, но затем лицо его озарила улыбка:

— Потому что с тобой, дядя, мы тогда не разобрались. Зато сейчас мы тебя сделаем.

— Где вы были? Где вы были все это время?

Винни поджал губы:

— А вот об этом помалкивай, усек?

— Тебе вырыли яму, Винни, ведь так? Три метра под землей. На Милфордском кладбище. Среди других...

— Заткнись!

Винни вскочил на ноги, переворачивая стол.

— Вам со мной будет не просто, — предупредил Джим. — Я постараюсь, чтобы вам со мной было не просто.

— Мы тебя сделаем, отец, чтобы ты сам все узнал про эту яму.

— Убирайся.

— А может, и твою женушку сделаем.

— Только тронь ее, поганец, и я тебя... — Джим слепо пошел на него, испытывая одновременно ужас и свою беспомощность перед этой новой угрозой.

Винни ухмыльнулся и двинулся к выходу.

— Расслабься, папаша, а то пупок развяжется, — хохотнул он.

— Только тронь ее, и я тебя прикончу.

Винни улыбнулся еще шире:

— Прикончишь? Меня? Ты разве не понял, дядя, что я давно мертвый?

Он вышел из класса. Эхо его шагов еще долго звучало в коридоре.

— Что ты читаешь, дорогой?

Джим повернул книгу переплетом к жене, чтобы та могла прочесть название: «Вызывающий демонов».

— Фу, гадость. — Она отвернулась к зеркалу поправить прическу.

— На обратном пути возьмешь такси?

— Зачем? Всего четыре квартала. Прогуляюсь — для фигуры полезнее.

— Одну из моих учениц остановили на Саммер-стрит, — соврал он. — Вероятно, хотели изнасиловать.

— Правда? Кого же это?

— Диану Сноу, — назвал он первое пришедшее на ум имя. — Учти, она не паникерша. Так что ты лучше возьми такси, хорошо?

— Хорошо. — Она присела перед ним, взяла его голову в ладони и заглянула в глаза. — Джим, что происходит?

— Ничего.

— Неправда. Что-то происходит.

— Ничего серьезного.

— Это как-то связано с твоим братом?

На него вдруг повеяло могильным холодком.

— С чего ты взяла?

— Прошлой ночью ты стонал во сне, приговаривая: «Беги, Уэйн, беги».

— Пустяки.

Но он лукавил, и они оба это знали. Салли ушла.

В четверть девятого позвонил мистер Нелл.

— Насчет этих ребят ты можешь быть спокоен, — сказал он. — Все они умерли.

— Да? — Он разговаривал, заложив пальцем только что прочитанное место в книге.

— Разбились на машине. Через полгода после того, как убили твоего брата. Их преследовала патрульная. За рулем, если тебе это интересно, был Фрэнк Саймон. Сейчас он работает у Сикорского. Получает, надо думать, приличные деньги.

— Так они разбились?

— Их машина потеряла управление и на скорости в сто с лишним врезалась в опору линии электропередачи. Пока отключили электроэнергию, они успели хорошо прожариться.

Джим закрыл глаза.

— Вы видели протокол?

— Собственными глазами.

— О машине что-нибудь известно?

— Краденая.

— И все?

— Черный «форд-седан» 1954 года, на боку надпись «Змеиный глаз». Между прочим, не лишено смысла. Представляю, как они там извивались.

— Мистер Нелл, у них еще был четвертый на подхвате. Имени не помню, а кличка Крашеный.

— Так это Чарли Спондер, — тотчас отреагировал Нелл. — Он, помнится, однажды выкрасил волосы клороксом и стал весь бело-полосатый, а когда попытался вернуть прежний цвет, полосы сделались рыжими.

— А чем он занимается сейчас, не знаете?

— Делает карьеру в армии. Записался добровольцем в пятьдесят восьмом или пятьдесят девятом, после того как обрюхатил кого-то из местных барышень.

— И как его найти?

— Его мать живет в Стратфорде, она, я думаю, в курсе.

— Вы дадите мне ее адрес?

— Нет, Джимми, не дам. Не дам, пока ты мне не скажешь, что у тебя на уме.

— Не могу, мистер Нелл. Вы решите, что я псих.

— А если нет?

— Все равно не могу.

— Как знаешь, сынок.

— Тогда, может быть, вы мне...

Отбой.

— Ах ты, сукин сын. — Джим положил трубку на рычаг. Тут же раздался звонок, и он отдернул руку, точно обжегся. Он таращился на телефонный аппарат, тяжело дыша. Три звонка, четыре. Он снял трубку. Послушал. Закрыл глаза.

По дороге в больницу его нагнала полицейская машина и умчалась вперед с воем сирены. В реанимационной сидел врач с щетинкой на верхней губе, похожей на зубную щетку. Врач посмотрел на Джима темными, ничего не выражающими глазами.

— Извините, я Джеймс Норман, я хотел бы...

— Мне очень жаль, мистер Норман, но ваша жена умерла в четыре минуты десятого.

Он был близок к обмороку. В ушах звенело, окружающие предметы казались далекими и расплывчатыми. Взгляд блуждал по сторонам, натыкаясь на выложенные зеленым кафелем стены, каталку, освещенную флуоресцентными лампами, медсестру в смятом чепце. *Пора его крахмалить, барышня.* У выхода из реанимационной, привалясь к стене, стоял санитар в грязном халате, забрызганном спереди кровью. Санитар чистил ногти перочинным ножом. На секунду он прервал это занятие и поднял на Джима насмешливые глаза. Это был Дэвид Гарсиа.

Джим потерял сознание.

Похороны. Словно балет в трех частях: дом — траурный зал — кладбище. Лица, возникающие из ниоткуда и вновь уходящие в никуда. Мать Салли, чья черная вуаль не могла скрыть струящихся по щекам слез. Отец Салли, постаревший, точно обухом ударенный. Симмонс. Другие сослуживцы. Они подходили, представлялись, пожимали ему руку. Он кивал и тут же забывал их имена. Женщины принесли коекакую снедь, а одна дама даже испекла огромный яблочный пирог, от которого кто-то сразу отрезал кусок, и когда Джим вошел в кухню, он увидел, как взрезанный пирог истекает янтарным соком, и подумал: «Она б его еще украсила ванильным мороженым».

Руки-ноги дрожали, так и подмывало размазать пирог по стенке.

Когда гости засобирались, он вдруг увидел себя со стороны, словно в любительском фильме. Увидел, как пожимает всем руки, кивает головой и приговаривает: «Спасибо... Да, постараюсь... Спасибо... Да, ей там будет хорошо... Спасибо...»

Гости ушли, и дом снова оказался в его распоряжении. Он остановился перед камином. Здесь были расставлены безделицы, скопившиеся за их совместную жизнь. Песик с глазками-бусинками, выигранный Салли в лотерею во время их свадебного путешествия на Кони-Айленд. Две папки в кожаном переплете — его и ее университетские дипломы. Пластиковые игральные кости совершенно невероятного размера — Салли подарила их ему, после того как он просадил шестнадцать долларов в покер. Чашка тонкого фарфора, приобретенная женой на дешевой распродаже в Кливленде. И в самой середине — свадебная фотография. Он перевернул ее лицом вниз и уселся перед выключенным телевизором. В голове у него начал созревать план.

Зазвонивший через час телефон вывел его из дремы. Он потянулся за трубкой.

— Следующий ты, Норм.

— Винни?

— Мы ее шлепнули, как глиняную мишень в тире. Щелк — дзинь.

— Я буду ночью в школе, ты меня понял? Комната 33. Свет включать не стану. Темно будет, как тогда в тоннеле. И с поездом я постараюсь что-нибудь придумать.

— Что, дядя, не терпится поскорее закруглиться?

— Да, — сказал Джим. — Так что приходите.

— Может быть.

— Придете, — сказал Джим и повесил трубку.

Когда он подъехал к школе, уже почти стемнело. Он поставил машину на привычное место, отпер своим личным ключом заднюю дверь и поднялся в офис английского отделения на втором этаже. В офисе он открыл шкаф с пластинками и, перебрав около половины, нашел нужную: «Звуковые эффскты». Па третьей дорожке стороны А была запись под названием «Товарный поезд 3:04». Он положил пластинку на крышку переносного проигрывателя и достал из кармана плаща захваченную из дома книгу. Нашел отмеченное место, перечитал, покивал головой. Выключил свет.

Комната 33

Он установил динамики на максимальном удалении друг от друга и завел пластинку. Внезапно все пространство заполнили пыхтящие и лязгающие звуки локомотива.

Закрыв глаза, он без труда перенесся мысленно в тоннель, где перед ним, стоящим на коленях, разворачивалась жестокая драма с неотвратимым финалом.

Он открыл глаза, снял пластинку, поколебавшись, снова поставил. Нашел в книге главу «Как вызвать злых духов?». Читал, шевеля губами, прерываясь лишь затем, чтобы достать из кармана и выложить на стол различные предметы.

Старая с заломами кодаковская фотография, запечатлевшая их с братом на лужайке перед многоквартирным домом на Брод-стрит, где они тогда жили. Оба стрижены под ежик, оба смущенно улыбаются в фотообъектив... Баночка с кровью. Ему пришлось изловить бродячую кошку и перерезать ей горло перочинным ножом... А вот и нож... И наконец, впитавшая пот полоска материи, споротая с бейсбольной кепки участника розыгрыша Детской лиги. Кепка его брата Уэйна. Джим сохранял ее в тайной надежде, что Салли родит ему сына и тот однажды наденет кепочку своего дяди.

Он подошел к окну. На стоянке для машин ни души.

Он начал сдвигать парты к стене, освобождая посреди комнаты пространство в виде круга. Затем вытащил из ящика своего стола мелок и с помощью измерительной линейки начертал на полу пентаграмму по образцу той, что была приведена в книге.

Он перевел дыхание, выключил свет, сложил все предметы в одну руку и начал творить молитву:

— Князь Тьмы, услышь мою грешную душу. Я тот, кто обещает жертву. Я прошу твоей черной награды за свою жертву. Я тот, чья левая рука жаждет мести. Вот кровь как залог будущей жертвы.

Он отвинтил крышку с баночки из-под арахисового масла и плеснул кровью в середину пентаграммы.

В погруженном в темноту классе что-то произошло. Это трудно было объяснить, но воздух сделался каким-то спертым. Стало труднее дышать, в горле и в животе словно застряли обломки железа. Глубокое безмолвие наливалось чем-то незримым.

Он действовал так, как предписывал старинный ритуал.

Возникло ощущение, как на гигантской электростанции, куда он водил своих учеников, — будто воздух наэлектризован и вибрирует. Вдруг голос, неожиданно низкий и неприятный, обратился к нему:

— Что ты просишь?

Он и сам не знал, действительно ли он услышал этот голос или ему показалось, что слышит. Он коротко ответил.

— Невелика награда, — был ему ответ. — Твоя жертва?

Джим произнес два слова.

— Оба, — прошептал голос. — Правый и левый. Согласен?

— Да.

— Тогда отдай мне мое.

Он открыл складной нож, положил на стол правую пятерню и четырьмя короткими ударами отхватил себе указательный палец. Классный журнал залила кровь. Боли не было. Он переложил нож в другую руку. С левым пальцем пришлось повозиться. Наконец оба обрубка полетели в середину пентаграммы. Полыхнул огонь — такую вспышку давал магний у фотографов начала века. «И никакого дыма, — отметил он про себя. — Никакого запаха серы».

— Что ты с собой принес?

— Фотокарточку. Полоску материи, пропитанную потом.

— Пот — это хорошо. — В голосе прозвучала алчность, от которой у Джима пробежали мурашки по коже. — Давай их сюда.

Джим швырнул туда же оба предмета. Новая вспышка.

— Это то, что нужно, — сказал голос.

— Если они придут, — уточнил Джим.

Отклика не последовало. Голос безмолвствовал... если он вообще не пригрезился. Джим склонился над пентаграммой. Фотокарточка почернела и обуглилась. Полоска материи исчезла.

С улицы донесся нарастающий рев. Рокерский мотоцикл с глушителем свернул на Дэвис-стрит и стал быстро приближаться. Джим вслушивался: проедет мимо или затормозит?

Затормозил.

На лестнице послышались гулкие шаги.

Визгливый смех Роберта Лоусона, чье-то шиканье и снова визгливый смех. Шаги приближались, теряя свою гулкость, и вот с треском распахнулась стеклянная дверь на второй этаж.

— Йо-хо-хо, Норми! — закричал фальцетом Дэвид Гарсиа.

— Норми, ты тут? — театральным шепотом спросил Лоусон и снова взвизгнул. — Пупсик, ку-ку!

Винни отмалчивался, но на стене холла отчетливо вырисовывались три тени. Винни, самый высокий, держал в руке вытянутый предмет. После легкого щелчка предмет еще больше вытянулся.

Они остановились в дверном проеме. Каждый был вооружен ножом.

— Вот мы и пришли, дядя, — тихо сказал Винни. — Вот мы и пришли по твою душу.

Джим запустил пластинку.

— А! — Гарсиа подскочил от неожиданности. — Что такое?

Товарный поезд, казалось, вот-вот ворвется в класс. Стены сотрясались от грохота. Казалось, звуки вырываются не из динамиков, а из холла.

— Что-то мне это не нравится, — сказал Лоусон.

— Поздно, — сказал Винни и, шагнув вперед, помахал пером перед собой. — Гони монету, отец.

*...уйдем...*

Гарсиа попятился:

— За каким чертом...

Но Винни был настроен решительно, и если глаза его что-то выражали, то только мстительную радость. Он сделал знак своим дружкам рассредоточиться.

— Ну что, шкет, сколько у тебя там в кармане? — вдруг спросил Гарсиа.

— Четыре цента, — ответил Джим. Это была правда — он извлек их из копилки, стоявшей дома в спальне. Монетки были отчеканены не позднее пятьдесят шестого года.

— Врешь, щенок.

*...не трогайте его...*

Лоусон глянул через плечо, и глаза у него округлились: стены комнаты расползались, как туман. Товарняк оглушительно взвыл. Уличный фонарь на стоянке машин зажегся красным светом, таким же ярким, как мигающая реклама на здании «Барретс компани».

Из пентаграммы выступила фигурка... мальчик лет двенадцати, стриженный под ежик.

Гарсиа рванулся вперед и заехал Джиму в зубы. В лицо тому шибануло чесноком и итальянскими макаронами. Удара Джим не почувствовал, все воспринималось им как в замедленной съемке.

Внезапная тяжесть в области паха заставила его опустить взгляд: по штанам расползалось темное пятно.

— Гляди, Винни, обмочился! — крикнул Лоусон. Тон был верный, но лицо выражало ужас — лицо ожившей марионетки, вдруг осознавшей, что ее по-прежнему дергают за ниточки.

— Не трогайте его, — сказал «Уэйн», но голос был не Уэйна — этот холодный алчный голос уже ранее доносился из пентаграммы. — Беги, Джимми! Беги, беги, беги!

Он упал на колени, и чья-то пятерня успела скользнуть по его спине в поисках добычи.

Он поднял глаза и увидел искаженную ненавистью физиономию Винни, который всаживает нож под сердце своей жертве... и в тот же миг чернеет, обугливается, превращается в чудовищную пародию на самого себя.

Через мгновение от него не осталось и следа.

Гарсиа и Лоусон тоже нанесли по удару — и тоже в корчах, почернев, бесследно исчезли.

Он лежал на полу, задыхаясь. Громыхание товарняка сходило на нет.

На него сверху вниз смотрел старший брат.

— Уэйн? — выдохнул Джим почти беззвучно.

Черты «брата» растекались, таяли. Глаза желтели. Злобная ухмылка искривила рот.

— Я еще вернусь, Джим, — словно холодом обдал голос.

Видение исчезло.

Джим медленно поднялся, изуродованной рукой выключил проигрыватель. Потрогал распухшую губу — она кровоточила. Он включил свет и убедился, что комната пуста. Он выглянул из окна: на автостоянке тоже было пусто, если не считать металлической накладки, на блестящей поверхности которой отраженная луна точно передразнивала настоящую. Пахло затхлостью и сыростью — как в склепе. Он стер пентаграмму и принялся расставлять по местам парты. Адски ныли пальцы... бывшие пальцы. Надо будет обратиться к врачу. Он прикрыл за собой дверь и начал спускаться по лестнице, прижимая к груди израненные руки. На середине лестницы что-то — то ли тень, то ли шестое чувство — заставило его резко обернуться.

Некто неразличимый отпрянул в темноту.

Вспомнилось предостережение в книге «Вызывающий демонов» о подстерегающей опасности. Да, при известной удаче можно вызвать демонов. Можно заставить их выполнить какое-то поручение. Если повезет, можно даже благополучно от них избавиться.

Но иногда они возвращаются.

Джим спускался по лестнице и задавал себе один вопрос: что, если этот кошмар повторится?

# КУКУРУЗНЫЕ ДЕТИ*

Бёрт нарочно включил радио погромче: назревала очередная ссора, и он надеялся таким образом ее избежать. Очень надеялся.

Вики что-то сказала.

— Что? — прокричал он.

— Можно сделать тише? Ты хочешь, чтобы у меня лопнули барабанные перепонки?

У него уже готов был вырваться достойный ответ, но он вовремя прикусил язык. И сделал тише.

Вики обмахивалась шейным платком, хотя в машине работал кондиционер.

— Где хоть мы находимся?

— В Небраске.

Она смерила его холодным, словно бы ничего не выражающим взглядом.

— Спасибо. Я знаю, что мы в Небраске. Нельзя ли поточнее?

— У тебя на коленях дорожный атлас, можешь посмотреть. Ты ведь умеешь читать?

— Ах, как остроумно. Вот, оказывается, почему мы свернули с автострады. Чтобы на протяжении трехсот миль разглядывать кукуруз-

* Children of the Corn. © 1998. С. Таск. Перевод с английского.

ные початки. И наслаждаться остроумием Бёрта Робсона.

Он стиснул руль так, что побелели костяшки пальцев. Еще чуть-чуть, и он бы съездил по физиономии бывшей королеве студенческого бала. Мы спасаем наш брак, подумал он про себя, как спасали свиньи вьетконговские деревни.

— Вики, я проехал по шоссе пятнадцать тысяч миль. От самого Бостона. — Он тщательно подбирал слова. — Ты отказалась вести машину. Хорошо, я сел за руль. Тогда...

— Я не отказывалась! — запальчиво воскликнула Вики. — Я не виновата, что у меня начинается мигрень, стоит мне только...

— Тогда, — продолжал он с той же размеренностью, — я спросил тебя: «А по менее оживленным дорогам ты могла бы вести машину?» Ты мне ответила: «Нет проблем». Твои слова: «Нет проблем». Тогда...

— Знаешь, я иногда спрашиваю: как меня угораздило выйти за тебя замуж?

— Ты задала мне вопрос из двух коротких слов.

Она смерила его взглядом, кусая губы. Затем взяла в руки дорожный атлас и принялась яростно листать страницы.

Дернул же меня черт свернуть с шоссе, подумал Бёрт мрачнея. Вот уж некстати. До этой минуты они оба вели себя весьма пристойно, ни разу не поцапались. Ему уже начинало казаться, что из этой их поездки на побережье выйдет толк: поездка была затеяна как бы с целью увидеть семью Викиного брата, а на самом деле чтобы попытаться склеить осколки их собственной семьи.

Стоило ему, однако, свернуть с шоссе, как между ними снова выросла стена отчуждения. Глухая, непробиваемая стена.

— Ты повернул после Гамбурга, так?

— Так.

— Теперь до Гатлина ни одного населенного пункта, — объявила она. — Двадцать миль — ничего, кроме асфальта. Может, хотя бы в Гатлине перекусим? Или ты все так замечательно спланировал, что у нас, как вчера, до двух часов не будет во рту маковой росинки?

Он оторвал взгляд от дороги, чтобы посмотреть ей в глаза.

— Ну вот что, Вики, с меня хватит. Давай повернем назад. Ты, кажется, хотела переговорить со своим адвокатом. По-моему, самое время это...

— Бёрт, осторожно!.. — Глаза ее вдруг расширились от испуга, хотя секунду назад она сидела с каменным лицом, глядя прямо перед собой.

Он перевел взгляд на дорогу и только успел увидеть, как что-то исчезло под бампером его «Т-бёрда». Он резко сбавил скорость с тошнотворным чувством, что проехался по... тут его бросило на руль, и машина, оставляя следы протекторов на асфальте, остановилась посреди дороги.

— Собака? Ну скажи мне, что это была собака.

— Парень. — Вики была белая, как крестьянский сыр. — Молодой парень. Он вышел из зарослей кукурузы, и ты его... поздравляю.

Она распахнула дверцу, и ее стошнило.

Бёрт сидел прямо, продолжая сжимать руль. Он не чувствовал ничего, кроме тяжелого, дурманящего запаха навоза.

Он сразу заметил, что Вики исчезла. В зеркальце заднего обзора он увидел ее склонившейся в неловкой позе над тем, что из машины казалось кучей тряпья.

*Я убил человека. Так это квалифицируется. Оторвал взгляд от дороги, и вот результат.*

Он выключил зажигание и вылез из машины. По высокой, в человеческий рост кукурузе пробегал ветер — точно чьи-то огромные легкие выдыхали воздух. Вики плакала, склонившись над телом.

Он успел пройти несколько метров, когда слева, среди зеленой массы кукурузных стеблей и листьев, мелькнул ярко-алый мазок, как будто из ведра выплеснулась краска.

Он остановился и стал вглядываться. Вглядываться и рассуждать (сейчас все средства были хороши, только бы отвлечься от груды тряпья, которая при ближайшем рассмотрении окажется кое-чем пострашнее), что сезон для кукурузы выдался на редкость удачным. Стебли росли один к одному, початки уже наливались спелостью. Человек, нырнувший в полумрак зарослей, мог проплутать по этим однообразно-правильным, уходящим в никуда рядам целый Божий день, прежде чем выбраться наружу. В одном месте идеальный порядок был нарушен: несколько сломанных стеблей упало, а за ними... что там чернеет, хотел бы он знать?

— Бёрт! — срывающимся голосом кричала Вики. — Может, ты все-таки подойдешь посмотришь? Чтобы потом за покером рассказать своим друзьям, кого ты так ловко сшиб в Небраске?! Может, ты... — Остальное утонуло в потоке рыданий. Викина четкая тень казалась лужицей, в которой она стояла. Был полдень.

Он нырнул в заросли. То, что он принял издали за краску, оказалось кровью. С сонным низким гудением садились на растения мухи, снимая пробу, и улетали — оповестить других, не иначе. Обнаружилась свежая кровь и на кукурузных листьях. Не могли же брызги в самом деле отлететь так далеко? Он нагнулся и поднял с земли предмет, еще с дороги обративший на себя его внимание.

Кто-то недавно здесь продирался: земля примята, стебли сломаны. И всюду кровь. Он зябко повел плечами и выбрался на дорогу.

У Вики началась истерика — с рыданиями, смехом, нечленораздельными выкриками в его адрес. Кто бы мог подумать, что все кончится так мелодраматично? Он уже давно привык к мысли, что его жена не та, за кого он ее принимал. Он ее ненавидел. Он подошел и ударил ее по лицу наотмашь.

Она сразу смолкла и закрыла рукой красный оттиск его ладони.

— Сидеть тебе, Бёрт, за решеткой, — сказала она с пафосом.

— Не думаю. — С этими словами он поставил к ее ногам чемоданчик, который нашел в зарослях.

— Чей?..

— Не знаю. Его, наверное. — Он показал на тело, лежавшее в пыли ничком. Парень лет семнадцати.

Чемоданчик старого образца, кожаный, сильно потертый, обмотан бельевой веревкой, концы завязаны морским узлом. Вики хотела было развязать его, но при виде крови отшатнулась.

Бёрт нагнулся и бережно перевернул тело.

— Не хочу этого видеть, — пробормотала Вики и тут же встретилась взглядом с незрячими глазами убитого. Но не глаза заставили ее вскрикнуть, и даже не лицо, выпачканное в грязи и искаженное гримасой ужаса: у парня было перерезано горло.

Бёрт вовремя успел подхватить ее.

— Только без обмороков, — сказал он успокаивающим тоном. — Ты меня слышишь, Вики? Пожалуйста, без обмороков.

Он повторил это несколько раз. В конце концов она овладела собой и прижалась к нему всем телом. Со стороны могло показаться, что двое танцуют на залитой солнцем дороге, а под ногами у них валяется убитый.

— Вики?

— Да? — отозвалась она, уткнувшись ему в рубашку.

— Сходи в машину за ключами. Захвати с заднего сиденья одеяло и ружье.

— Ружье? Зачем?

— Мальчику перерезали горло. Тот, кто это сделал, может сейчас наблюдать за нами.

Она рывком подняла голову и расширенными от испуга глазами обвела ряды кукурузы, уходившие волнами до самого горизонта.

— Скорее всего человек этот уже скрылся, но береженого Бог бережет. Иди же.

Она направилась, пошатываясь, к машине — и тень за ней, как талисман. Когда голова ее исчезла в салоне «Т-бёрда», он присел на корточки возле трупа. Никаких особых примет. Жертва дорожной катастрофы, да, но не «Т-бёрд» перерезала ему горло. Сделано грубо, неумело — убийца явно не советовался с сержантом-фронтовиком о более «культурных» способах расправы со своей жертвой, но исход тем не менее оказался летальным. Последние тридцать футов парень либо прошел сам, либо его, смертельно раненного или уже мертвого, протащили волоком. Чтобы напоследок по нему проехался он, Бёрт Робсон. Если в момент наезда мальчишка еще дышал, жить ему в любом случае оставалось считанные секунды.

Он почувствовал чью-то руку на плече и вскочил как от удара током.

Это была Вики — в левой руке армейское суконное одеяло, в правой — зачехленный дробовик. Она старательно отводила взгляд. Он расстелил одеяло прямо на дороге и перенес на него труп. У Вики вырвался тихий стон.

— Вики? — Он встревоженно поднял голову. — Ты как, в норме?

— В норме, — с трудом выдавила она из себя.

Завернув тело в одеяло, он кое-как поднял его за края, втайне проклиная эту тяжелую страшную ношу. Тело попыталось выскользнуть сбоку, пришлось усилить хватку. Следом за Вики он медленно направился к машине.

— Открой багажник, — сказал он задышливо.

Багажник был забит чемоданами, подарками и еще всякой всячиной, необходимой в дороге. Вики перенесла что можно на заднее сиденье, и Бёрт, опустив тело, захлопнул крышку. Только теперь он вздохнул с облегчением.

Вики стояла возле дверцы со стороны водителя, не зная, что делать с дробовиком.

— Положи его обратно и садись.

Он глянул на часы — прошло всего пятнадцать минут, а казалось — вечность.

— А чемодан? — спросила она.

Он подбежал трусцой к месту, где старенький чемоданчик стоял на разделительной полосе — как нарисованный. Он взялся за обтрепанную ручку и на миг застыл, кожей почувствовал на себе чей-то взгляд. Ему приходилось читать о чем-то таком в развлекательных романах, и всегда он скептически относился к подобного рода описаниям. Может, напрасно? Ему вдруг показалось, что в зарослях прячутся люди, много людей, и они сейчас прикидывают, успеет ли эта женщина расчехлить ружье и открыть огонь раньше, чем они схватят его, Бёрта, — схватят, утащат в темные заросли, перережут горло...

С колотящимся сердцем он побежал к машине, выдернул ключ из замка багажника, быстро забрался на переднее сиденье.

Вики плакала. Бёрт выжал сцепление, и через минуту злополучное место скрылось из виду.

— Какой, ты сказала, ближайший населенный пункт? — спросил он.

— Сейчас. — Она склонилась над атласом. — Гатлин. Мы будем там минут через десять.

— Большой? Полицейский участок там, интересно, будет?

— Небольшой. Просто точка на карте.

— Хотя бы констебль.

Какое-то время они ехали молча. Слева мелькнула силосная башня. А так — сплошная кукуруза. Хоть бы один фермерский грузовичок.

— Послушай, нам кто-нибудь попался навстречу, после того как мы свернули с автострады?

Вики подумала.

— Одна легковушка и трактор. На развязке, помнишь?

— Нет, а позже? Когда мы выехали на семнадцатое шоссе?

— Никто.

Полчаса назад он бы воспринял это как резкую отповедь, но в данном случае это была всего лишь констатация факта. Вики смотрела сквозь полуопущенное окно на однообразно уплывающую прерывистую дорожную разметку.

— Вики? Ты не откроешь этот чемодан?

— Ты думаешь...

— Не знаю. Все может быть.

Пока Вики возилась с узлами (губы поджаты, лицо отрешенное — такой он запомнил свою мать, когда она по воскресеньям потрошила цыпленка), он включил приемничек.

Волна поп-музыки, которую они слушали раньше, почти совсем ушла. Бёрт покрутил ручку. Фермерские сводки. Бак Оуэнс и Тэмми Уайнетт. Голоса сливались в почти неразличимый фон. Вдруг из динамиков вырвалось одно-единственное слово, да так громко и отчетливо, словно говоривший сидел в самом приемнике.

— ИСКУПЛЕНИЕ! — взвывал чей-то голос.

Бёрт удивленно хмыкнул. Вики подскочила.

— ТОЛЬКО КРОВЬ АГНЦА СПАСЕТ НАС! — гремел голос.

Бёрт поспешно приглушил звук. Станция, видимо, совсем рядом, настолько близко, что... да вот же она: из зарослей торчала радиобашня — красная насекомообразная тренога.

— Искупление — вот путь к спасению, братья и сестры. — Голос стал более доверительным. В отдалении хором прозвучало «аминь». — Некоторые полагают, что можно ходить путями земными и не запятнать себя мирскими грехами. Но разве этому учит нас слово Божье?

В ответ дружное:

— Нет!

— ГОСПОДЬ ВСЕМОГУЩ! — снова возвысил голос проповедник, а дальше слова падали ритмично, мощно, как на концерте рок-н-ролла: — Поймут ли они, что на этих путях — смерть? Поймут ли они, что за все придется платить? Кто ответит? Не слышу? Господь сказал, что в Его доме много комнат, но нет в нем комнаты для прелюбодея. И для алчущего. И для осквернителя кукурузы. И для мужеложа. И для...

Вики вырубила радио.

— Меня тошнит от этой галиматьи.

— О чем это он? — спросил Бёрт. — Какая кукуруза?

— Я не обратила внимания, — отозвалась она, возясь уже со вторым узлом.

— Он сказал что-то про кукурузу. Я не ослышался.

— Есть! — Вики откинула крышку чемодана, лежавшего у нее на коленях. Они проехали знак: ГАТЛИН. 5 МИЛЬ. ОСТОРОЖНО — ДЕТИ. Знак был изрешечен пулями от пистолета 22-го калибра.

— Носки, — начала перечислять Вики. — Две пары брюк... рубашка... ремень... галстук с заколкой... — Она показала ему миниатюрный портрет с облупившейся золотой эмалью. — Кто это?

Бёрт кинул беглый взгляд.

— Кажется, Хопалонг Кэссиди.

— А-а. — Она положила заколку и снова заплакала.

Бёрт подождал немного, а затем спросил:

— Тебя ничего не удивило в этой радиопроповеди?

— А что меня должно было удивить? Я в детстве наслушалась этих проповедей на всю оставшуюся жизнь. Я тебе рассказывала.

— Голос у него очень уж молодой, да? У проповедника.

Она презрительно фыркнула.

— Подросток, ну и что? Это-то и есть самое отвратительное. Из них начинают лепить что хотят, пока они податливы как глина. Знают, чем их взять. Видел бы ты эти походные алтари, к которым меня таскали родители... думаешь, почему я «спаслась»? Я многих даже запомнила. Малышка Гортензия с ангельским голоском. Восемь лет. Выходила вперед и начинала: «Рука Предвечного поддержит...», а ее папаша пускал тарелку по кругу, приговаривая: «Не скупитесь, не дайте пропасть невинному дитяти». А еще был Норман Стонтон. Этот пугал огнем и серой — такой маленький лорд Фаунтлерой в костюмчике с короткими штанишками. Да-да, — покивала она, встретив его недоверчивый взгляд, — и если бы только эти двое... Сколько таких колесило по нашим дорогам! Хорошая была примета, — словно выплюнула она в сердцах. — Руби Стемпнелл, десятилетняя врачевательница словом Божьим. Сестрички Грэйс — у этих над макушками сияли нимбы из фольги. *О Господи!*

— Что такое? — Он скосил глаза направо.

Вики подняла какой-то предмет и напряженно его разглядывала. Бёрт прижался к обочине, чтобы получше рассмотреть. Вики молча передала ему предмет.

Это было распятие, сделанное из скрученных листьев кукурузы, зеленых, но уже высохших. Рукоятью служил короткий стержень молодого початка, соединенного с листьями при помощи волоконцев коричневой метелки. Большинство зерен было аккуратно удалено, вероятно, перочинным ножом. Из оставленных получился грубоватый желтый барельеф распятой человеческой фигуры. На зернышках, изображавших глаза, — надрезы... нечто вроде зрачков. Над фигурой четыре буквы: И.Н.Ц.И.

— Потрясающая работа, — сказал он.

— Какая мерзость, — сказала она глухо. — Выброси его в окно.

— Этой штукой может заинтересоваться полиция.

— С какой стати?

— Пока не знаю, но...

— Выброси, я тебя прошу. Только этого нам здесь не хватало.

— Пускай полежит сзади. Отдадим первому же полицейскому, я тебе обещаю. Идет?

— Давай, давай! — взорвалась она. — Ты же все равно поступишь по-своему!

Он поежился и зашвырнул распятие на заднее сиденье, где оно упало поверх груды вещей. Глаза-зернышки уставились на подсветку. Машина снова рванулась вперед, из-под колес полетела мелкая галька.

— Сдадим тело и содержимое чемодана в местную полицию, и мы чисты, — примирительно сказал он.

Вики не отвечала, делая вид, что разглядывает свои руки.

Они проехали милю, и необозримые поля кукурузы отступили от дороги, освободив место домам и хозяйственным постройкам. В одном из дворов неухоженные цыплята ковырялись в земле как одержимые. Над сараями проплыли поблекшие вывески кока-колы и жевательного табака. Мелькнул рекламный щит с надписью: НАШЕ СПАСЕНИЕ В ИИСУСЕ. Проехали кафе с бензоколонкой и стоянкой для машин. Бёрт решил, что они остановятся на главной площади, если таковая имеется, а нет — вернутся в это кафе. Он не сразу отметил про себя, что на стоянке совсем не было машин, если не считать грязного старенького пикапа со спущенными шинами.

Ни с того ни с сего Вики пронзительно захихикала, и у Бёрта мелькнула мысль: уж не истерика ли это?

— Что тут смешного?

— Указатели. — Она снова зашлась. — Ты что, не видел? В атласе этот отрезок дороги называется Библейский Свиток. Они не шутят. Вот, опять!.. — Она успела подавить новый приступ нервного смеха, прикрыв рот ладонями.

Указатели висели на длинных беленых шестах, врытых вдоль обочины через каждые двадцать пять метров; очередной указатель добавлял по слову к предыдущему. Бёрт прочел:

ОБЛАКО... ДНЕМ... СТОЛБ... ОГНЯ... НОЧЬЮ.

— Одного не хватает, — прыснула Вики, не в силах больше сдерживаться.

— Чего же? — нахмурился Бёрт.

— Уточнения: реклама интимного лосьона после бритья. — Она зажимала рот кулаком, но смешки просачивались между пальцами.

— Вики, ты как, в порядке?

— Да, я буду в полном порядке, когда мы окажемся за тысячу миль отсюда, в солнечной грешной Калифорнии, отделенные от Небраски Скалистыми горами.

Промелькнула новая цепочка знаков, которую они оба прочли молча.

ВОЗЬМИ... ЭТО... И... ЕШЬ... СКАЗАЛ... ГОСПОДЬ.

«Странно, — подумал Бёрт, — что я сразу связал *это* с кукурузой». Сама формула, кажется, произносится священником во время причастия? Он так давно не был в церкви, что засомневался. Он бы не удивился, узнав, что в здешних местах кукурузные лепешки предлагались в качестве облаток. Он уже собирался сказать об этом Вики, но передумал.

Небольшой подъем, и сверху их взорам открылся Гатлин — три сонных квартала из какого-нибудь старого фильма о Великой депрессии.

— Здесь должен быть констебль, — сказал Бёрт, втайне недоумевая, отчего при виде этого захолустного, разморенного солнцем городишка у него перехватило горло от недобрых предчувствий.

Дорожный знак предупреждал их, что следует сбавить скорость до тридцати. Ржавая табличка возвещала: ВО ВСЕЙ НЕБРАСКЕ ВЫ НЕ НАЙДЕТЕ ТАКОГО ГОРОДКА, КАК ГАТЛИН... И НЕ ТОЛЬКО В НЕБРАСКЕ! НАСЕЛЕНИЕ 5431.

По обеим сторонам дороги потянулись пыльные вязы, многие высохшие. Миновали дровяной склад и заправочную станцию с семьдесят шестым бензином: ОБЫЧН. за 35,9, ОЧИЩ. за 38,9. И еще: ВОДИТЕЛИ ГРУЗОВИКОВ, ДИЗЕЛЬНОЕ ТОПЛИВО С ДРУГОЙ СТОРОНЫ.

Они пересекли Аллею вязов, затем Березовую аллею и очутились на городской площади. Дома здесь были деревянные, крылечки с навесами —

чопорные, без затей. Лужайки неухоженные. Откуда-то вылезла дворняга и, посмотрев в их сторону, разлеглась посреди улицы.

— Остановись, — потребовала Вики. — Остановись, слышишь!

Бёрт послушно прижался к тротуару.

— Повернем назад. Мальчика можно отвезти на Гранд-Айленд. Не так уж далеко. Поехали!

— Вики, что случилось?

— Ты меня спрашиваешь, что случилось? — Голос ее зазвенел. — В этом городке нет ни души, только ты да я. Неужели ты еще не почувствовал?

Да, что-то такое он почувствовал, но, с другой стороны...

— Это так кажется, — возразил он. — Хотя, прямо скажем, жизнь здесь не бьет ключом. Может, все на распродаже кондитерских изделий или сидят по своим норкам, играют в бинго...

— Нет, нет здесь никаких людей! — В голосе появился надрыв. — Ты заправочную видел?

— Возле дровяного склада? И что? — Он думал о своем, слушая цикад в кроне вяза. В ноздри били запахи кукурузы, шиповника и, само собой, навоза. Ему бы радоваться — какой-никакой, а городок, — но что-то его смущало, притом что все как будто укладывалось в привычные рамки. Наверняка где-нибудь поблизости найдется магазинчик, где торгуют содовой, и скромный кинотеатр под названием «Рубин», и школа имени Джона Фицджеральда Кеннеди.

— Бёрт, там были указаны цены: 35,9 доллара — обычный бензин, 38,9 доллара — очищенный. Ты вспомни, когда последний раз платил по таким ценам?

— Года четыре назад, если не больше, — признался он. — Но...

— Мы в центре города — и хоть бы одна машина! Хоть бы одна!

— Отсюда до Гранд-Айленда семьдесят миль. С какой стати я буду делать такой крюк...

— Сделаешь.

— Послушай, сейчас найдем здание суда и...

— Нет!

Ну все, пошло-поехало. Вот вам короткий ответ, почему наш брак разваливается: «Нет. Ни за что. Костьми лягу, но будет по моему».

— Вики...

— Не хочу я здесь находиться ни одной минуты.

— Вики, послушай...

— Разворачивайся, и поехали.

— Вики, ты можешь помолчать?

— На обратном пути. А сейчас разворачивайся, и поехали.

— У нас в багажнике лежит труп! — зарычал он. Она даже подскочила, и это доставило ему удовольствие. Он продолжал уже более спокойным тоном: — Мальчику перерезали горло и вытолкнули его на дорогу, а я его переехал. Надо заявить в суд... куда угодно. Тебе не терпится вернуться на шоссе? Иди пешком, я тебя потом подберу. Только не гони меня за семьдесят миль с таким видом, будто у нас в багажнике валяется мешок с мусором. Надо заявить раньше, чем убийца успеет перевалить через эти холмы.

— Скотина. — Она опять заплакала. — Зачем я только с тобой поехала?

— Не знаю, — сказал он. — Я знаю одно: еще можно все поправить.

Машина тронулась с места. Пес на секунду поднял голову и снова положил ее на лапы.

До площади оставался один квартал. Перед сквером, в центре которого возвышалась эстрада, главная улица разделилась на два рукава. Затем они вновь соединились, и Бёрт сразу увидел здания, принадлежавшие городским властям. Он прочел: МУНИЦИПАЛЬНЫЙ ЦЕНТР.

— Вот то, что нам нужно, — сказал он вслух.

Вики хранила молчание.

Он остановил машину возле гриль-бара.

— Ты куда? — встревоженно спросила она, стоило ему открыть дверцу.

— Узнаю, где все. Видишь, табличка: «Открыто».

— Я здесь одна не останусь.

— А кто тебе мешает идти со мной?

Она выбралась из машины. Он разглядел ее лицо землистого цвета и вдруг почувствовал к ней жалость. Жалость, которая не нужна ни ему, ни ей.

— Ты не слышишь, да? — спросила Вики, когда они поравнялись.

— Чего я не слышу? — не понял он.

— Пустоты... Ни машин. Ни людей. Ни тракторов. Пустота.

И тут же где-то неподалеку прокатился заливистый детский смех.

— Я слышу, что там дети, — сказал он. — А ты нет?

Она нахмурилась.

Он открыл дверь в бар и сразу почувствовал себя в сухой парилке. Пол покрыт слоем пыли. Глянец на хромированных поверхностях разных агрегатов потускнел. Не крутились деревянные лопасти вентиляторов под потолком.

Пустые столики. Пустые табуреты за стойкой. Обращало на себя внимание разбитое зеркало и... в первую секунду он не понял, в чем дело. Все пивные краны были сорваны и разложены на стойке наподобие странных сувениров для гостей.

В голосе Вики зазвучали нотки наигранной веселости, легко переходящей в истерику:

— Ну что же ты, узнавай. «Извините, сэр, вы не скажете, где...»

— Помолчи, — бросил он вяло, без прежней уверенности.

Свет здесь казался каким-то пыльным, пробиваясь сквозь огромные, давно не мытые окна. И снова у него возникло ощущение, что за ним наблюдают, и он вспомнил про труп в машине и пронзительный детский смех. В голове закрутилось: скрытый от постороннего взора... скрытый от постороннего взора...

Он скользнул взглядом по пожелтевшим ценникам на стойке: чизбургер 35 ц., пирог из ревеня 25 ц., наше фирменное блюдо мясо в горшочке 80 ц.

«Интересно, когда я последний раз видел в баре такие цены?» — подумал он.

Вики словно услышала его мысли:

— Ты посмотри! — Она показывала на настенный календарь. И с хриплым смешком добавила: — Это все было приготовлено двенадцать лет назад, приятного аппетита!

Он приблизился к календарю. На картинке были изображены два мальчика, купающихся в пруду, и смышленая собачонка, уносящая в зубах их одежду. Под картинкой надпись: ВЫ ЛОМАЕТЕ СТАРУЮ МЕБЕЛЬ, А МЫ ЕЕ ЧИНИМ. НЕ УПУСТИТЕ СВОЕГО ШАНСА. И месяц: август 1964-го.

— Ничего не понимаю, — голос у него дрогнул, — но в одном я уверен: если мы...

— Уверен! — вскинулась Вики. — Он уверен! Вот оно, твое слабое место, Бёрт. Ты всю жизнь уверен!

Он вышел из бара, и она за ним.

— А сейчас ты куда?

— В муниципальный центр.

— Бёрт, ну почему ты такой упрямый! Видишь же, тут что-то не то, так неужели трудно признать это?

— Я не упрямый. Просто я хочу поскорее избавиться от того, что лежит в багажнике.

На улице его как-то по-новому озадачили полнейшая тишина и запахи удобрений. Когда можно сорвать молодой початок, намазать его маслом, круто посолить и запустить в него крепкие зубы, кто обращает внимание на запахи? Солнце, дождь, унавоженная земля — все воспринимается как бесплатное приложение. Он вырос в сельской местности, на севере штата Нью-Йорк, и еще не забыл душистый запах свежего навоза. Да, конечно, бывают запахи поизысканнее, но когда ранней весной, под вечер, с недавно вспаханной земли принесет ветром знакомые ароматы, столько, бывало, всего нахлынет. Со всей отчетливостью вдруг поймешь, что зима отошла безвозвратно, что еще месяц-другой, и с грохотом захлопнутся двери школы, и дети, как горошины из стручка, выскочат навстречу лету. В его памяти этот запах был неотторжим от других, вполне изысканных: тимофеевки, клевера, штокрозы, кизила.

Чем они тут удобряют землю, подумал он. Странный запах. Сладкий до тошноты. Так пахнет смерть. Как бывший санитар вьетнамской войны, он знал в этом толк.

Вики уже сидела в машине, держа перед собой кукурузное распятие и разглядывая его в каком-то оцепенении. Это не понравилось Бёрту.

— Положи ты его, Христа ради, — сказал он.

— Нет, — отрезала она, не поднимая головы. — У тебя свои игры, у меня свои.

Он завел мотор и поехал дальше. У перекрестка раскачивался на ветру бездействующий светофор. Слева обнаружилась опрятная белая церквушка. Трава вокруг скошена, дорожка обсажена цветами. Бёрт затормозил.

— Почему ты остановился? — тотчас спросила она.

— Загляну в церковь. Кажется, это единственное место в городе, которое не выглядит так, словно отсюда ушли лет десять назад. Табличка, видишь?

Она присмотрелась. Из аккуратно вырезанных белых букв, прикрытых стеклом, было сложено: ГРОЗЕН И МИЛОСТИВ ТОТ, КТО ОБХОДИТ РЯДЫ. Ниже стояла дата: 24 июля 1976 года — прошлое воскресенье.

— Тот, кто обходит ряды, — вслух прочел Бёрт, глуша мотор. — Одно из девяти тысяч имен Господа Бога, запатентованных в штате Небраска. Ты со мной?

Она даже не улыбнулась его шутке.

— Я останусь в машине.

— Вольному воля.

— Я зареклась ходить в церковь, с тех пор как уехала от родителей... тем более в *эту*. Видеть не хочу ни эту церковь, ни этот городишко. Меня уже колотит, уедем отсюда!

— Я на минуту.

— Учти, Бёрт, у меня свои ключи. Если через пять минут ты не вернешься, я уезжаю, и делай тут все, что тебе заблагорассудится.

— Э, мадам, не горячитесь...

— Именно так я и поступлю. Если, конечно, ты не вздумаешь отнять у меня ключи силой, как обыкновенный бандит. Впрочем, ты, кажется, и на такое способен.

— Но ты полагаешь, что до этого не дойдет.

— Полагаю, что нет.

Ее сумочка лежала между ними на сиденье. Он быстро схватил ее. Вики вскрикнула и потянулась к ремешку, но сумочка уже была вне досягаемости. Чтобы долго не рыться среди вещей, он просто перевернул ее, посыпались салфеточки, косметика, разменная мелочь, квитанция из магазинов, и среди всего этого блеснула связка ключей. Вики попыталась схватить ее первой, но он снова оказался проворней и спрятал ее в карман.

— Ты не имеешь права, — всхлипнула она. — Отдай.

— Нет, — сказал он с жесткой ухмылкой. — И не подумаю.

— Бёрт, ну пожалуйста! Мне страшно! — Она протянула руку, как за подаянием.

— Через две минуты ты решишь, что дальше ждать не обязательно.

— Неправда...

— Уедешь и еще посмеешься: «Будет знать, как мне перечить». Разве ты не сделала это лейтмотивом всей нашей супружеской жизни? «Будет знать, как мне перечить!»

Он вылез из машины.

— Бёрт! — Она рванулась за ним. — Послушай... можно иначе... позвоним из автомата, а? Вон у меня сколько мелочи. Только... а хочешь, мы... не оставляй меня здесь одну, не оставляй, Бёрт!

Он захлопнул дверцу у нее перед носом и с закрытыми глазами привалился спиной к машине. Вики колотила изнутри в дверцу и выкрикивала его имя. Можно себе представить, какое она произведет впечатление на представителей власти, когда он наконец передаст труп мальчика с рук на руки. Лучше не представлять.

Он направился по вымощенной дорожке к церкви. Скорее всего двери окажутся запертыми. Если нет, то ему хватит двух-трех минут, чтобы ее осмотреть.

Двери открылись бесшумно — сразу видно, петли хорошо смазаны («со смиренным почтением» — мелькнуло в голове, и почему-то этот образ вызвал у него усмешку). Он шагнул в прохладный, пожалуй, даже холодноватый придел. Глаза не сразу привыкли к полумраку.

Первое, что он увидел, были покрытые пылью фанерные буквы, беспорядочно сваленные в кучу в дальнем углу. Из любопытства он подошел поближе. В отличие от опрятного, чистого придела к этой куче не прикасались, по-видимому, столько же, сколько к настенному календарю в гриль-баре. Каждая буква была высотой сантиметров в шестьдесят, и они, без сомнения, складывались когда-то в связное предложение. Он разложил их на ковре — букв оказалось тридцать — и принялся группировать их в разных сочетаниях. ГОЛОВА СКАТЕРТЬ КИПА БЛИЦ СОНЯ БВЯ. Явно не то. ГРЕЦИЯ ВОСК БАТИСТ ОБА ГОЛЕНЬ ВОПЯК. Не многим лучше. А если вместо «батист» попробовать... Он вставил в середину букву «П», но общий смысл яснее от этого не стал. Глупо: он тут сидит на корточках, тасует буквы, а она в машине с ума сходит. Он поднялся и уже собрался уходить, как вдруг сообразил: БАПТИСТСКАЯ... и, следовательно, второе слово ЦЕРКОВЬ. Еще несколько перестановок, и получился окончательный вариант: БАПТИСТСКАЯ ЦЕРКОВЬ БЛАГОВОЛЕНИЯ. Надо полагать, название это располагалось над входом, в темном углу. Затем фронтон заново покрасили, и от прежней надписи не осталось и следа.

Но почему?

Ответ напрашивался: БАПТИСТСКАЯ ЦЕРКОВЬ БЛАГОВОЛЕНИЯ прекратила свое существование. Что же стало вместо нее? Он быстро поднялся с корточек, отряхивая пальцы от пыли. Ну сорвали буквы с фронтона, что особенного? Может, решили переименовать ее в Церковь Происходящих Перемен в честь преподобного Флипа Уилсона...

Но что это были за перемены?

Он отмахнулся от неприятного вопроса и толкнул вторую дверь. Оказавшись в самом храме, поднял глаза к нефу, и сердце у него упало. Он громко втянул в легкие воздух, нарушив многозначительную тишину этого священного места.

Всю стену позади кафедры занимало гигантское изображение Христа. «Если до сих пор Вики еще как-то держала себя в руках, — подумал Бёрт, — то от этого она бы заорала как резаная».

Спаситель улыбался, раздвинув губы в волчьем оскале. Его широко раскрытые глаза в упор разглядывали входящего и чем-то неприятно напоминали Лойна Чейни в «Оперном фантоме». В больших черных зрачках, окаймленных огненной радужкой, не то тонули, не то горели два грешника. Но сильнее всего поражали... зеленые волосы — при ближайшем рассмотрении выяснилось, что они сделаны из множества спутанных кукурузных метелок. Изображение грубое, но впечатляющее. Этакая картинка из комикса, выполненная талантливым ребенком: ветхозаветный или, может быть, языческий Христос, который, вместо того чтобы пасти своих овец, ведет их на заклание.

Перед левым рядом скамеек был установлен орган, и в первое мгновение Бёрт не увидел в нем ничего необычного. Жутковато ему стало, лишь когда он прошел до конца по проходу: клавиши были с мясом выдраны, педали выброшены, трубы забиты сухой кукурузной ботвой. На инструменте стояла табличка со старательно выведенной максимой: «Да не будет музыки, кроме человеческой речи», — рек Господь.

Вики права: тут что-то не то. Он был бы не прочь вернуться в машину и тотчас уехать из этого гиблого места, но его, что называется, заело. Как ни противно было себе в этом признаваться, он жаждал поколебать ее самоуверенность, очень уж не хотелось признавать во всеуслышание, что она оказалась права.

Ладно, пару минут можно потянуть.

Он направился к кафедре, по дороге рассуждая. Каждый день через Гатлин проезжают машины. У жителей окрестных мест наверняка здесь есть друзья или родственники. Время от времени городок должна патрулировать полиция штата. А вспомнить бездействующий светофор. Не могут же те, кто снабжает город электроэнергией, не знать, что здесь добрых двенадцать лет нет света. Вывод: ничего *такого* в Гатлине произойти не могло.

Отчего ж тогда мурашки по коже?

Он взошел на кафедру по ступенькам, покрытым ковровой дорожкой, и оглядел пустые скамьи, уходящие в полумрак. Он чувствовал лопатками, как его буравит этот потусторонний, не по-христиански зловещий взгляд.

На аналое лежала большая Библия, открытая на тридцать восьмой главе книги Иова. Бёрт прочел: «Господь отвечал Иову из бури и сказал: «Кто сей, омрачающий Провидение словами без смысла?.. Где был ты, когда Я полагал основания земли? Скажи, если знаешь». Господь. Тот, Кто Обходит Ряды. *Скажи, если знаешь.* И накорми нас кукурузными лепешками.

Бёрт начал листать страницы, они переворачивались с сухим, каким-то призрачным шуршанием — а что, подходящее место для призраков. Из книги были вырезаны целые куски. В основном, как он заметил, из Нового Завета. Кто-то взял на себя труд удалить с помощью ножниц соборное послание Иакова.

Но Ветхий Завет был в целости и сохранности.

Он уже сходил с кафедры, когда на глаза ему попался еще один фолиант на нижней полочке. Он взял его в руки с мыслью, что это церковно-приходская книга с записями венчаний, конфирмаций и погребений.

Слова на обложке, коряво выведенные золотыми буквами, заставили его поморщиться. И СКАЗАЛ ГОСПОДЬ: «СРЕЖУТ ПОД КОРЕНЬ НЕПРАВЕДНЫХ И УДОБРЯТ ЗЕМЛЮ».

У них тут, кажется, одна навязчивая идея, и Бёрт старался не думать о том, куда она может завести.

Он открыл книгу на первой разлинованной странице. Сразу видно, записи делал ребенок. Некоторые места аккуратно подчищены, и хотя орфографических ошибок нет, буквы по-детски крупные и скорее нарисованные, чем написанные. Начальные столбцы выглядели так:

Амос Дэйган (Ричард), род. 4 сент. 1945 — 4 сент. 1964
Исаак Ренфрю (Уильям), род. 19 сент. 1945 — 19 сент. 1964
Зепениах Керк (Джордж), род. 14 окт. 1945 — 14 окт. 1964
Мэри Уэллс (Роберта), род. 12 нояб. 1945 — 12 нояб. 1964
Йемен Холлис (Эдвард), род. 5 янв. 1946 — 5 янв. 1965

Бёрт продолжал с озабоченным видом переворачивать страницы. Книга оказалась заполненной примерно на три четверти, после чего правая колонка неожиданно обрывалась:

Рахиль Стигман (Донна), род. 21 июня 1957 — 21 июня 1976
Моисей Ричардсон (Генри), род. 29 июля 1957
Малахия Бордман (Крэйг), род. 15 авг. 1957

Последней была записана Руфь Клоусон (Сандра), рожденная 30 апреля 1961. Бёрт нагнулся и обнаружил на той же полочке еще две книги. На обложке первой красовался уже знакомый ему афоризм СРЕЖУТ ПОД КОРЕНЬ НЕПРАВЕДНЫХ... перечень имен с указанием даты рождения продолжался. 6 сентября 1964 — Иов

Гилман (Клэйтон). 16 июня 1965 — Ева Тобин (имя в скобках отсутствовало).

Третья книга была чистая.

Бёрт стоял на кафедре в раздумье.

В тысяча девятьсот шестьдесят четвертом что-то произошло. Что-то связанное с религией, кукурузой... и детьми.

*Благослови, Господь, наш урожай, а мы будем возносить к Тебе наши молитвы, аминь.*

И нож, занесенный над жертвенным агнцем... а может быть, не агнцем? Может быть, их тут охватил религиозный фанатизм? Их, отрезанных от мира сотнями акров кукурузы, о чем-то тайно шуршащей. Накрытых миллионами акров голубого неба. Взятых под неусыпный надзор самим Всевышним — зеленоволосым Богом кукурузы, вечно голодным безумным стариком. Тем, Кто Обходит Ряды.

Бёрт почувствовал, как внутри все у него холодеет.

Вики, рассказать тебе историю? Историю про Амоса Дэйгана, получившего при рождении имя Ричарда. Амосом он стал в шестьдесят четвертом в честь малоизвестного библейского пророка. А дальше... ты, Вики, только не смейся... дальше Дик Дэйган и его друзья, среди них Билли Ренфрю, Джордж Кёрк, Роберта Уэллс и Эдди Холлис, ударившись в религию, поубивали своих родителей. Всех до одного. Жуть, да? Пристрелили в постели, зарезали в ванной, отравили за ужином, повесили, расчленили?.. Это уже частности.

Причина? Кукуруза. Может, урожай погибал. Может, они связали это с тем, что человечество погрязло в грехе. Что нужны жертвы. И они их принесли — на кукурузном поле.

А еще — знаешь, Вики, я в этом совершенно убежден — они почему-то решили, что девятнадцать лет для них — критический возраст. Согласно записи в церковно-приходской книге, нашему герою Ричарду Амосу Дэйгану девятнадцать лет исполнилось 4 сентября 1964 года. Надо полагать, они его убили. Предали закланию в зарослях кукурузы. Веселенькая история, не правда ли?

Пойдем дальше. Рахили Стигман, которая до 1964 года была Донной, всего месяц назад, 21 июня, стукнуло девятнадцать. Моисею Ричардсону стукнет девятнадцать через три дня. Что, по-твоему, ждет его 29 июня? Сказать?

Бёрт облизнул пересохшие губы.

И вот еще что, Вики. Смотри. Иов Гилман (Клэйтон) родился 4 сентября 1964 года. И затем до 16 июня шестьдесят пятого ни одного рождения. Разрыв в десять месяцев. Знаешь, как я себе объясняю его? Они поубивали своих родителей, всех, даже беременных матерей, а в октябре шестьдесят четвертого забеременела одна из *них*, шестнадцати- или семнадцатилетняя девушка, и она родила Еву. Так сказать, первую женщину.

Внезапная догадка побудила его спешно перелистать книгу в поисках записи о рождении Евы Тобин. Ниже он прочел: Адам Гринлоу, род. 11 июля 1965.

Сейчас им по одиннадцать, подумал он. Уж не прячутся ли они где-нибудь поблизости? От этой мысли ему стало не по себе.

Но как можно сохранить все это в тайне? Как вообще такое может продолжаться?

Разве что с молчаливого одобрения зеленоволосого Христа...

— Ну дела, — пробормотал Бёрт, и в этот самый миг тишину прорезала автомобильная сирена — она звучала безостановочно.

Бёрт одним прыжком перемахнул через ступеньки, пробежал по центральному проходу и толкнул наружную дверь. В лицо ударил слепящий свет. Вики сидела за рулем, сжимая в обеих руках клаксон и крутя головой во все стороны. Отовсюду к машине сбегались дети. Многие заливались от смеха. Они были вооружены ножами, топориками, арматурой, камнями, молотками. Восьмилетняя на вид белокурая девчушка с красивыми длинными волосами размахивала кистенем. Забавы сельских жителей. Никакого огнестрельного оружия. Бёрта подмывало закричать: «Кто тут Адам и Ева? Кто среди вас мамы? Дочки? Отцы? Сыновья?»

*Скажи, если знаешь.*

Они бежали из боковых улочек, из городского парка, через ворота в заборе, которым была обнесена школьная спортплощадка. Одни скользили безразличным взглядом по мужчине, в оцепенении застывшем на паперти, другие толкались локтями и с улыбкой показывали на него пальцем... ах, эти милые детские улыбки.

Девочки были одеты в коричневые шерстяные платья до щиколоток, на голове выцветшие летние шляпки. Мальчики были одеты, как пасторы: черный костюм, черная касторовая шляпа. Они наводнили площадь, лужайки, кто-то бежал к машине через двор бывшей баптистской церкви Благоволения, едва не задевая Бёрта.

— Дробовик! — закричал он что было мочи. — Вики, ты меня слышишь? Дробовик!

Но ее парализовал страх, он это увидел еще со ступенек. Она его скорее всего даже не услышала.

Оживленная ватага окружила «Т-бёрд» со всех сторон. На машину обрушились топоры, тесаки и прутья арматуры. «Это дурной сон», — пронеслось у него в сознании. От крыла машины отлетела декоративная стрела из хрома. За ней последовала металлическая накладка на капоте. Спустили баллоны, исполосованные ножами. А сирена все звучала. Треснули от напора темные ветровое и боковые стекла и со звоном обрушились в салон. Он увидел, что Вики одной рукой продолжает давить на клаксон, а второй прикрывает лицо. Бесцеремонные детские пальцы уже нашаривали изнутри запор на дверце. Вики отбивалась отчаянно. Сирена стала прерывистой, а там и вовсе смолкла.

Кто-то рванул на себя искореженную дверцу, и десятки рук начали отрывать Вики от руля, в который она вцепилась мертвой хваткой. Один из подростков подался вперед и ножом...

Тут Бёрт вышел из оцепенения и, буквально слетев со ступенек паперти, рванулся к машине. Юноша лет шестнадцати с выбившейся из-под шляпы рыжей гривой обернулся с этакой ленцой, и в тот же миг в воздухе что-то блеснуло. Левую руку Бёрта отбросило назад — словно в плечо ударили на расстоянии. От внезапной острой боли у него потемнело в глазах.

С каким-то тупым изумлением он обнаружил, что у него из плеча торчит рукоять складного ножа, наподобие странного нароста. Рукав футболки окрасила кровь. Он долго — казалось, бесконечно — разглядывал этот невесть откуда взявшийся нарост, а когда поднял глаза, на него уже вплотную надвигался рыжий детина, ухмыляясь с чувством собственного превосходства.

— Ах ты ублюдок, — просипел Бёрт.

— Через минуту душа твоя вернется к Господу, а сам ты предстанешь перед Его престолом. — Рыжий потянулся пятерней к его глазам.

Бёрт отступил и, выдернув из предплечья нож, всадил его парню в самое горло. Брызнул фонтан крови, и Бёрта залило с ног до головы. Парень зашатался и пошел по кругу. Он попытался вынуть нож обеими руками и все никак не мог. Бёрт наблюдал за ним, как в гипнотическом трансе. Может быть, это сон? Рыжего шатало, но он продолжал ходить кругами, издавая горловые звуки, казавшиеся такими громкими в тишине жаркого июльского утра. Его сверстники, ошеломленные неожиданным поворотом событий, молча следили издалека.

Это не входило в сценарий, мысли Бёрта с трудом ворочались, тоже как будто оглушенные. Я и Вики — да. И тот мальчик, не сумевший от них уйти в зарослях кукурузы. Но чтобы кто-то из их числа — нет.

Он обвел свирепым взглядом толпу, удержавшись от желания крикнуть ей с вызовом: «Что, не нравится?»

Рыжий детина в последний раз булькнул горлом и упал на колени. Глаза его невидяще смотрели на Бёрта, а затем руки безвольно упали, и он ткнулся лицом в землю.

Толпа тихо выдохнула. Она разглядывала Бёрта, Бёрт — ее, и до него как-то не сразу дошло, что в толпе он не видит Вики.

— Где она? — спросил он. — Куда вы ее утащили?

Один из подростков выразительным жестом провел охотничьим ножом у себя под кадыком. И осклабился. Вот и весь ответ.

Из задних рядов юноша постарше тихо скомандовал: «Взять его».

Несколько ребят отделились от толпы. Бёрт начал отступать. Они пошли быстрее. Прибавил и он. Дробовик, черт бы его подрал! Было бы у него ружье... По зеленому газону к нему уверенно подбирались яркие тени. Он повернулся и побежал.

— Убейте его! — раздался мощный крик, и преследователи тоже перешли на бег.

Бёрт уходил от погони осмысленно. Здание муниципального центра он обогнул — там бы ему устроили мышеловку — и припустил по главной улице, которая через два квартала переходила в загородное шоссе. Послушай он Вики — ехали бы сейчас и горя не знали.

Подошвы спортивных тапочек звонко шлепали по тротуару. Впереди замаячили торговые вывески и среди них «Кафе-мороженое», а за ним... извольте убедиться: кинотеатрик «Рубин». Изрядно запылившийся анонс извещал зрителей: ОГРАНИЧЕННАЯ ПРОДАЖА БИЛЕТОВ НА ЭЛИЗАБЕТ ТЭЙЛОР В РОЛИ КЛЕОПАТРЫ. За следующим перекрестком виднелась бензоколонка, как бы обозначавшая границу городской застройки. За бензоколонкой начинались поля кукурузы, подступавшие к самой дороге. Зеленое море кукурузы.

Он бежал. Судорожно глотая воздух и превозмогая боль в плече. Оставляя на растрескавшемся тротуаре следы крови. Он выхватил на бегу носовой платок из заднего кармана брюк и заткнул им рану.

Он бежал. Дыхание становилось все более учащенным. Начала дергать рана. А внутренний голос с издевкой спрашивал, хватит ли у него пороху добежать до ближайшего городка.

Он бежал. Юные и быстроногие уверенно догоняли его. Он слышал их легкий бег. Слышал их крики и улюлюканье. «Они *ловят кайф*, — подумал Бёрт некстати. — Потом будут в красках рассказывать не один год».

Он бежал.

Он промчался мимо бензоколонки, оставив позади городок. В груди хрипело и клокотало. Тротуар кончился. У него была только одна возможность, один шанс уйти от погони и остаться в живых. Впереди зеленые волны кукурузы с двух сторон подкатывали к узкой полоске дороги. Мирно шелестели длинные сочные листья. Там, в полумраке высокой, в человеческий рост, кукурузы, надежно и прохладно.

Он промчался мимо щита с надписью: ВЫ ПОКИДАЕТЕ ГАТЛИН, САМЫЙ СИМПАТИЧНЫЙ ГОРОДОК В НЕБРАСКЕ... И НЕ ТОЛЬКО В НЕБРАСКЕ. ПРИЕЗЖАЙТЕ К НАМ, НЕ ПОЖАЛЕЕТЕ!

Это уж точно, промелькнуло в затуманенном сознании Бёрта.

Он помчался мимо щита, точно спринтер, набегающий на финишную ленточку, резко взял вправо и нырнул в заросли, на ходу скидывая спортивные тапочки. Кукурузные ряды сомкнулись за ним, как морские волны. Они с готовностью приняли его, взяли под свою защиту. Он испытал внезапное, удивившее его самого облегчение — словно второе дыхание открылось. Иссушенные зноем легкие расширились, впуская свежий воздух.

Он бежал по междурядью, пригнувшись, задевая плечами листья, отчего они еще долго подрагивали. Пробежав около двадцати ярдов, он свернул вправо, параллельно дороге, и еще ниже пригнулся из опасения, что его темная голова может быть слишком заметной среди желтеющих кукурузных султанов. Он несколько раз менял направление, пока по-настоящему не углубился в заросли, а затем еще какое-то время продолжал бежать, неуклюже вскидывая ноги и беспорядочно перескакивая из ряда в ряд.

Наконец он рухнул и прижался лбом к земле. Он слышал лишь собственное спертое дыхание. В мозгу, как заезженная пластинка, крутилось: какое счастье, что я бросил курить, какое счастье, что я бросил курить, какое счастье...

Тут в его сознание проникли голоса: его преследователи перекликались на расстоянии, иногда сталкивались нос к носу с криком: «Это мой ряд!» Бёрт немного успокоился: они приняли много левее, да и искали слишком уж беспорядочно.

Хотя он совсем выбился из сил, пришлось заняться раной. Кровотечение прекратилось. Он свернул платок в длину и снова наложил на рану.

Он полежал еще немного, и вдруг пришло ощущение, что ему *хорошо* (даже боль в плече была терпимой), может быть, впервые за долгое время. Он почувствовал себя физически крепким, способным развязать самые невероятные узлы его брака с Вики — всего два года, а из них как будто все соки высосали.

Он одернул себя за эти мысли. Его жизнь висела на волоске; о судьбе жены можно было лишь догадываться. Возможно, ее уже нет в живых. Он попытался вызвать в памяти Викино лицо и таким образом рассеять ощущение эйфории, но ничего не получилось. Вместо этого перед глазами стоял рыжий детина с торчащим из горла ножом.

Стойкие ароматы приятно щекотали ноздри. Нашептывал ветер, рождая в душе покой. Что бы тут ни творили именем кукурузы, сейчас она была его заступницей.

Вот только голоса приближались...

Он снова побежал, согнувшись в три погибели, — в одну сторону, в другую, пересек несколько рядов. Он двигался так, чтобы выкрики звучали слева, но очень скоро потерял ориентиры. Голоса слабели, все чаще шелест листьев заглушал их. Он останавливался, вслушивался, бежал дальше. Вовремя догадался скинуть тапочки — в носках он почти не оставлял следов на твердой почве.

Наконец перешел на шаг. Солнце успело сместиться вправо. Он взглянул на часы: четверть восьмого. Пылающий диск висел над полями, окрашивая макушки стеблей в алый цвет, но в самих зарослях царил полумрак. Он напряг слух. Ветер совсем стих, и над кукурузными шеренгами, которые стояли не шелохнувшись, висели ароматы невидимой бродящей в них жизни. Преследователи Бёрта, если они еще не оставили попыток найти его, или слишком удалились, или залегли и точно так же вслушивались. Он решил, что у подростков, даже таких фанатов, не хватило бы терпения так долго таиться. Скорее всего они поступили вполне по-детски, не думая о последствиях: плюнули на все и вернулись домой.

Он зашагал вслед за уходящим солнцем, закрытым облаками. Если вот так идти, сквозь ряды, по солнцу, рано или поздно он выберется на шоссе № 17.

Плечо тупо ныло, и в этой боли было даже что-то приятное. Вообще ощущение радости не покидало его. Пока я здесь, решил он, не буду терзаться по этому поводу угрызениями совести. Угрызения явятся потом, когда придется давать объяснения в связи со случившимся в Гатлине. Но это будет потом.

Он продирался сквозь заросли и думал о том, что еще никогда его чувства не были так обострены. Между тем от солнца осталась небольшая горбушка. Он вдруг замер — его обостренные чувства уловили в окружающей реальности нечто такое, от чего ему сразу стало не по себе. Им овладело страшное беспокойство.

Он прислушался. Шелест листьев.

Он слышал его и раньше, но только сейчас сопоставил с тем, что ветра-то не было. Что за чудеса?

Он начал встревоженно озираться, почти готовый увидеть вылезающих из зарослей подростков в черных пасторских костюмах, улыбающихся, поигрывающих ножами. Ничего подобного. Шелест, однако, был явственно различимым. Откуда-то слева.

Он двинулся в этом направлении. Уже не было необходимости продираться сквозь заросли, просека между рядами сама вела его куда надо. Вот и конец просеки. Впрочем, конец ли? Впереди показался просвет. Шелест доносился оттуда.

Он остановился, охваченный внезапным страхом.

Запахи кукурузы были здесь на редкость сильными, почти одуряющими. Нагретые за день растения не отдавали тепло. Он впервые обнаружил, что взмок от пота и весь оброс стебельками и паутиной. Он бы не удивился, если бы по нему ползали разные насекомые, но никто не ползал, и это-то как раз было удивительно.

Он вглядывался в открывающийся впереди просвет — там ряды расступались, образуя большой круг голой, судя по всему, земли...

Ни москитов, ни мух, ни чиггеров... с неожиданной грустью он вспомнил, что когда они с Вики женихались, у них для подобной нечисти была уничтожающая характеристика: «Во все дырки залезут». И ворон тоже не видно. Вот уж действительно странно: кукурузная плантация — и ни одной вороны.

Последние закатные лучи позволили ему разглядеть детальнее ближайшие посадки. Невероятно, но каждый стебель, каждый лист был безупречен. Ни одного пораженного болезнью участка, ни изъеденного листика, ни гусеничной кладки, ни...

Он не верил глазам своим.

*Ну и ну, здесь же и в помине нет сорняков!*

Каждый стебель высотой в полметра рос в горделивом одиночестве. Ни разрыв-травы, ни дурмана, ни вьюнков, ни «ведьминых косм». Абсолютная стерильность.

Бёрт таращился в изумлении. Тем временем стадо облаков откочевало на новое место. Догорал закат, добавляя в разлитое на горизонте золото румян и охры. Быстро сгущались сумерки.

Надо было сделать еще десяток шагов, отделявших его от загадочного островка посреди бескрайнего моря кукурузы. Не сюда ли тянуло его с самого начала? Думал, что движется к шоссе, а ноги несли его в это странное место.

С замирающим сердцем дошел он до конца просеки и остановился. Было еще достаточно светло, чтобы разглядеть все в подробностях. Крик застрял у него в горле, и в легких не хватало воздуха его вытолкнуть. Колени стали подгибаться, на лбу выступала испарина.

— Вики, — произнес он одними губами. — О Боже, Вики...

Ее распяли на крестовине, прикрутили запястья и лодыжки колючей проволокой, что продается по семьдесят центов за ярд в любом магазине штата Небраска. В пустые глазницы натолкали «шелк» — желтоватые кукурузные пестики. Кричащий рот заткнули обертками молодых початков.

Слева от нее висел на кресте скелет в совершенно ветхом стихаре. Бывший священник баптистской церкви Благоволения, казалось, ухмылялся, глядя на Бёрта, словно говорил с издевкой: «Это даже хорошо, когда тебя приносит в жертву на кукурузном поле толпа язычников, эти юные дьяволята...»

Еще левее висел второй скелет в сгнившей голубой униформе. Глазницы прикрывала фуражка с характерным зеленым знаком: ШЕФ ПОЛИЦИИ.

Тут-то Бёрт и услышал шаги — не детей, кого-то огромного, продирающегося сквозь заросли. Не детей, нет. Дети не осмелились бы войти в кукурузное царство ночью. Для них это место было священно, ночью здесь вступал в свои права Тот, Кто Обходит Ряды.

Бёрт рванулся было назад, но просека, которая привела его сюда, исчезла. Ряды сомкнулись. А шаги все ближе, с хрустом раздвигались стебли, уже слышалось могучее дыхание. Бёрта охватил мистический ужас: надвигалось неотвратимое. Гигантская тень накрыла все вокруг.

...ближе...

Тот, Кто Обходит Ряды.

И Бёрт увидел: красные глаза-плошки... зеленый силуэт вполнеба...

И почувствовал запах кукурузных оберток...

И тогда он стал кричать. Пока было чем.

Немного погодя взошла спелая луна как напоминание о будущем урожае.

Кукурузные дети собрались днем на лужайке перед четырьмя распятиями. Два голых остова и два еще недавно живых тела, которые со временем тоже превратятся в голые остовы. Здесь, в сердце Небраски, на крохотном островке в безбрежном океане кукурузы, единственной реальностью было время.

— Знайте, этой ночью явился мне во сне Господь и открыл мне глаза.

Священный трепет охватил толпу. Все повернулись к говорившему. Исааку было всего девять, но после того как год назад кукуруза забрала Давида, Исаак стал Верховным Смотрителем. В день, когда Давиду исполнилось девятнадцать, он дождался сумерек и навсегда исчез в зарослях.

Лицо Исаака было торжественным под полями черной шляпы. Он продолжал:

— Во сне я увидел тень, обходившую ряды, это был Господь, и Он обратился ко мне со словами, с которыми когда-то обращался к нашим старшим братьям. Он недоволен нашей последней жертвой.

Толпа содрогнулась и выдохнула как один человек. Многие с тревогой озирались на обступившую их со всех сторон зеленую стену кукурузы.

— И сказал Господь: «Разве я не дал вам место для закланий, что же приносите жертвы в других местах? Или забыли, кто даровал вам радость искупления? Этот же пришелец совершил святотатство в моих рядах, и я сам принес его в жертву. Точно так же я поступил когда-то с офицером в голубой форме и с фарисеем священником».

— Офицер в голубой форме... фарисей священник, — шепотом повторяли в толпе, испуганно опуская глаза.

— «Отныне Возраст Искупления вместо девятнадцати плодоношений будет равен восемнадцати, — с жесткостью повторял Исаак реченное Господом. — Плодитесь и размножайтесь, как кукурузное семя, и пребудет милость моя с вами вовек».

Исаак замолчал.

Все головы повернулись к Малахии и Иосифу — этим двоим уже исполнилось восемнадцать. И в городе, наверное, наберется два десятка.

Все ждали, что скажет Малахия. Малахия, который первым преследовал Ахаза, проклятого Господом. Малахия, который перерезал Ахазу горло и вышвырнул его на дорогу, дабы смердящая плоть не осквернила девственной чистоты кукурузы.

— Да будет воля Господня, — еле слышно вымолвил Малахия.

И ряды кукурузы вздохнули с ободрением.

В ближайшие недели девочки смастерят не одно распятие, изгоняющее злых духов.

...В ту же ночь все, кто достиг Возраста Искупления, молча вошли в заросли и отправились на большую поляну, чтобы получить высшую милость из рук Того, Кто Обходит Ряды.

— Прощай, Малахия, — крикнула Руфь, печально помахивая рукой и давясь слезами. Она носила его ребенка и должна была скоро родить. Малахия не оглянулся. Он уходил с прямой спиной. Ряды тихо за ним сомкнулись.

Руфь отвернулась, глотая слезы. Втайне она давно ненавидела кукурузу и даже грезила, как однажды в сентябре, после знойного лета, когда стебли станут сухими как порох, она войдет в эти заросли с факелом в руках. Но от одной мысли делалось страшно. Каждую ночь ряды обходит тот, чей взгляд проникает во все... даже в сокровенные тайны человека.

На поля спустилась ночь. Вокруг Гатлина о чем-то шепталась кукуруза. Ублаготворенная.

# И ПРИШЕЛ БУКА*

Мужчина, лежавший на кушетке, был Лестер Биллингс из Уотербери, Коннектикут. Согласно записи в формуляре, сделанной сестрой Викерс: двадцать восемь лет, служащий индустриальной фирмы в Нью-Йорке, разведен, отец троих детей. Все дети умерли.

— Я не могу обратиться к священнику, потому что неверующий. Не могу к адвокату, потому что за такое дело он не возьмется. Я убил своих детей. Одного за другим. Первого, второго, третьего.

Доктор Харпер включил магнитофон.

Биллингс лежал прямой как палка — каждый мускул напряжен, руки сложены на груди, как у покойника, ноги свешиваются с кушетки. Портрет человека, приготовившегося пережить унижение. Он уставился в белый потолок так, словно на нем было что-то изображено.

— Хотите ли вы этим сказать, что вы самолично их убили, или...

— Нет, — нетерпеливо отмахнулся он. — Но они все на моей совести. Денни в шестьдесят

* The Boogeyman. © 1998. С. Таск. Перевод с английского.

восьмом. Шерли в семьдесят первом. Энди совсем недавно. Я хочу рассказать вам, как все было.

Харпер промолчал. Он думал о том, что Биллингс выглядит изможденным и старше своих лет. Волосы поредели, цвет лица нездоровый. Под глазами мешки от пристрастия к спиртному.

— Они были убиты, но никто этого не понимает. Если бы понимали, мне стало бы легче.

— Почему?

— Потому что...

Биллингс осекся и, приподнявшись на локтях, уставился в одну точку.

— Что там? — резко спросил он. Глаза сузились до щелок.

— Где?

— За дверью?

— Чулан, — ответил доктор Харпер. — Я вешаю там плащ и ставлю галоши.

— Откройте. Я хочу посмотреть.

Доктор, не говоря ни слова, подошел к чулану и открыл дверь. На вешалке висел рыжеватый дождевик, внизу стояла пара резиновых сапог, из одного торчал номер «Нью-Йорк таймс». Больше ничего.

— Все в порядке? — спросил Харпер.

— Да. — Биллингс снова вытянулся на кушетке.

— Вы сказали, — напомнил доктор, садясь на стул, — что если бы факт убийства был доказан, вам стало бы легче. Почему?

— Я бы получил пожизненное, а в тюрьме все камеры просматриваются. Все. — Он улыбнулся неизвестно чему.

— Как были убиты ваши дети?

— Только не вздумайте тянуть из меня подробности! — Биллингс повернулся на бок и с неприязнью уставился на Харпера. — Я сам скажу. Я не из тех, кто привык тут у вас изображать из себя Наполеона или объяснять, что он пристрастился к героину из-за того, что в детстве его не любила мамочка. Вы мне не поверите, я знаю, но это не важно. Мне все равно. Для меня главное — рассказать.

— Я вас слушаю. — Доктор Харпер достал из кармана трубку.

— Мы с Ритой поженились в шестьдесят пятом, мне стукнуло двадцать один, ей восемнадцать. Она уже ждала ребенка. Это был Денни. — На лице Биллингса появилась вымученная улыбка, которая тут же погасла. — Мне пришлось бросить колледж и зарабатывать на жизнь, но я не жалел ни о чем. Я любил жену и сына. Мы были счастливой семьей.

Вскоре после рождения нашего первенца Рита снова забеременела, и в декабре шестьдесят шестого на свет появилась Шерли. Энди родился летом шестьдесят девятого, к тому времени Денни уже не было в живых. Энди был зачат случайно. Это не мои слова. Рита мне потом объяснила, что противозачаточные средства иногда дают сбой. Случайно? Сомневаюсь. Дети связывают мужчину по рукам и ногам, а женщине только этого и надо, особенно когда мужчина умнее ее. Вы со мной согласны?

Харпер неопределенно крякнул.

— Не суть важно. Я его сразу полюбил. — Он произнес это с какой-то мстительной интонацией, словно ребенка он полюбил назло жене.

— И кто же убил детей? — спросил доктор.

— Бука, — тотчас ответил Лестер Биллингс. — Всех троих убил Бука. Вышел из чулана и убил. — Он криво усмехнулся. — Считаете меня сумасшедшим? По лицу вижу. А мне как-то все равно. Расскажу эту историю, и больше вы меня не увидите.

— Я вас слушаю, — повторил Харпер.

— Это началось, когда Денни было около двух, а Шерли только родилась. Ее кровать стояла рядом с нашей, Денни же спал в другой спальне. С какого-то момента он начал постоянно плакать, стоило Рите уложить его на ночь. Я сразу решил, что это он из-за бутылочки с молоком, которую ему перестали давать в постель. Рита считала, что не стоит идти на принцип, пусть, дескать, пьет себе в удовольствие, скоро сам отвыкнет. Вот так в детях воспитываются дурные наклонности. Напозволяют им черт-те чего, испортят, а после за сердце хватаются, когда он в пятнадцать лет подружку обрюхатит или сядет на иглу. Или еще хуже — сделается «голубым». Представляете? Просыпаетесь в один прекрасный день, а ваш сын «голубой».

Короче: я стал его сам укладывать. Плачет — я ему шлепок. Рита мне: «Знаешь, он все время повторяет: свет, свет». Не знаю, разве можно разобрать, чего они там лепечут. Конечно, матери оно виднее...

Рита предложила оставлять включенным ночник. У нас был такой, знаете, с Микки-Маусом на абажуре. Я запретил. Если не преодолеет страх перед темнотой в два года, всю жизнь будет бояться.

Да... В общем, он умер в первое лето после рождения Шерли. Я уложил его, помнится, в кровать, и он с ходу начал плакать. В тот раз я даже разобрал, что он там лепечет сквозь слезы. Он показывал пальчиком на чулан и приговаривал: «Бука, папа... Бука...»

Я выключил ночник и, придя в нашу спальню, спросил у Риты, зачем она научила ребенка этому слову. Она сказала, что она не учила. «Врешь, дрянь», — сказал я. Хотел даже устроить ей легкую выволочку, но сдержался.

Лето тогда выдалось тяжелое, понимаете. Никак не мог найти работу и вот нашел: грузить на складе ящики с пепси-колой. Дома валился от усталости. А тут еще Шерли по ночам орет, и Рита ее без конца укачивает. Я был готов выкинуть их обеих в окно, честное слово. Дети иногда могут до того довести, так бы, кажется, своими руками и задушил.

В ту ночь Денни разбудил меня в три, как по часам. Я поплелся в уборную, можно сказать, с закрытыми глазами, а Рита мне вдогонку: «Ты не подойдешь к нему?» Сама, говорю, подойдешь. Ну и завалился снова в постель. Уже совсем засыпал, когда она подняла истошный крик.

Я встал и пошел в другую спальню. Малыш лежал на спине, мертвый. В лице ни кровинки, глаза открыты. Это было самое страшное: открытые остекленевшие глаза. Помните фотографии убитых детей во Вьетнаме? Вот такие глаза. У американского ребенка не должно быть таких глаз. Он лежал на спине в подгузнике и клеенчатых трусах — последние две недели он стал опять мочиться. В общем, жуть. Такой был чудный парень...

Биллингс помотал головой, на губах появилась уже знакомая вымученная улыбка.

— Рита вопила как резаная. Она хотела взять его на руки и покачать, но я не позволил. Полицейские не любят, когда прикасаются к вещественным доказательствам. Я это точно знаю...

— Вы тогда догадывались, что это Бука? — мягко перебил его доктор Харпер.

— Нет, что вы. Гораздо позже. Но я обратил внимание на одну деталь. Тогда она не показалась мне какой-то особенной, но в память запала.

— Что же?

— Дверь в чулан была приоткрыта. На одну ладонь. А я ее сам закрывал, это я отлично помнил. У нас там стояли пакеты с порошком для сухой чистки. Сунет ребенок голову в такой пакет — и хлоп: асфиксия. Слыхали о таких случаях?

— Да. Что было дальше?

Биллингс передернул плечами.

— Похоронили, что. — Он с тоской поглядел на свои руки, которым пришлось бросать горсть земли на три детских гробика.

— Медицинское освидетельствование проводили?

— А то как же. — В глазах Биллингса блеснула издевка. — Деревенский олух со стетоскопом и черным саквояжем, а в саквояже — мятные карамельки и диплом ветеринарной школы. Сказать, какой он поставил диагноз? «Младенческая смерть»! Залудил, а? Это про двухгодовалого ребенка!

— О младенческой смерти обычно говорят применительно к первому году, — осторожно заметил доктор Харпер, — но иногда, за неимением лучшего термина, врачи употребляют его...

— Чушь собачья! — Биллингс словно выплюнул эти два слова.

Доктор разжег погасшую трубку.

— Через месяц после похорон мы перенесли Шерли в комнату Денни. Рита стояла насмерть, но последнее слово было за мной. Далось мне это нелегко, можете мне поверить. Мне нравилось, что малышка при нас. Но над детьми нельзя дрожать, так их только испортишь. Когда моя мать брала меня с собой на пляж, она себе голос срывала от крика: «Не заходи в воду! Осторожно, там водоросли! Ты только что поел! Не ныряй!» Акулами меня пугала, дальше уже ехать некуда. И что же? Теперь я к воде близко не подойду. Ей-богу. У меня при одном ее виде ногу судорогой сводит. Когда Денни еще был жив, Рита меня достала: свози их в Сэвин Рок. Так вот, меня там чуть не стошнило. Короче, в этих делах я кое-что смыслю. Над детьми нельзя дрожать. И самим тоже нельзя раскисать. Жизнь продолжается. Так что Шерли сразу переехала в кроватку Денни. Только матрас мы выбросили на свалку — сами понимаете, микробы, то-се.

Год проходит. Укладываю я Шерли спать, а она вдруг устраивает настоящий концерт. «Бука, — кричит, — Бука!»

Я аж вздрогнул. Прямо как Денни. Тут в памяти и всплыла приоткрытая дверь в чулан. Сразу захотелось унести Шерли в нашу спальню.

— Даже так?

— Нет, «захотелось» — это, конечно, громко сказано. — Взгляд Биллингса снова упал на руки, и сразу щека задергалась. — Не мог же я признать перед Ритой, что оказался не прав. Я обязан был проявить силу воли. Вот она бесхарактерная... запросто легла со мной в постель, когда браком еще и не пахло.

Харпер не удержался:

— А если взглянуть иначе, то это *вы* запросто легли с ней в постель задолго до женитьбы.

Биллингс оставил в покое свои руки и повернулся к доктору.

— Умника из себя строите?

— Вовсе нет.

— Тогда не мешайте мне рассказывать по-моему, — огрызнулся Биллингс. — Я пришел облегчить душу. Вспомнить, как все было. Если вы ждали, что я здесь начну расписывать всякие постельные подробности, то вы сильно просчитались. У нас с Ритой был здоровый секс, никаких там грязных извращений. Я знаю, некоторые заводятся, рассказывая про всякое такое, но я не из их числа, понятно?

— О'кей, — примирительным тоном сказал доктор.

— О'кей. — В тоне Биллингса был вызов, но не было уверенности. Казалось, он потерял нить разговора и только беспокойно поглядывал на плотно прикрытую дверь чулана.

— Открыть? — спросил Харпер, проследив его взгляд.

— Нет! — вскрикнул Биллингс и позволил себе первый смешок. — Что я, галош не видал?

Он помолчал.

— Шерли тоже стала жертвой Буки. — Биллингс потер лоб, словно помогая себе воскресить детали. — Не прошло и месяца. Но перед этим кое-что случилось. Однажды ночью я услышал шум, а затем ее крик. В холле горел свет, и я быстро добежал до соседней спальни. Я распахнул дверь и увидел... она сидела в кроватке, вся в слезах, а в затененном пространстве перед чуланом... что-то двигалось... шлепало по мокрому.

— Дверь была открыта?

— Немного. На ладонь. — Биллингс облизал губы. — Шерли кричала: «Бука, Бука!» И еще что-то вроде «уан». Прибежала Рита: «Что стряслось?» «Испугалась, — говорю, — теней от веток на потолке».

— Вы сказали «уан»?

— А что?

— Может быть, она хотела сказать «чулан»?

— Может быть. А может, и нет. — Он перешел на шепот и как-то странно покосился на дверь.

— Вы заглянули в чулан?

— Д-да. — Биллингс сжал пальцы так, что побелели суставы.

— И увидели там Б...

— Ничего я не увидел! — взвился Биллингс. Слова вдруг хлынули из него потоком, точно где-то внутри вытащили пробку: — Она вся почернела, слышите? А глаза, глаза смотрели прямо на меня, словно говорили: «Вот он меня убил, а ты ему помог, ты ушел в другую комнату...»

Он бормотал нечто невразумительное, на глаза навернулись слезы.

— В Хартфордском госпитале, после вскрытия, мне сказали, что она проглотила собственный язык из-за мозговой спазмы. Я уехал оттуда один, потому что Риту они накачали транквилизаторами. Она была не в себе. Я возвращался и думал: «Чтобы у ребенка случилась мозговая спазма, его надо до смерти напугать». Я возвращался домой и думал: «Там прячется *оно*».

Биллингс помолчал и прибавил, понижая голос:

— Я лег спать на кушетке. С зажженным светом.

— Что-нибудь еще произошло в ту ночь?

— Мне приснился сон. Темная комната, а рядом, в чулане... кто-то, кого я не могу толком разглядеть. Оно там... шуршало. Этот сон напоминал мне комикс, который я читал в детстве, — «Таинственные истории» — помните эту книжку? Картинки к ней делал этот тип Грэм Инглз, он мог нарисовать вам любую жуть, какая только есть на свете... и какой нет — тоже. Короче, была там история про женщину, утопившую своего мужа. Она привязала ему к ногам по камню и столкнула в карьер, заполненный водой. А он возьми да и явись домой. Распухший, зеленый, весь в водорослях. Пришел и убил ее... И вот я, значит, проснулся среди ночи оттого, что будто надо мной кто-то наклонился...

Доктор Харпер взглянул на часы, встроенные в письменный стол: Лестер Биллингс говорил почти тридцать минут. Доктор спросил:

— Как повела себя по отношению к вам жена после возвращения из больницы?

— Она по-прежнему меня любила. — В голосе Биллингса звучала гордость. — И по-прежнему была готова во всем меня слушаться. Жена есть жена, верно? Эти феминистки — все ненормальные. По-моему, так: всяк сверчок знай свой шесток. У каждого человека свой... как бы это сказать?..

— Свое место в жизни?

— Вот! — Биллингс щелкнул пальцами. — В самую точку. В семье главный кто? Муж. В общем, первые месяцы Рита была как пришибленная — тенью слонялась по дому, не пела, не смеялась, не смотрела телевизор. Но я знал: это пройдет. К маленьким детям не успевают так уж сильно привязаться. Через год без карточки и не вспомнишь, как они выглядели. Она хотела нового ребенка, — добавил он мрачно. — Я был против. Не вообще, а пока. Надо ж сначала в себя прийти. Поживем, говорю, хоть немного в свое удовольствие. Когда нам было жить? В кино выбраться — носом землю роешь, кто бы посидел с ребенком. На бейсбольный матч съездить — детей к ее родителям подбрасываешь. Моя мать — та наотрез отказывалась. Не могла простить, что Денни родился не через положенные девять месяцев после свадьбы. Она называла Риту уличной девицей. У нее все были уличными девицами — ну не анекдот? Однажды она усадила меня перед собой и стала рассказывать, какими болезнями может наградить мужчину уличная... ну то есть проститутка. Назавтра у тебя на... члене появится краснота, а через неделю он отсохнет. Вот так. Она даже на свадьбу к нам не пришла.

Биллингс забарабанил по груди пальцами.

— Гинеколог предложил Рите поставить спираль. Это, говорит, с гарантией. Вы и знать не будете, что она у вас стоит. — Он усмехнулся, глядя в потолок. — Вот именно, никто не знает, стоит она там или не стоит. А потом — бац! — опять залетела. Правильно, с гарантией.

— Идеальных противозачаточных средств не существует, — подал голос доктор Харпер. — Таблетки, например, оставляют два процента риска. Что касается спирали, то ее могут вытолкнуть сокращения матки или месячные, или...

— Или ее просто вытаскивают.

— Тоже возможный вариант.

— Одним словом, она уже вяжет вещи для маленького и съедает целую банку пикулей в один присест. И щебечет, сидя у меня на коленях, что «это Господь так захотел». Смех собачий.

— Ребенок родился в конце года?

— Да. Мальчик. Эндрю Лестер Биллингс. Я к нему долгое время вообще не подходил. Она эту кашу заварила, пускай сама и расхлебывает. Вы меня, наверно, осуждаете, но не забудьте, что́ я пережил.

Ну а потом я оттаял, да-да. Из всех троих он единственный был на меня похож. Денни пошел в мать, а Шерли вообще неизвестно в кого, ну разве что в мою бабку. Зато Энди был вылитый я.

После работы я всегда играл с ним в манеже. Схватит меня за палец, вот так, и заливается. Представляете, парню девять месяцев, а он уже улыбается до ушей своему папашке.

Раз, помню, выхожу из лавки... с прыгунком. Это я-то! Я всегда говорю: дети не ценят своих родителей, а вырастут, еще спасибо скажут. Я когда начал ему покупать все эти штучки-дрючки, сам почувствовал, как к нему привязался. Я тогда уже устроился на приличное место, в компанию «Клюэтт и сыновья», продавать запчасти. Неплохие, между прочим, деньги зарабатывал. И когда Энди исполнился год, мы переехали в Уотербери. В прежнем доме было слишком много тяжелых воспоминаний... и чуланов.

Следующий год был наш год. Я бы отдал все пальцы на правой руке, чтобы его вернуть. Конечно, еще был Вьетнам, и хиппи разгуливали по улицам в чем мать родила, и черномазые шумели о своих правах, но нас все это не касалось. Мы жили на тихой улице с симпатичными соседями. Да, счастливое было времечко. Я раз спросил Риту, нет ли у нее страха. Бог любит троицу и все такое. А она мне: «Это не про нас». Понимаете, она считала, что Господь отметил нашего Энди, что он очертил вокруг него священный круг.

Лицо Биллингса, обращенное кверху, исказила страдальческая гримаса.

— Ну а потом все как-то стало разваливаться. В самом доме что-то изменилось. Я начал оставлять сапоги в холле, чтобы лишний раз не заглядывать в чулан. «Вдруг *он* там? — говорил я себе. — Притаился и ждет, когда я открою дверь». Мне уже мерещилось: шлеп-шлеп... весь зеленый, в водорослях, и с них вода капает.

Рита забеспокоилась, не много ли я взвалил на себя работы, и тут я ей выдал, как в былые времена. Каждое утро у меня сжималось сердце оттого, что они остаются вдвоем в доме, но сам при этом, учтите, не хотел лишнюю минуту задержаться. Я начал думать, что *оно* потеряло нас из виду, когда мы переехали. Оно нас повсюду искало, вынюхивало наши следы. И наконец нашло. Теперь оно подстерегает Энди... и меня тоже. Понимаете, если постоянно о чем-то таком думать, это превращается в реальность. Реальность, способную убивать детей и... и...

— Вы боитесь договаривать, мистер Биллингс?

Он не отвечал. Часы отсчитали минуту, две...

— Энди умер в феврале, — резко нарушил он молчание. — Риты дома не было. Ей позвонил отец и сказал, что ее мать находится в критическом состоянии. Рита уехала в тот же вечер. Критическое состояние продлилось ни много ни мало два месяца. Днем, когда я был на работе за Энди присматривала одна женщина, добрая душа. А ночью я уже сам.

Биллингс облизал губы.

— Малыша я укладывал в нашей спальне. Забавно. Ему было два года, и Рита меня как-то спросила, не хочу ли я перенести его кровать в другую спальню. Вычитала у Спока или у кого-то из этой компании, что детям вредно спать в одной комнате с родителями. Из-за секса и всякого такого. Не знаю, лично мы этим занимались, когда он засыпал. И вообще, честно вам скажу, не хотелось мне убирать его от нас. Страшно было... после Денни и Шерли.

— Но вы его убрали? — полуутвердительно спросил Харпер.

— Да. — Биллингс выдавил из себя виноватую, жалкую улыбку. — Убрал.

И снова мучительное молчание

— Я был вынужден! — взорвался он. — Вы слышите меня, вынужден! Когда Рита уехала, он... оно осмелело. Начало... Нет, вы мне не поверите. Однажды ночью все двери в доме вдруг открылись настежь. В другой раз, утром, я обнаружил цепочку грязных следов на полу, между чуланом и входной дверью. Пластинки выпачканы илом, зеркала разбиты... и эти звуки... звуки...

Он запустил пятерню в свою поредевшую шевелюру.

— Под утро просыпаешься — как будто только часы тикают, а вслушаешься — крадется! Но не бесшумно, нет, а чтобы его слышали! Точно лапами — легко так — по полу. А ты лежишь...

и с открытыми глазами-то страшно: еще, не дай Бог, увидишь, и закрыть боязно — сейчас как ударит в лицо хохотом и гнилью... и за шею тебя скользкими своими щупальцами...

Биллингс, белый как полотно, пытался совладать с дрожью.

— Я вынужден был убрать малыша от нас. Я знал, что *оно* окажется тут как тут, ведь Энди — слабейший. Так все и вышло. Среди ночи он закричал, и когда я, собрав все свое мужество, перешагнул порог его спальни, Энди, стоя в кровати, повторял: «Бука... Бука... хочу к папе...»

Голос Биллингса сорвался на детский фальцет. Он весь словно съежился на кушетке.

— Но я не мог его забрать в нашу спальню. Не мог, поймите вы это... А через час крик повторился, но уже какой-то сдавленный. Я сразу кинулся на этот крик, уже ни о чем не думая. Когда я ворвался в спальню, *оно* трясло моего мальчика, словно терьер какую-нибудь тряпку... трясло, пока у Энди не хрустнули шейные позвонки...

— А вы?

— А я бросился бежать, — бесцветным, неживым голосом отвечал Биллингс. — Прямиком в ночное кафе. Вот что значит душа в пятки ушла. Шесть чашек кофе, одну за другой. А затем уже отправился домой. Светало. Первым делом я вызвал полицию. Когда мы вошли в спальню, мальчик лежал на полу, в ушке запеклась капля крови. Дверь в чулан была приоткрыта на ладонь.

Он умолк. Доктор Харпер взглянул на циферблат: прошло пятьдесят минут.

— Запишитесь на прием у сестры, — сказал доктор. — Вам придется походить ко мне. Вторник и четверг вас устраивают?

— Я пришел рассказать историю, больше ничего. Думал облегчить душу. Знаете, полиции я тогда соврал. Он у нас, говорю, уже выпадал из кроватки... и они это проглотили. А что им, интересно, оставалось? Картина обычная. Сколько таких несчастных случаев. А вот Рита догадалась. Уж не знаю как... но она... догадалась...

Он прикрыл глаза ладонью и заплакал.

— Мистер Биллингс, нам предстоит долгий разговор, — сказал доктор Харпер после небольшой паузы. — Надеюсь, я помогу вам освободиться, хотя бы частично, от чувства вины, которое гнетет вас. Но для этого вы сами должны хотеть освободиться.

— А вы думаете, я не хочу? — Биллингс убрал ладонь. В красных слезящихся глазах стояла мольба.

— Пока я в этом не уверен, — осторожно сказал Харпер.

После некоторого молчания Биллингс недовольно проворчал:

— Психиатры чертовы. Ладно, будь по-вашему.

— Тогда запишитесь у приемной сестры, мистер Биллингс. Желаю вам удачного дня.

Биллингс хмыкнул и вышел из кабинета, даже не оглянувшись.

Сестры за столом не оказалось. Аккуратная табличка извещала: ВЕРНУСЬ ЧЕРЕЗ МИНУТУ.

Биллингс снова заглянул в кабинет.

— Доктор, если приемная сестра...

Никого.

Только дверь в чулан приоткрыта на ладонь.

— Чудненько, — донесся оттуда приглушенный голос. Можно было подумать, что у говорившего рот набит водорослями. — Чудненько.

Биллингс прирос к полу, чувствуя, как между ног расползается теплое влажное пятно.

Дверь чулана открылась.

— Чудненько, — повторил Бука, вылезая на свет.

В зеленоватых пальцах утопленника он держал маску... лицо доктора Харпера.

# Мужчина, который любил цветы*

Ранним майским вечером 1963 года молодой человек, держа одну руку в кармане, быстро шагал по Третьей авеню Нью-Йорка. Небо постепенно темнело в чистом прозрачном воздухе, переходя от синевы дня к фиолетовым сумеркам. Есть люди, которые любят Нью-Йорк, и город достоин их любви за такие вот вечера. Улыбались все — в кафетериях, химчистках, ресторанах. Старушка, толкавшая перед собой детскую коляску с двумя пакетами, в которых лежали продукты, подмигнула молодому человеку и крикнула: «Привет, красавчик!» Молодой человек ответил ей милой улыбкой, помахал рукой.

*Она двинулась дальше, думая: он влюблен.*

Такое уж он производил впечатление. Легкий серый костюм, узкий галстук, узел приспущен, верхняя пуговица рубашки расстегнута. Кожа белая, глаза светло-синие. В лице ничего экстраординарного, но в тот теплый вечер мая

---

* The Man Who Loved Flowers. © 1998. В. Вебер. Перевод с английского.

1963 года он был ослепительно красив, вот старая женщина и подумала ностальгически, что весной всякий становится красавцем... если спешит на встречу со своей мечтой... пригласить ее на обед, а потом, возможно, на танцы. Весна — единственное время года, когда ностальгия не оборачивается горечью, и ее радовало, что она обратилась к нему, а он ответил на ее комплимент улыбкой и взмахом руки.

Молодой человек пересек Шестьдесят третью улицу все тем же пружинистым шагом, с легкой улыбкой на губах. Посреди квартала старик продавал цветы с зеленой тележки. Преобладал желтый цвет, жонкалии, поздние крокусы, но на тележке нашлось место и гвоздикам, и чайным розам, красным, белым и опять же желтым, выращенным в теплице. Старик ел претцель* и слушал транзисторный приемник, притулившийся, словно котенок, на борту тележки.

Радио передавало плохие новости, которые едва ли кто хотел слышать: убийца, орудующий молотком, по-прежнему на свободе, Джи-эф-кей** заявил, что Америке следует внимательно следить за развитием ситуации в маленькой азиатской стране, называемой Вьетнамом (диктор произнес ее название как «Вайт-нам»), неопознанную женщину выловили из Ист-Ривер, Большое жюри*** не поддержало меры, предлагаемые администрацией города для борьбы с распространением героина, русские взорвали

---

* Претцель — сухой кренделек, посыпанный солью.

** Джи-эф-кей (JFK) — Джон Фицджеральд Кеннеди, в то время президент США.

*** Большое жюри — присяжные, решающие вопрос о подсудности того или иного дела.

ядерное устройство. Но казалось, что события эти какие-то нереальные, а если и происходят в действительности, то где-то далеко-далеко и не имеют никакого отношения к вечернему майскому Нью-Йорку. Потому что воздух чист и свеж, а весна готова перейти в лето в городе, где лето — сезон исполнения желаний.

Молодой человек миновал передвижной цветочный лоток, и плохие новости затихли. Он замедлил шаг, обернулся, задумался. Вытащил руку из кармана, сунул вновь, нащупал что-то пальцами. На мгновение на его лице отразились недоумение, какая-то растерянность, тревога, потом рука покинула карман, и тут же взгляд стал прежним, в нем читалось предвкушение радостной встречи с любимой.

Улыбаясь, молодой человек вернулся к лотку с цветами. Он принесет ей цветы, ей будет приятно. Ему нравилось наблюдать, как вспыхивали ее глаза, когда он покупал ей всякие пустячки (на другое денег не хватало, в богачах он не ходил). Коробку конфет. Браслет. Однажды пакет апельсинов из Валенсии: он знал, что Норма любит их больше других.

— Желаете что-нибудь приобрести, мой юный друг? — встретил цветочник молодого человека в легком сером костюме, вернувшегося к лотку. Сам он, шестидесятивосьмилетний, несмотря на теплый вечер, стоял в толстом вязаном свитере и шерстяной шапочке. Лицо его покрывала сетка морщин, глаза глубоко запрятались в темных впадинах, между пальцами прыгала сигарета. Но он помнил, каково быть весной молодым — молодым и влюбленным. Обычно цветочник хмурился, но тут его губы разошлись в улыбке, совсем как у старухи, толкавшей детскую коляску с продуктами: молодой человек влюблен, тут уж никаких сомнений. Старик стряхнул со свитера крошки претцеля. Будь любовь болезнью, этого пострадавшего поместили бы в реанимацию.

— Сколько стоят ваши цветы? — спросил молодой человек.

— За доллар я могу подобрать вам красивый букет. А вот эти чайные розы выращены в теплице. Они подороже, семьдесят центов за штуку. Но я продам вам полдюжины за три доллара и пятьдесят центов.

— Дороговато.

— Хорошее задешево не купишь, мой юный друг. Разве вас не учила этому мать?

Молодой человек улыбнулся:

— Вроде бы она что-то такое говорила.

— Конечно. Наверняка говорила. Возьмите шесть роз: две красные, две желтые и две белые. Лучше не подберешь, не так ли? Они это любят. Но можете взять букет и за доллар.

— Они? — Молодой человек все улыбался.

— Мой юный друг. — Цветочник бросил окурок в сливную канаву и улыбнулся в ответ. — В мае никто не покупает цветы для себя. Это как закон, вы понимаете, о чем я?

Молодой человек подумал о Норме, о ее счастливых, полных восторга глазах, нежной улыбке и кивнул:

— Полагаю, что да.

— Естественно, понимаете. Так что скажете?

— А что думаете вы?

— Я скажу вам, что думаю. Почему нет? За совет денег не берут, не так ли?

Молодой человек опять улыбнулся:

— Пожалуй, это единственное, за что нынче не надо платить.

— Вы чертовски правы, — покивал цветочник. — Так вот, мой юный друг. Если цветы для вашей матери, я бы посоветовал взять букет. Несколько жонкалий, крокусов, лилий. Тогда она не испортит вам настроение словами: «О, сынок, цветы мне очень нравятся, но они так дорого стоят. Неужели ты не нашел лучшего применения своим деньгам?»

Молодой человек откинул голову, рассмеялся.

— Однако если цветы для девушки, — продолжил цветочник, — это совсем другая история, и вы это знаете. Вы приносите ей чайные розы, и она не превращается в бухгалтера, вы меня понимаете? Нет, она бросается вам на шею, обнимает вас...

— Я беру чайные розы, — прервал его молодой человек, и теперь рассмеялся цветочник. Двое мужчин с пивными животами, стоящие у дверей паба, смотрели на них и улыбались.

Цветочник выбрал шесть чайных роз, подрезал стебли, побрызгал водой, упаковал в бумажный конус.

— О такой погоде, как сегодня, можно только мечтать, — сообщило радио. — Сухо, тепло, температура чуть выше шестидесяти*. Если вы романтик, самое время посидеть на какой-нибудь крыше. Любуйтесь Большим Нью-Йорком, любуйтесь!

Цветочник перевязал вершину конуса скотчем, посоветовал молодому человеку сказать своей даме, что в воду надо добавить немного

---

* По шкале Фаренгейта, соответствует 18—20 градусам по Цельсию.

сахара, если она хочет, чтобы розы стояли дольше.

— Я ей скажу, — кивнул молодой человек, протягивая пятерку. — Спасибо вам.

— Такая работа, мой юный друг. — Цветочник вернул ему доллар и два четвертака. Улыбка погрустнела. — Поцелуйте ее за меня.

По радио «Четыре времени года» запели «Шерри». Молодой человек убрал сдачу в карман и зашагал дальше, с широко раскрытыми глазами, в ожидании скорой встречи с любимой, не оглядываясь, не обращая внимания на бьющую на Третьей авеню жизнь. Но какие-то образы откладывались в сознании: мать с коляской, в которой сидел перепачканный мороженым малыш. Девочка, прыгающая через скакалку. Две женщины у прачечной, с сигаретами, обсуждающие чью-то беременность. Группа мужчин у магазинной витрины, в которой стоял цветной телевизор с огромным экраном и табличкой с указанием цены: транслировали бейсбольный матч. Лица игроков позеленели, а травяное поле, наоборот, краснело. «Нью-Йорк» бил «Филадельфию» со счетом шесть — один. Завершался последний, девятый, иннинг.

Молодой человек шагал и шагал с букетом в руке, не замечая, что две женщины у прачечной прервали разговор и провожают взглядом и его, и чайные розы: дни, когда им дарили цветы, остались в далеком прошлом. Не заметил он и того, как молодой коп-регулировщик свистком остановил транспортный поток на пересечении Третьей авеню и Шестьдесят девятой улицы, чтобы он мог перейти дорогу. Коп только-только обручился и узнал мечтательное выражение, которое в последнее время постоянно видел в зеркале по утрам, когда брился. Он не заметил и двух девочек-подростков, которые прошли мимо него, оглянулись и захихикали.

На пересечении с Семьдесят третьей он остановился, повернул направо. Улица с кирпичными жилыми домами и итальянскими ресторанчиками на первых этажах уже погрузилась в полумрак. В трех кварталах впереди дети играли в палочки-выручалочки. Молодой человек так далеко не пошел, миновав квартал, свернул в узкий проулок.

В небе уже заблестели звезды, в проулке меж высоких стен царствовала ночь. Молодой человек замедлил шаг. Из-за какого-то мусорного контейнера, в проулке их хватало, донеслось яростное мяуканье: уличный кот выводил любовную серенаду.

Молодой человек нахмурился, посмотрел на едва различимый в темноте циферблат часов. Четверть восьмого. Норме пора бы...

И тут он увидел ее, выходящую навстречу со двора, в темно-синих слаксах, блузе в синюю и белую полоску. У него перехватило дыхание. Такое всегда случалось с ним, когда он видел ее. Его словно пронзало током... она выглядела такой юной.

Лицо его озарила улыбка, сияя, он поспешил к ней.

— Норма!

Она вскинула голову, заулыбалась... но, по мере того как сокращалось расстояние между ними, улыбка блекла.

Да и он уже не так сиял, его что-то обеспокоило. Лицо над матроской внезапно расплылось. Стало совсем темно... Может, он ошибся? Да нет же! Это *Норма*.

— Я принес тебе цветы. — Вздох облегчения вырвался из его груди. Он протянул ей бумажный конус с розами.

Она бросила на них короткий взгляд, вновь улыбнулась, вернула букет.

— Спасибо, но вы ошиблись. Меня зовут...

— Норма, — прошептал он и выхватил из кармана молоток с короткой рукояткой, который лежал там все время. — Я принес их тебе, Норма... только тебе... всегда тебе.

Она подалась назад, лицо — круглое белое пятно, рот — черная дыра, зев пещеры ужаса. Конечно, она — не Норма, Норма умерла, мертва уже десять лет, но сейчас это и не важно, потому что она собиралась закричать, и он взмахнул молотком, чтобы остановить крик, убить крик, и когда он взмахнул молотком, букет выпал из его руки, бумажный конус раскрылся, красные, желтые и белые розы рассыпались меж мусорных баков, где справлялись кошачьи свадьбы, где коты пели своим дамам.

Он взмахнул молотком, и она не закричала, но она могла закричать, потому что она — не Норма, ни одна из них не была Нормой, и он взмахивал молотком, взмахивал молотком, взмахивал молотком. Она — не Норма, и поэтому он взмахивал молотком, как и пять раз в недавнем прошлом.

Какое-то время спустя он сунул молоток во внутренний карман пиджака и попятился от тела, кулем лежащего на брусчатке, от чайных роз, валяющихся в грязи. Он повернулся и покинул узкий проулок.

Стемнело окончательно. В палочки-выручалочки уже не играли. Если на его костюме и остались пятна крови, они растворились в темноте, мягкой вечерней майской темноте, и ее звали не Норма, но он знал свое имя. Его звали... звали...

Его звали *любовь*.

Его имя — Любовь, и он шагал по этим темным улицам, потому что Норма ждала его. И он ее найдет. Не сегодня, так в ближайшие дни.

Он заулыбался. Походка вновь стала пружинистой. Супружеская пара средних лет, сидевшая на крыльце своего дома на Семьдесят третьей улице, проводила его взглядом. Мечтательная задумчивость на лице, легкая улыбка, играющая на губах. Женщина повернулась к мужчине:

— Почему ты уже не бываешь таким?

— Что?

— Ничего. — Она вновь посмотрела в спину уходящему в ночь молодому человеку в сером костюме и подумала, что прекраснее весны может быть только первая любовь.

# ГРУЗОВИКИ*

Я чувствовал, что этот парень, Снодграсс, сейчас что-нибудь отчебучит. Глаза его все более округлялись, белки вылезали из орбит, как у пса, изготавливающегося к схватке. Юноша и девушка, чью старенькую «фьюри» занесло при въезде на стоянку, пытались его вразумить, но он, склонив голову, слушал совсем другие голоса. Кругленький животик Снодграсса обтягивал дорогой костюм, правда, залоснившийся на заднице. Коммивояжер, он ни на секунду не расставался с заветным чемоданчиком с образцами. Вот и теперь чемоданчик лежал у его ног, словно любимая собака, решившая вздремнуть.

— Попробуй еще раз включить радио, — подал голос сидевший у стойки водила.

Повар, он же раздатчик, пожал плечами, включил приемник. Прошелся по всему диапазону, поймав разве что помехи.

— Ты слишком торопился, — упрекнул его водила. — Мог что-то и пропустить.

— Черта с два, — вырвалось у повара-раздатчика, пожилого негра с золотой улыбкой.

* Trucks. © 1998. В. Вебер. Перевод с английского.

Смотрел он не на водилу, а через витрину закусочной, на автостоянку.

Там выстроились семь или восемь тяжелых грузовиков с лениво работающими на холостых оборотах двигателями. Мурлыкали они, словно большие коты. Пара «маков», «хемингуэй», четыре или пять «рео». Трейлеры, обитатели автострад, с номерными знаками разных штатов, со штырями радиоантенн, торчащими над кабинами.

«Фьюри» девушки и юноши лежала колесами вверх в конце длинной колеи, которую сама же и прорыла в гравии, прежде чем превратиться в груду металлолома. У выезда со стоянки замер раздавленный «кадиллак». Его владелец высовывался из разбитого окна, словно дохлая рыба. Очки в роговой оправе повисли на одном ухе.

А посреди стоянки лежало тело девушки в розовом платье. Она выпрыгнула из «кэдди», когда поняла, что им не уйти от погони. Побежала, но шансов на спасение у нее не было. И сейчас от одного взгляда на нее пробивала дрожь, хоть и лежала она лицом вниз. Над телом роились мухи. На другой стороне дороги «форд» впечатался в оградительный рельс. Произошло это час назад. Больше по шоссе не проехала ни одна легковушка. И телефон не работал.

— Ты слишком торопился, — повторил водила. — Тебе следовало...

Вот, тут Снодграсс и сломался. Поднимаясь, опрокинул стол, три чашки разбились, просыпался сахар. Глаза коммивояжера раскрылись до предела, челюсть отвисла, он забормотал:

— Мы должны убраться отсюда должныубратьсяотсюда должбратьсюда.

Юноша закричал, его подружка завизжала.

Я сидел на ближайшем от двери стуле и успел схватить Снодграсса за рукав, но он вырвался. Совсем спятил. Прошиб бы сейфовую дверь.

Выскочил из закусочной и помчался к дренажной канаве, что тянулась по левому торцу стоянки. Два грузовика рванули за ним, выбросив к небу клубы сизого дыма. Из-под огромных задних колес фонтаном полетел гравий.

В пяти или шести шагах от края Снодграсс оглянулся с перекошенным от страха лицом. Ноги заплелись, он чуть не упал. Сумел-таки сохранить равновесие, но это ему не помогло.

Один из грузовиков отвалил в сторону, уступая место второму, и тот, яростно сверкая на солнце радиаторной решеткой, накатил на человека. Снодграсс закричал тонким, пронзительным голосом. И крик его едва прорвался сквозь рев дизельного мотора «рео».

Грузовик не утянул его под колеса. Лучше бы утянул. Но он подбросил тело вверх, словно жонглер — мяч. На мгновение оно застыло на фоне жаркого неба, похожее на искалеченное чучело, а потом исчезло в дренажной канаве.

Тормоза грузовика зашипели, словно шумно дохнул дракон, передние колеса взрыли гравий и замерли в нескольких дюймах от края. Нет, чтобы последовать за покойником.

Девушка в кабинке заверещала. Вцепилась обеими руками в щеки, оттягивая их вниз, превращая лицо в маску колдуньи.

Зазвенело бьющееся стекло. Я повернулся и увидел, как стакан водилы осколками высыпается из его руки. Сам водила, похоже, этого еще не заметил. В лужу молока на стойке закапала кровь.

Чернокожий повар остолбенел у радиоприемника с кухонным полотенцем в руках, с написанным на лице изумлением. Блестели золотые зубы. Какое-то время слышался лишь треск статических помех из «уэстклокса» да ворчание двигателя «рео», возвращающегося к своим собратьям. Затем девушка зарыдала в голос, и слава Богу. Как-то полегчало.

Через окно я видел и свой автомобиль. Вернее, то, что от него осталось. «Камаро» выпуска 1971 года, за который я еще не расплатился, хотя теперь едва ли стоило из-за этого волноваться.

Грузовиками никто не управлял. Солнечные лучи отражались от стекол пустых кабин, колеса поворачивались сами по себе. Думать об этом не хотелось. Такие мысли сводили с ума. Снодграсса вот свели.

Прошло еще два часа. Солнце покатилось к горизонту. Грузовики патрулировали стоянку, ездили кругами, выписывали восьмерки. Зажглись подфарники, габаритные огни.

Я дважды прошелся вдоль стойки, чтобы размять затекшие ноги. Затем сел в одну из кабинок у окна. Обычная закусочная для шоферов-дальнобойщиков. Рядом с автострадой. В комплексе с ремонтной мастерской, заправочными колонками с бензином и дизельным топливом. Водители заходили сюда, чтобы выпить кофе, съесть кусок пирога, сандвич, гамбургер.

— Мистер? — В голосе слышалась неуверенность.

Я обернулся. Молодняк из «фьюри». Парню лет девятнадцать. Длинные волосы, жиденькая бороденка. Девушка помоложе. На год-полтора.

— Да?

— Что с вами произошло?

Я пожал плечами.

— Ехал по автостраде в Пелсон. Грузовик пристроился сзади. Я его заметил издалека. Такое страшилище. Обгонял «жука» и просто скинул его с дороги, вильнув кузовом. Так пальцем сбрасывают со стола бумажный шарик. Я думал, что грузовик последует за «фольксвагеном». Ни один водила не удержал бы его на асфальте. Как бы не так. «Фольксваген» перевернулся раз шесть или семь и взорвался. Потом грузовик разделался еще с одной легковушкой. И уже подбирался ко мне, поэтому я воспользовался ближайшим съездом с автострады. — Я невесело рассмеялся. — И угодил аккурат на стоянку грузовиков. Из огня да в полымя.

Девушка шумно сглотнула.

— Мы видели «грейхаунд»*, едущий по полосе встречного движения. Он буквально... подминал под себя... легковушки. Он взорвался и сгорел, но до того... убивал.

Автобус! Сюрприз, и не из приятных.

За окном разом вспыхнули фары грузовиков, залив стоянку безжалостным белым светом. В урчании двигателей они кружили перед закусочной. Фары напоминали глаза. Громадные темные прямоугольники кузовов, громоздившиеся над кабинами, — плечи гигантского доисторического животного.

— Если включим свет, хуже не станет? — спросил повар-раздатчик.

— Попробуй, — ответил я. — Заодно и узнаем.

---

* Название компании, осуществляющей автобусные перевозки по всей стране, и соответственно автобусов, следующих по ее маршрутам.

Он повернул выключатель, и под потолком зажглись флуоресцентные лампы. Ожила и неоновая вывеска над входной дверью: СТОЯНКА-ЗАКУСОЧНАЯ КОНАНТА. ПРИЯТНОГО АППЕТИТА. Ничего не изменилось. Грузовики продолжали нести вахту.

— Не могу этого понять. — Водила слез с высокого стула у стойки, заходил взад-вперед, с рукой, обмотанной красным банданом. — С моей крошкой я не знал никаких проблем. Хорошая, добрая девочка. Я свернул сюда в начале второго, в надежде поесть спагетти. Тут все и началось. — Он взмахнул руками. — Мой грузовик здесь. Я вожу его шесть лет. Но стоит мне выйти за дверь...

— Это только начало. — Повар-раздатчик тяжело вздохнул, в глазах стояла печаль. — Плохо, что радио не работает. Это только начало.

Девушка побледнела как мел.

— Не каркай, — бросил я негру. — Рано еще об этом говорить.

— А в чем причина? — полюбопытствовал водила. — Электрическая буря? Ядерные испытания? Что?

— Может, они взбесились? — предположил я.

Примерно в семь вечера я подошел к повару.

— Как у нас с припасами? Я хочу сказать, сколько мы сможем продержаться?

Он насупился:

— С припасами порядок. Вчера только завезли. Две-три сотни замороженных гамбургеров, консервированные овощи и фрукты, овсяные хлопья. Молоко только то, что в холодильнике, зато вода из скважины, хоть залейся. Если придется, впятером мы просидим тут и месяц.

Водила присоединился к нам.

— Жутко хочется курить. А этот автомат с сигаретами...

— Автомат не мой, — перебил его повар-раздатчик. — Так что...

Водила нашел в подсобке железный ломик. Принялся за автомат.

Юноша шагнул к другому автомату, музыкальному. Бросил в щель четвертак.

Джон Фогарти запел о том, каково родиться в дельте реки.

Я сел, выглянул в окно. Увиденное мне не понравилось. Компанию грузовиков пополнил легкий «шеви»-пикап. Шетлендский пони среди першеронов. Я смотрел на стоянку, пока «шеви» не перекатился через тело девушки из «кадиллака». Потом отвернулся.

— Мы же от них *ушли*! — неожиданно воскликнула девушка. — Им до нас *не добраться*!

Ее дружок предложил ей затухнуть. Водила вскрыл автомат, вытащил шесть или семь пачек. Рассовал по карманам, одну распечатал. Сосредоточенно уставился на нее: похоже, решал, курить ему сигареты или есть.

Заиграла другая пластинка. Я взглянул на часы. Ровно восемь.

В половине девятого вырубилось электричество.

Когда погас свет, девушка закричала, но крик разом оборвался — юноша заткнул ей рот. С глубоким вздохом замолк музыкальный автомат.

— *Господи!* — вырвалось у водилы.

— Раздатчик, — позвал я. — Свечи у тебя есть?

— Думаю, да... Я сейчас... Ага, вот они.

Я поднялся, взял свечи. Мы их зажгли, расставили по столам, на стойке.

— Будьте осторожны, — предупредил я. — Если случится пожар, нам придется дорого за это заплатить.

— Оно и понятно, — хохотнул повар-раздатчик.

Молодые вновь уселись в кабинку, обнялись. Водила стоял у двери черного хода, наблюдал за шестью или семью грузовиками, которые кружили у топливных колонок.

— Это все меняет, не так ли? — спросил я у раздатчика.

— Более чем, если света больше не будет.

— Что нас ждет?

— Гамбургеры разморозятся через три дня. Другое мясо раньше. С консервами и овсяными хлопьями ничего не случится. Без насоса не накачать воды.

— Сколько продержимся?

— Без воды? Неделю.

— Заполни все пустые емкости. А как насчет туалетов? В бачках хорошая вода?

— Для работников туалет в этом здании. Чтобы попасть в общественный, мужской и женский, надо выходить.

— Можно пройти через ремонтную мастерскую? — спросил я.

— Нет, только через боковую дверь.

Он нашел два оцинкованных ведра. Подошел юноша.

— Чем занимаетесь?

— Нам нужна вода. Какую сможем достать.

— Дайте мне ведро.

Я протянул ему ведро.

— Джерри! — закричала девушка. — Ты...

Он зыркнул на нее, и больше она не произнесла ни слова, но схватила бумажную салфетку и начала разрывать ее на длинные полосы. Водила курил вторую сигарету и, опустив голову вниз, улыбался полу. Голоса он не подал.

Мы подошли к боковой двери, через которую днем я влетел в закусочную. Фары не знающих покоя грузовиков то и дело били нам в глаза.

— Пора? — спросил юноша, случайно задев меня плечом. Мышцы так и перекатывались. Если б кто прикончил его в тот момент, он бы прямиком отправился на небеса.

— Расслабься, — бросил я.

Он улыбнулся. Криво, но все лучше, чем никак.

— Двинулись.

Мы выскочили в холодный ночной воздух. В траве трещали цикады, в дренажной канаве лягушки давали концерт. Снаружи гудение двигателей усилилось, стало более угрожающим: хищники, вышедшие на охоту. В закусочной казалось, что все это — кино. За дверью выяснялось, что на кон поставлена твоя жизнь.

Мы крались вдоль забранной в пластик стены. В тени неширокого козырька. Мой «камаро» размазали по забору, и искореженный металл поблескивал отраженным светом фар. Так же, как и лужицы бензина и масла.

— Ты идешь в женский туалет, — прошептал я. — Наполни ведро из бачка и жди моего сигнала.

Гудение дизельных двигателей. Обманчивое. Думаешь, что они приближаются, но слышишь-то эхо, отражающееся от стен.

Юноша открыл дверь женского туалета и скрылся за ней. Я прошел дальше и юркнул в дверь мужского. Облегченно выдохнул. Поймал в зеркале свое отражение: напряженное лицо-маска, запавшие темные глаза.

Я снял фаянсовую крышку, зачерпнул полное ведро. Чуть отлил, чтобы не расплескать по полу, вернулся к двери.

— Эй?

— Я здесь, — ответил он.

— Готов?

— Да.

Мы вышли. Шесть шагов, и тут нам в глаза ударили фары. Грузовик подкрался к нам, огромные колеса неслышно катили по гравию. Затаился, чтобы теперь прыгнуть на нас, поймав в круг света. Громадная хромированная решетка радиатора разве что не зарычала.

Юноша застыл, лицо его перекосило от ужаса, глаза округлились, зрачки превратились в точки. Я двинул ему в спину, расплескав полведра.

— *Шевелись.*

Взвыл дизельный двигатель. Через плечо юноши я потянулся к двери, но ее распахнули изнутри. Юноша прыгнул в черный проем, я — за ним. Оглянулся, чтобы увидеть, как грузовик, «питербилт», поцеловался со стеной, вырывая из нее куски пластиковой обшивки. Раздался раздирающий уши скрежет, словно гигантские когти царапали по классной доске. Затем правый край переднего бампера и часть радиаторной решетки ударили в открытую дверь. Хрустальным дождем посыпались осколки стекла, дверь сдернуло с металлических петель, как бумажную. Унесло в ночь, словно на картине Дали, а грузовик, набирая скорость, покатил на автостоянку, обдав нас сизым дымом. В реве двигателя слышались злость и разочарование.

Юноша поставил ведро на пол и упал в объятия девушки, дрожа всем телом.

Сердце у меня билось, как молот. Ноги стали ватными. Что же касается воды, то на двоих мы принесли три четверти ведра. Не стоило и надрываться.

— Надо забаррикадировать эту дверь. — Я повернулся к повару-раздатчику. — Подскажи чем.

— Ну...

— К чему? — вмешался водила. — Любой большой грузовик втиснется сюда только колесом.

— Меня волнуют не грузовики.

— Мы можем взять лист пластика из кладовой, — предложил раздатчик. — Босс собирался строить пристройку для баллонов с бутаном.

— Поставим к двери пару листов и подопрем их перегородками от кабинок, — решил я.

— Сойдет, — кивнул водила.

Этим мы все и занялись, даже девушка. Баррикада получилась достаточно солидная. Конечно, лобового удара она бы не выдержала. Это все понимали.

У витрины, выходящей на стоянку, еще оставались три кабинки. Я сел в одну. Часы над стойкой остановились в восемь тридцать две. На сооружение баррикады ушло часа полтора. Снаружи рычал один грузовик. Некоторые уехали, спеша выполнять неведомые нам задания, другие прибыли. Я насчитал три пикапа, кружащих среди своих более крупных собратьев.

Меня потянуло в сон, но, вместо того чтобы считать овец, я начал считать грузовики. Сколько их в штате, сколько в Америке? Трейлеров, пикапов, для перевозки легковушек, малотоннажных... а если прибавить к ним десятки тысяч армейских и автобусы. Кошмарное зрелище возникло перед моим мысленным взором: автобус, двумя колесами на тротуаре, двумя — в сливной канаве, несется вдоль улицы, как кегли сшибая вопящих пешеходов.

Я отогнал эти мысли прочь и забылся тревожным сном.

Кричать Снодграсс начал где-то под утро. Молодой месяц высвечивал землю в разрывах облаков. К мерному гудению двигателей добавился новый лязгающий звук. Я выглянул в окно и увидел пресс-подборщик сена, совсем рядом с потухшей вывеской. Лунный свет отражался от поворачивающейся штанги пакера.

Крик донесся вновь, из дренажной канавы:

— Помогите... *м-м-мне...*

— Что это? — спросила девушка. Тени под глазами стали шире, на лице нарисовался испуг.

— Ничего.

— Помогите... *м-м-м-мне...*

— Он жив, — прошептала девушка. — О Боже. *Он жив.*

Я его не видел, но нужды в этом и не было. Я и так знал, что лежит Снодграсс, свесившись головой в дренажную канаву, с переломанными позвоночником и ногами, в костюме, заляпанном грязью, с белым, перекошенным от боли лицом...

— Я ничего не слышу. А ты?

Она посмотрела на меня.

— Разве так можно?

— Вот если ты его разбудишь, — я указал на спящего юношу, — он, возможно, что-то услышит. Даже решит, что надо помочь. Как ты на это посмотришь?

Ее щека дернулась.

— Я ничего не слышу, — прошептала она. — Ничего.

Прижалась к своему дружку, положила голову ему на грудь. Не просыпаясь, он обнял ее.

Больше никто не проснулся. Снодграсс еще долго кричал, стонал, плакал, но потом затих.

Рассвело.

Прибыл еще один грузовик с плоским кузовом-платформой для перевозки легковушек. К нему присоединился бульдозер. Вот тут я испугался.

Подошел водила, сжал мне плечо.

— Пойдем со мной, — возбужденно прошептал он. Остальные еще спали. — Есть на что посмотреть.

Я последовал за ним в кладовую. Перед окном кружило с десяток грузовиков. Поначалу я не заметил ничего необычного.

— Видишь? — указал он. — Вот там.

Я увидел. Один из пикапов застыл. Стоял, ничем никому не угрожая.

— Кончился бензин?

— Именно так, дружище. *А вот сами они заправиться не могут!* Мы их сделаем. Придет наш час. — Он улыбнулся и полез в карман за сигаретами.

Где-то в девять утра, когда я ел на завтрак кусок вчерашнего пирога, заревел гудок. Надрывно, протяжно, сводя с ума. Мы подошли к панорамному окну. Грузовики стояли, двигатели работали на холостых оборотах. Один трейлер, громадный «рео» с красной кабиной, выкатился передними колесами на узкую полоску травы между стеной закусочной и автостоянкой. С такого расстояния радиаторная решетка еще больше походила на звериную морду. Да еще колеса чуть ли не в рост человека.

Гудки вновь прорезали воздух. Отчаянные, требовательные. Короткие и длинные, чередующиеся в определенной последовательности.

— Да это же «морзе»! — неожиданно воскликнул Джерри.

Водила повернулся к нему:

— Откуда знаешь?

Юноша покраснел:

— Выучил в бойскаутах.

— Ты? *Ты?* Ну и ну. — Водила изумленно покачал головой.

— Хватит об этом, — оборвал я водилу. — Вспомнить сможешь?

— Конечно. Дайте послушать. Есть у когонибудь карандаш?

Повар-раздатчик протянул ему ручку, юноша начал выписывать на салфетке буквы. Потом перестал.

— «Внимание». Снова и снова. Подождем.

Мы ждали. Череда длинных и коротких гудков рвала и рвала воздух. Внезапно последовательность изменилась, юноша опять взялся за ручку. Мы нависли над его плечами, читая появляющиеся на салфетке слова: «Кто-то должен качать горючее. Кому-то не причинят вреда. Все горючее надо перекачать. Немедленно. Сейчас же кто-то должен начать перекачивать горючее».

Грузовик повторил послание. Не нравились мне печатные буквы, написанные на салфетке.

Какие-то механические, безжалостные. Не признающие компромиссов. Или ты подчиняешься, или...

— Так что будем делать? — спросил юноша.

— Ничего, — ответил водила. Его глаза сверкали. — Нам надо выжидать. Горючего у них совсем ничего. Один из маленьких пикапов уже заглох. Будем ждать.

Гудки смолкли. Грузовик дал задний ход, присоединился к остальным. Они стояли полукругом, целя в нас фарами.

— Там бульдозер, — заметил я.

Джерри посмотрел на меня.

— Вы думаете, они снесут эту хибару?

— Да.

Он повернулся к повару-раздатчику:

— Они не смогут этого сделать, не так ли?

Повар пожал плечами.

— Мы должны голосовать, — объявил водила. — На шантаж не поддадимся, черт побери. Надо ждать, и ничего больше. — Последнюю фразу он повторил трижды, как заклинание.

— Хорошо, — согласился я. — Голосуем.

— Ждать, — тут же вырвалось у водилы.

— Думаю, мы должны их заправить, — возразил я. — И дождаться нашего шанса на спасение. Раздатчик?

— Остаемся здесь. Кому охота быть их рабами? А к этому мы придем. Не хочу до конца жизни заправлять эти... штуковины, как только они загудят. Это не по мне. — Он выглянул в окно. — Пусть поголодают.

Я посмотрел на юношу и девушку.

— Думаю, он прав, — ответил юноша. — Только так их можно остановить. Если кто-то и сумеет нас спасти, то лишь после того, как заглохнут их двигатели. Одному Господу известно, что творится в других местах. — И девушка, в глазах которой застыл Снодграсс, кивнула, шагнув к своему дружку.

— Пусть будет так, — не стал спорить я.

Подошел к сигаретному автомату, взял пачку, не взглянув на марку. Курить я бросил год назад, но почувствовал, что самое время начать снова. От табачного дыма запершило в горле.

Проползли двадцать минут. Грузовики на стоянке ждали. Другие выстроились у заправочных колонок.

— По-моему, все это блеф, — нарушил тишину водила. — Они не...

И тут громко взревел двигатель, стих, взревел вновь. Бульдозер.

Он сверкал на солнце, как шершень, «катерпиллер» с лязгающими стальными гусеницами. Черный дым валил из выхлопной трубы. Он развернулся к нам ножом.

— Собирается напасть! — На лице водилы отразилось безграничное изумление. — Он собирается напасть на нас!

— Назад! — распорядился я. — За стойку!

Двигатель бульдозера все ревел. Рукоятки переключения скоростей двигались сами по себе. Над срезом выхлопной трубы дрожал горячий воздух. Внезапно нож приподнялся, изогнутая стальная пластина, вся в грязи. Затем, натужно взвыв, бульдозер двинулся на нас.

— *За стойку!* — Я подтолкнул водилу, очнулись и остальные.

Невысокий бетонный выступ отделял гравий автостоянки от полосы травы. Бульдозер перевалил через него, еще чуть приподняв нож, потом врубился в фасад. Посыпались осколки стекла, деревянные рамы разлетелись в щепки. Одна из ламп упала на пол, осколков прибавилось. С полок смело посуду. Девушка закричала, но ее крик растворился в рокоте двигателя «катерпиллера».

Он отъехал, оставив за собой взрытую землю, вновь рванулся вперед. Оставшиеся кабинки покорежило, вышибло на середину зала. Противень с пирогом слетел со стойки, куски пирога заскользили по полу.

Повар-раздатчик сидел на корточках. Юноша обнимал девушку. Водилу трясло от страха.

— Это надо остановить, — забормотал он. — Скажи им, мы сделаем все, что они захотят.

— Поздновато говорить, не так ли?

«Катерпиллер» откатился, готовясь к очередной атаке. На ноже появились новые царапины, поблескивающие на солнце. С ревом он двинулся на нас. На этот раз удар пришелся по несущей опоре слева от окна, вернее от того места, которое занимало окно. Часть крыши рухнула. Столбом поднялась пыль.

Бульдозер выехал из-под обломков. Позади него ждали грузовики.

Я схватил повара за плечо.

— Где бочки с печным топливом? — Плиты работали на бутане, но я заметил вентили отопительной системы.

— В кладовой, — ответил он.

Я повернулся к юноше:

— Пошли.

Мы поднялись, шмыгнули в кладовую. Бульдозер нанес новый удар, и все здание содрогнулось. Еще немного, и он смог бы подъехать к стойке за чашечкой кофе.

Мы нашли две бочки с печным топливом по пятьдесят галлонов каждая. У двери стоял ящик с пустыми бутылками из-под кетчупа.

— Возьми их, Джерри.

Когда он принес бутылки, я снял рубашку, разорвал ее на тряпки. Бульдозер долбил и долбил, после каждого удара что-то рушилось. Я наполнил печным топливом четыре бутылки, заткнул горлышки тряпками.

— Играл в футбол? — спросил я юношу.

— В школе.

— Отлично. Думай о том, что ты должен отдать точный пас.

Мы вернулись в закусочную. С фасадом бульдозер покончил. Осколки стекла сверкали, словно алмазные россыпи. Несущая балка одним торцом уперлась в пол, перегораживая доступ к стойке. Бульдозер пятился, выбирая позицию поудобнее, чтобы потом сдвинуть ее в сторону. Я решил, что, очистив путь, он одним ударом сметет и стулья, и стойку.

Мы присели на корточки, выставили перед собой бутылки.

— Зажигай, — приказал я водиле.

Тот достал спички, но руки у него так тряслись, что он выронил их на пол. Повар подобрал спички, чиркнул одной. Масляно блестели тряпки.

— Быстрее, — торопил я.

Мы побежали, юноша чуть впереди. Стекло хрустело под ногами. В воздухе пахло горячим маслом. Вокруг громыхало, сверкало.

Бульдозер ринулся в атаку.

Юноша поднырнул под балку. Широкий швеллер наискось перерезал его силуэт. Я обогнул балку справа. Первая бутылка юноши не долетела до цели. Вторая разбилась о нож, и пламя выплеснулось зря. Юноша попытался повернуться, отбежать, но бульдозер уже накатил на него, четыре тонны стали. Руки юноши взлетели вверх, и он исчез под ревущим чудовищем.

Я оказался сбоку. Одна бутылка полетела в открытую кабину, вторая — в двигатель. Взорвались они одновременно, в языках пламени.

Двигатель бульдозера взвыл, совсем как человек, в ярости и боли. Бульдозер завертело, он снес левый угол закусочной и, как пьяный, покатился к дренажной канаве.

Траки гусениц пятнала кровь. Там, где упал юноша, лежало что-то, напоминающее смятое бумажное полотенце.

У самой канавы бульдозер, с полыхающими двигателем и кабиной, взорвался, выбросив гейзер осколков.

Я подался назад и едва не упал, споткнувшись о груду битого кирпича. Запахло паленым. Но горело не печное топливо — волосы. Мои волосы.

Я сдернул со стола скатерть, накинул на голову, обежал стойку, сунул голову в раковину с такой силой, что едва не прошиб ее. Девушка билась в истерике, снова и снова выкрикивая имя своего дружка.

Я оглянулся и увидел громадный грузовик для перевозки легковушек, подтягивающийся к беззащитному фасаду.

Водила с нечленораздельным воплем метнулся к боковой двери.

— Нет! — попытался остановить его повар-раздатчик. — Нельзя...

Но водила уже несся к дренажной канаве и начинающемуся за ней полю.

Маленький грузовичок с надписью ПРАЧЕЧНАЯ ВОНГА. НЕМЕДЛЕННАЯ ДОСТАВКА на борту, должно быть, стоял в засаде, невидимый от боковой двери. Он накатил на водилу, прежде чем тот успел моргнуть. Потом грузовичок уехал, а водила остался на гравии. От удара сапоги слетели с ног.

Грузовик-перевозчик тем временем миновал бетонный уступ, травку, останки юноши, остановился, всунувшись гигантским рылом-решеткой в закусочную.

Прогудел раз, другой, третий...

— Хватит! — заверещала девушка. — Хватит, пожалуйста, хватит!

Но гудки не прекратились. Мы быстро все поняли. Послание не изменилось. Грузовик хотел, чтобы мы накормили и его, и остальных.

— Я пойду. — Я вышел из-за стойки. — Насосы не заблокированы?

— Нет, — ответил повар. Он постарел лет на пятьдесят.

— Нет! — Девушка бросилась мне на грудь. — Вы должны их остановить. Уничтожить, сжечь... — От горя у нее перехватывало дыхание.

Повар-раздатчик обнял ее. Я обогнул стойку, вышел через кладовую. Сердце стучало, как паровой молот, когда я ступил на гравий автостоянки. Солнечные лучи жгли кожу. Хотелось курить, но я не решился чиркнуть спичкой у заправочных колонок.

Грузовики все выстраивались в затылок друг другу. А маленький, из прачечной, держался неподалеку, рыча, как сторожевой пес. Его колеса поскрипывали по гравию. Одно неверное движение с моей стороны, и он бы размазал меня в лепешку. Солнце блеснуло на ветровом стекле, и по моему телу пробежала дрожь. Я словно взглянул в лицо идиота.

Я включил насос и вытащил шланг из гнезда. Отвернул крышку с первого бака и начал заливать горючее.

Мне потребовалось полчаса, чтобы осушить первый резервуар, и я перешел ко второму блоку колонок. Грузовики сменяли друг друга. Каким-то требовался бензин, другим — дизельное топливо. Я начал осознавать, что происходит. Мне открылась истина. Люди проделывали то же самое по всей стране, если только не лежали трупами, как водила на гравии, со слетевшими с ног сапогами, с четким рисунком протектора, впечатавшимся в спину.

Второй резервуар опустел, я принялся за третий. Солнце жгло немилосердно. От паров бензина разболелась голова. На нежной коже между большим и указательным пальцами вздулись волдыри. Но грузовики про это ничего не знали. Они понимали, что такое текущие трубопроводы, заклинившие подшипники, выбитые шаровые опоры, но представить себе не могли, что есть водяные пузыри, солнечный удар и нестерпимое желание завопить во весь голос. О своих бывших хозяевах им требовалась малая толика знаний, и они ее уже усвоили: из нас текла кровь.

Покончив с последним резервуаром, я бросил шланг на землю. Грузовики все стояли. Я разогнулся, повернул голову. Очередь вытянулась вдоль стоянки, перетекая на автостраду, расширяясь до двух-трех полос, уходя к горизонту.

Такое случалось только в Лос-Анджелесе да еще в час пик. Воздух мерцал от горячих выхлопных газов, пахло сгоревшим дизельным топливом.

— Все, — выдохнул я. — Горючего нет. Резервуары сухие.

И тут басовито заревел мощный двигатель. Громадный серебристый грузовик свернул на автостоянку: бензовоз. С надписью вдоль цистерны: «Заправляйтесь филлипс-66 — реактивным горючим».

Тяжелый шланг выпал с заднего торца.

Я наклонился, поднял его, вставил в сливную магистраль первого резервуара. Заработал перекачивающий насос. Запах бензина ударил мне в нос. Тот самый запах, который, должно быть, вдыхали умирающие динозавры, проваливаясь в нефтяные болота. Я заполнил еще два резервуара и приступил к заправке.

Сознание мутилось, я потерял счет времени и грузовикам. Отворачивал крышку, вставлял шланг, качал, пока горячая жидкость не била через край, ставил крышку на место. Водяные пузыри лопнули, сукровица текла по запястьям. Голову дергало, как гнилой зуб, запах гидрокарбонатов вызывал тошноту.

Я знал, что вот-вот рухну без чувств. Потеряю сознание, и на этом все кончится. Но заправлять буду, пока не свалюсь.

Потом на мои плечи легли руки. Темные руки повара-раздатчика.

— Иди в закусочную. Отдохни. Я поработаю до темноты. Постарайся уснуть.

Я протянул ему шланг.

Но спать я не могу.

Девушка спит. Распростершись на стойке, подложив под голову скатерть. Но ее лицо не расслабилось и во сне. Лицо, не знающее ни возраста, ни времени. Лицо жертвы войны. Вскорости я собираюсь ее будить. Сгустились сумерки, и вахта повара-раздатчика длится уже пять часов.

А грузовики все подъезжают. Я выглянул из развалин закусочной. Подсвеченная подфарниками, их очередь растянулась на милю, а то и больше. В надвигающейся темноте сами подфарники поблескивают, как желтые сапфиры.

Девушке придется отстоять свою смену. Я покажу ей, что надо делать. Она скажет, что не сможет, но у нее все получится. Она захочет жить.

*Ты не хочешь стать их рабом,* спрашивал повар-раздатчик. *К этому все придет. Ты хочешь до конца жизни менять фильтры, стоит одной из этих тварей загудеть?*

Возможно, мы сумеем убежать. Сейчас они выстроены в ряд, мы успеем прыгнуть в дренажную канаву. А потом побежим по полям, спрячемся в болотах, где грузовики утонут, как мастодонты...

*...обратно в пещеры!*

Рисовать картины углем. Это бог луны, это дерево. Это охотник, сокрушающий «мака».

Не получится. Слишком большая часть мира заасфальтирована. Даже детские площадки. Что же касается болот, то есть танки, вездеходы, платформы на воздушной подушке, оснащенные лазерами, мазерами, тепловыми радарами. И мало-помалу они изменят мир, как им того хочется.

Я вижу нескончаемые колонны самосвалов, заваливающие песком Океценокские болота, бульдозеры, превращающие национальные парки и девственные земли в плоскую укатанную равнину. Чтобы грузовики ехали себе и ехали.

Но они машины. Какие бы изменения ни произошли в них, даже если они и обрели массовое сознание, *функции воспроизводства себе подобных они лишены начисто.* И через пятьдесят или шестьдесят лет они превратятся в груды ржавого металла, в неподвижные мишени, в которые свободные люди будут бросать камни.

Но, закрыв глаза, я вижу сборочные конвейеры Детройта, Диарборна, Янгстоуна и Макинака, новые грузовики, которые собирают рабочие. И вкалывают они не от звонка до звонка, а пока не упадут замертво. Но к конвейеру тут же встают другие.

Повар-раздатчик уже еле таскает ноги. Он тоже в возрасте. Пора будить девушку.

Два самолета, оставляя серебряные инверсионные хвосты, летят у темнеющего восточного горизонта.

Если бы я мог поверить, что в креслах пилотов сидят люди.

# ЗЕМЛЯНИЧНАЯ ВЕСНА*

*Попрыгунчик Джек...*

Утром эти два слова бросились мне в глаза, как только я раскрыл газету, и, клянусь Господом, поразили меня до глубины души. Я словно перенесся на восемь лет назад. Однажды, аккурат в эти же дни, я увидел себя по национальному телевидению в программе «Уолтер Кронкайт рипорт». Лицо среди прочих, за спиной репортера, но родители тут же засекли меня. Позвонили по межгороду. Отец потребовал анализа ситуации: он принимал близко к сердцу общественные проблемы. Мать просто хотела, чтобы я вернулся домой. Но тогда я не хотел возвращаться. Меня зачаровали.

Зачаровала темная, туманная земляничная весна, зачаровала тень насильственной смерти, что бродила ночами восемь лет тому назад. Тень Попрыгунчика Джека.

В Новой Англии это природное явление называют земляничной весной. Говорят, приходит она раз в восемь или десять лет. Вот и случившееся в Педагогическом колледже Нью-Шейро-

---

* Strawberry Spring. © 1998. В. Вебер. Перевод с английского.

на в ту земляничную весну... тоже могло иметь цикличность, но если кто-то и догадался об этом, то никому не сказал.

В Нью-Шейроне земляничная весна началась 16 марта 1968 года. В тот день «сломалась» самая суровая за последние двадцать лет зима. Пошел дождь, запахло океаном, находившимся в двадцати милях к западу. Снег, толщина которого местами достигала тридцати пяти дюймов, осел, подтаял, дорожки кампуса превратились в грязное месиво. Ледяные скульптуры, сооруженные к Зимнему карнавалу и простоявшие два месяца как новенькие при температуре ниже нуля, разом уменьшились в размерах и потекли. Карикатурное изваяние Линдона Джонсона перед Теп-Хаус, одним из корпусов общежития, заплакало горючими слезами. Голубь перед Прашнер-Холл потерял перышки, кое-где обнажился деревянный остов.

А вместе с ночью пришел и туман, заполнивший улицы и площади кампуса. Ели торчали сквозь него, словно растопыренные пальцы, и он медленно втягивался, как сигаретный дым, под маленький мост, охраняемый орудийными стволами времен Гражданской войны. В тумане доселе привычный окружающий мир становился странным, непонятным, таинственным. Ничего не подозревающий путник выходил из залитого светом «Зубрилы», ожидая увидеть чистое звездное зимнее небо, раскинувшееся над снежной белизной... и внезапно попадал в скрывающую все и вся молочную пелену, в которой слышались лишь шаги да журчание воды в ливневых канавах. Казалось, из тумана сейчас выйдут персонажи тех самых книг, которые ты изучал, а обернувшись, ты увидишь, что «Зубрила» исчез, уступив место панораме неведомой страны, в лесах и горах живут друиды, феи, волхвы.

Музыкальный автомат в тот год играл «Любовь — это грусть». А также «Эй, Джей», снова и снова. И «Ярмарку в Скарборо».

В тот вечер, в десять минут одиннадцатого, первокурсник Джон Дэнси, возвращаясь в общежитие, завопил в тумане, побросав книги на ноги мертвой девушки, лежавшей в углу автостоянки у биологического корпуса с перерезанным от уха до уха горлом и широко раскрытыми глазами, которые весело блестели, словно ей удалась лучшая в ее короткой жизни шутка. Дэнси кричал, кричал и кричал.

Следующий день выдался мрачным, облака висели над самой землей, и мы пришли на занятия с естественными вопросами: кто? почему? когда его поймают? И конечно же, с самым волнующим из всех: ты ее знал? ты ее знал...

*Да, я занимался с ней в классе рисования.*

*Да, мой приятель встречался с ней в прошлом семестре.*

*Да, как-то раз она попросила у меня зажигалку в «Зубриле». Сидела за соседним столиком.*

*Да.*

*Да, я...*

*Да... да... о да, я...*

Гейл Джерман. Мы узнали о ней все. Она серьезно занималась живописью. Носила старомодные, в тяжелой оправе очки, но фигурка была ничего. В кампусе ее любили, а соседки по общежитию ненавидели. На свидания ходила редко, хотя среди парней пользовалась успехом. Не красавица, но с шармом. Отличалась острым язычком. Говорила много, улыбалась мало. Успела забеременеть, болела лейкемией. Убил ее дружок, узнав, что она — лесбиянка. Стояла земляничная весна, и 17 марта мы все знали всё о Гейл Джерман.

Полдюжины патрульных машин понаехали в кампус, большинство из них припарковались перед Джудит Франклин Холл, где жила Джерман. Когда я шел на десятичасовую пару, меня попросили показать студенческое удостоверение. Я не чувствовал за собой вины. И показал.

— У тебя есть нож? — подозрительно спросил коп.

— Вы насчет Гейл Джерман? — полюбопытствовал я после того, как сказал, что, кроме цепочки для ключей, ничего смертоносного при мне нет.

— Почему ты спрашиваешь? — разом подобрался коп.

В итоге я опоздал на десять минут.

Стояла земляничная весна, и никто не бродил по кампусу с наступлением темноты. Вновь сгустился туман, пахло океаном, царили тишина и покой.

В девять вечера в комнату влетел мой сосед. Я с семи часов бился над эссе по Милтону.

— Его поймали. Я узнал об этом в «Зубриле».

— От кого?

— Не знаю. От какого-то парня. Гейл убил ее ухажер. Карл Амарала.

Я откинулся на спинку стула, испытывая облегчение и разочарование. От человека с такими именем и фамилией можно ожидать всякого. Преступление на почве страсти со смертельным исходом.

— Хорошо, что его поймали.

Сосед ушел, чтобы разнести благую весть по всему общежитию. Я перечитал написанное, не смог понять, какую пытался выразить мысль, порвал почти законченное эссе, начал снова.

Подробности мы узнали из утренних газет. С фотоснимка Амаралы, вероятно, из школьного выпускного альбома, смотрел грустный юноша, смуглый, с темными глазами и оспинками на носу. Последний месяц он и Гейл Джерман часто ссорились, а неделю назад расстались. Сосед Амаралы по комнате сказал, что тот «был в отчаянии». В ящике для обуви под кроватью Карла полиция нашла охотничий нож с лезвием в семь дюймов и фотографию девушки, которой вспороли горло.

Газеты напечатали и фотографии Гейл Джерман. Похожая на мышку блондинка в очках. Косенькая, с застенчивой улыбкой. Одной рукой она поглаживала собаку. Мы верили, что по-другому и быть не могло.

Туман вернулся и в ту ночь, растекся по всему кампусу. Я вышел прогуляться. У меня разболелась голова, и я неспешно шагал по дорожкам, вдыхая запах весны, изгоняющей надоевший за долгую зиму снег, открывающей островки прошлогодней травы.

Ночь эта стала для меня одной из самых прекрасных в жизни. Люди, мимо которых я проходил, казались тенями в отсвете уличных фонарей. И встречались мне только влюбленные парочки, соединенные руками и взглядами. Таял снег, капельки соединялись в ручейки, которые журчали в ливневых канавах, чем-то напоминая далекий шум морского прибоя.

Я гулял до полуночи, покуда основательно не продрог, миновал много теней, услышал много шагов, чавкающих по размокшим дорожкам. И кто мог поручиться, что среди этих теней не было человека, которого потом назвали Попрыгунчик Джек? Только не я, ибо я видел много теней, но туман скрывал от меня их лица.

Наутро меня разбудил шум в коридоре. Я высунулся из двери, чтобы узнать, что случилось, приглаживая волосы и водя по пересохшему нёбу волосатой гусеницей, оказавшейся на месте языка.

— Он добрался еще до одной, — сказал мне кто-то с побледневшим от волнения лицом. — Им пришлось его отпустить.

— Кого?

— Амаралу! — радостно воскликнул другой. — Он сидел в тюрьме, когда это произошло.

— Произошло что? — терпеливо спросил я, понимая, что рано или поздно мне все доходчиво объяснят.

— Прошлой ночью этот парень опять кого-то убил. И теперь это ищут по всему кампусу.

— Ищут что?

Бледное лицо передо мной расплылось, ушло из фокуса.

— Ее голову. Убийца унес с собой ее голову.

И сейчас Нью-Шейрон не такой уж большой колледж, а тогда был еще меньше. Такие колледжи обычно называют муниципальными. В те дни все студенты знали друг друга. Ты сам, твои друзья, знакомые твоих друзей, те, кого ты хоть раз видел на лекциях, семинарах, в «Зубриле», больше, пожалуй, никого. Гейл Джерман относилась к той категории, кому ты просто кивал, в уверенности, что где-то ее видел.

А вот Энн Брей была у всех на виду. В прошлом году считалась фавориткой в конкурсе «Мисс Новая Англия». А как здорово танцевала она под мелодию «Эй, посмотри на меня». И умом ее природа не обделила. Редактор газеты колледжа (еженедельник с множеством политических карикатур и статей, критикующих администрацию), член студенческого драматического общества, президент нью-шейронского отделения Национальной женской ассоциации. На первом курсе, только окунувшись в бурную студенческую жизнь, я обращался к Энн с двумя предложениями: хотел вести в газете постоянную рубрику и пригласить се на свидание. И в том, и в другом мне отказали.

А теперь она умерла... хуже, чем умерла.

В тот день я, конечно, пошел на занятия. Как обычно кивал знакомым, здоровался с друзьями, разве что более внимательно вглядывался в их лица. Точно так же, как они изучали мое. Потому что среди нас ходил плохой человек, с душою черной, как тропинки, протоптанные среди вековых дубов, растущих за спортивным залом. Черной, как пушки времен Гражданской войны, едва проглядывающие сквозь пелену наплывающего тумана. Мы всматривались в лица друг друга и пытались найти эту черную душу.

На этот раз полиция никого не арестовала. Синие патрульные машины кружили по кампусу в туманные весенние ночи 18, 19 и 20 марта, лучи фар выхватывали из темноты все укромные уголки. Руководство колледжа ввело комендантский час, запретив покидать общежития после девяти вечера. Парочку, которую нашли обнимающейся на скамейке в декоративной роще у Тейт Аламни Билдинг, отвезли в полицейский участок Нью-Шейрона и продержали в камере три часа.

Двадцатого поднялась паника, когда на той же автостоянке, где убили Гейл Джерман, обнаружили лежащего без сознания студента. Перепугавшийся до смерти коп загрузил его на заднее сиденье патрульной машины, прикрыл лицо картой округа, даже не потрудившись прощупать пульс, и помчал в местную больницу. В тишине кампуса включенная на полную мощность сирена ревела, как свора баньши.

На полпути труп приподнялся и спросил: «Где это я?» Коп завизжал и съехал в кювет. Трупом оказался студент последнего курса Доналд Моррис. Последние два дня он провалялся в кровати с гриппом, вроде бы в тот год свирепствовал азиатский. И потерял сознание, когда шел в «Зубрилу», чтобы выпить чашку горячего бульона и что-нибудь съесть.

Погода стояла теплая и облачная. Студенты собирались маленькими группами, разбегались, чтобы тут же собраться вновь, пусть и в другом составе. При пристальном взгляде на отдельные лица возникали самые невероятные мысли. Скорость, с которой слухи из одного конца кампуса достигали другого, приближалась к световой. Всеми любимого и уважаемого профессора истории видели под мостом, плачущим и смеющимся одновременно. Гейл Джерман успела кровью написать два слова на асфальте автостоянки. Оба убийства имели политическую подоплеку, и совершили их активисты из антивоенной организации, протестующие против участия американцев во вьетнамской войне. Последнюю версию подняли на смех. Нью-шейронское отделение этой самой организации насчитывало лишь семь человек, всех их прекрасно знали. Тогда патриоты внесли уточнение: убийца — кто-то из приезжих агитаторов, состоящих в той же организации. Поэтому в эти хмурые теплые дни мы постоянно выискивали среди нас незнакомые лица.

Пресса, обычно любящая обобщения, поначалу проигнорировала удивительное сходство нашего убийцы с Джеком Потрошителем и начала рыть глубже, докопавшись аж до 1819 года. Один дотошный журналист из Нью-Хэмпшира вспомнил про некоего доктора Джона Хаукинса, который в те стародавние времена избавился от пяти своих жен, используя ему только ведомые медикаментозные средства. Но в итоге газеты вернулись к Джеку, заменив Потрошителя на Попрыгунчика: Энн Брей нашли на пропитанной влагой земле, в двенадцати футах от ближайшей дорожки, но полиция не обнаружила ни единого следа ни жертвы, ни убийцы. Эти двенадцать футов мог преодолеть только Попрыгунчик.

Двадцать первого зарядил дождь, превратив кампус в болото. Полиция объявила, что на поиски убийцы брошены двадцать детективов в штатском, мужчин и женщин, и сняла с дежурства половину патрульных машин.

Студенческая газета откликнулась яростной статьей протеста. Автор утверждал, что при таком количестве переодетых копов невозможно выявить засланных активистов антивоенного движения.

Спустились сумерки, а с ними и туман медленно поплыл по обсаженным деревьями авеню, проглатывая одно здание за другим. Мягкий, невесомый, но одновременно будоражащий, пугающий. В том, что Попрыгунчик Джек — мужчина, сомнений ни у кого не было, но туман, его союзник, представлялся мне женщиной. И наш маленький колледж очутился между ними, слившимися в безумном объятии. То был союз, замешенный на крови. Я сидел у окна, курил, смотрел на загорающиеся фонари и гадал, когда же все это кончится. Вошел мой сосед по комнате, прикрыл за собой дверь.

— Скоро пойдет снег, — объявил он.

Я повернулся и воззрился на него:

— Об этом передали по радио?

— Нет. Кому нужен прогноз погоды? Ты когда-нибудь слышал о земляничной весне?

— Возможно. Очень давно. Бабушкины сказки, не так ли?

Он подошел ко мне, всмотрелся в темноту за окном.

— Земляничная весна — что индейское лето*, только случается гораздо реже. Хорошее индейское лето повторяется каждые два-три года. А вот такая погода, как сейчас, бывает один раз в восемь или десять лет. Фальшивая весна, ложная весна, точно так же как индейское лето — ложное лето. Моя бабушка говорила: земляничная весна — признак того, что зима еще покажет себя. И чем дольше она длится, тем сильнее ударит мороз, тем больше выпадет снега.

— Сказки все это. Нельзя верить ни слову. — Я пристально смотрел на него. — Но я нервничаю. А ты?

Он снисходительно усмехнулся, стрельнул сигарету из вскрытой пачки, что лежала на подоконнике.

---

* В России — бабье лето.

— Я подозреваю всех, кроме себя и тебя. — Усмешка завяла. — А иногда возникают сомнения и в отношении тебя. Не хочешь пойти поиграть в кегли? Готов поставить десятку.

— На следующей неделе контрольная по тригонометрии. Надо позаниматься, иначе не напишу.

Однако и после того, как он ушел, я долго смотрел в окно. И даже раскрыв книжку, не мог полностью сосредоточиться на синусах и косинусах. Какая-то часть моего «я» бродила во тьме, где затаилось зло.

В тот вечер убили Адель Паркинс. Шесть полицейских машин и семнадцать выдающих себя за студентов детективов (среди них восемь женщин, прибывших из Бостона) патрулировали кампус. Но Попрыгунчик Джек тем не менее сумел ее убить, развеяв последние сомнения в том, что он — один из нас. Фальшивая весна, ложная весна, помогала ему, укрывала его. Он убил Адель и оставил ее в «додже» выпуска 1964 года. Там девушку и нашли следующим утром. Часть — на переднем сиденье, часть — на заднем, остальное — в багажнике. А на ветровом стекле он написал ее кровью (это уже факт — не слухи) два слова: ХА! ХА!

В кампусе у всех слегка поехала крыша: мы знали и не знали Адель Паркинс, одну из тех незаметных, но шустрых женщин, без устали сновавших взад-вперед по «Зубриле» от шести до одиннадцати вечера, обслуживая охочих до гамбургеров студентов. Должно быть, только в три последних туманных вечера она смогла хоть немного перевести дух: комендантский час соблюдался неукоснительно, и после девяти в «Зубрилу» заглядывали только копы да технический персонал колледжа. Последние пребывали в превосходном настроении: студенты не докучали им по вечерам.

Добавить к этому практически нечего. Полиция билась в истерике, не находя ни малейшей зацепки. В конце концов они арестовали выпускника-гомосексуалиста, Хансона Грея, который заявил, что «не может вспомнить», где провел последние вечера. Его обвинили в убийствах, но наутро отпустили, после последней ночи земляничной весны, которая также не обошлась без жертвы: на набережной убили Маршу Каррен.

Почему она пришла туда одна, что делала, так и осталось тайной. Эта толстуха жила в городе, в квартире, которую снимала вместе с еще тремя студентками. Она незаметно проскользнула в кампус, так же легко, как и Попрыгунчик. Что привело ее туда? Может, некое чувство, перед которым она не могла устоять? Или темная ночь, теплый туман, запах океана? Но нарвалась на холодный нож.

Произошло это двадцать третьего. А днем позже президент колледжа объявил, что весенние каникулы сдвинуты на неделю, и мы разлетелись в разные стороны, без радости, как овцы перед надвигающейся грозой, оставив кампус на попечение полиции.

Мой автомобиль стоял на кампусной стоянке. Я усадил в кабину шестерых. Поездка никому не доставила удовольствия. Каждый из нас понимал, что Попрыгунчик Джек, возможно, сидит рядом.

В ту ночь температура упала на пятнадцать градусов. Хлынувший на севере Новой Англии дождь быстро перешел в снег. У многих стариков прихватило сердце, а потом, словно по мановению волшебной палочки, пришел апрель. С дневными ливнями и звездными ночами.

Одному Богу известно, почему этот каприз природы назвали земляничной весной, но повторяется он раз в восемь или десять лет и являет собой зло. Попрыгунчик Джек исчез вместе с туманом, и к июню кампус волновали лишь демонстрации протеста против призыва в армию и сидячие забастовки в помещении, которое фирма, известный производитель напалма, использовала для собеседований со студентами. В июне о Попрыгунчике Джеке больше не говорили, во всяком случае, вслух. Подозреваю, многие частенько оглядывались, из опасения, а не подкрадывается ли он сзади, но ни с кем не делились своими страхами.

В тот год я защитил диплом, а в следующем женился. Получил хорошую работу в местном издательстве. В 1971 году у нас родился ребенок, и скоро ему идти в школу. Красивый, умный мальчик с моими глазами и ее ртом.

И вот сегодняшняя газета.

Разумеется, я знал, о чем в ней напишут. Знал еще вчера утром, когда поднялся и услышал журчание талой воды в ливневых канавах, почуял соленый запах океана с нашего крыльца, в девяти милях от побережья. Я понял, что вновь пришла земляничная весна, прошлым вечером, когда, возвращаясь с работы домой, включил фары: начавший собираться туман уже заполнил лощины и подбирался к зданиям и уличным фонарям.

В утренней газете написали о девушке, убитой в кампусе нью-шейронского колледжа неподалеку от моста с орудийными стволами времен Гражданской войны. Ее убили ночью и нашли на подтаявшем снегу. Нашли... не целиком.

Моя жена расстроена. Она хочет знать, где я был прошлым вечером. Я не могу сказать ей, потому что не помню. Я помню, как поехал с работы домой, помню, как включил фары, чтобы найти путь сквозь туман, но это все, что сохранила моя память.

Я думаю о туманном вечере, когда у меня разболелась голова и я пошел прогуляться среди безликих теней. Я думаю о багажнике моего автомобиля... какое ужасное это слово: *багажник*, и задаюсь вопросом, почему мне страшно его открыть?

Я пишу за столом и слышу, как в соседней комнате плачет моя жена. Она думает, что прошлой ночью я был с другой женщиной.

И, о Господи, я опасаюсь того же.

# ГАЗОНОКОСИЛЬЩИК*

В прежние времена Гарольд Поркетт гордился своей лужайкой. Он приобрел большую серебристую газонокосилку «Лаунбой» и платил мальчишке из соседнего квартала по пять долларов за каждый покос. Сам Гарольд Поркетт любил тогда посидеть с банкой пива в руке, слушая по радио, как проводят очередной матч бостонские «Красные носки»**, зная, что Бог на небесах, а в мире (а значит, и на его лужайке) все в порядке. Но в прошлом году, в середине октября, судьба сыграла с Гарольдом Поркеттом злую шутку. Когда мальчишка в последний раз выкашивал лужайку, собака Кастонмейеров загнала кота Смитов под газонокосилку.

Дочь Гарольда выблевала полстакана вишневого «кул-эйда» на новый свитер, а его жене всю следующую неделю снились кошмары. Объявилась она после инцидента, но лицезрела, как Гарольд и мальчишка с позеленевшим лицом чистят ножи газонокосилки. Дочь Гарольда и миссис Смит стояли рядом и плакали. Алисия, од-

* The Lawnmower Man. © 1998. В. Вебер. Перевод с английского.

** Профессиональная бейсбольная команда.

нако, успела сменить свитер на джинсы и футболку: ей нравился мальчишка, который выкашивал их лужок.

Послушав с неделю, как на соседней кровати стонет и вскрикивает жена, Гарольд решил избавиться от газонокосилки. Пришел к выводу, что на самом деле она ему и не нужна. В этом году он нанимал парня, который выкашивал лужайку его газонокосилкой. В следующем мог нанять парня вместе с газонокосилкой. Может, тогда Клара перестанет стонать. И снова начнет выполнять супружеские обязанности.

Он отвез серебристого «Лаунбоя» на бензозаправку Фила и торговался с ним, пока они не нашли взаимоприемлемого решения. Гарольд вернулся домой с покрышкой «келли» и полным баком бензина «супер», а Фил выставил «Лаунбоя» на одном из бетонных возвышений для заправочных колонок с табличкой «Продается».

В этом году Гарольд затянул с первым покосом. А когда наконец прочухался и позвонил мальчишке из соседнего квартала, его мать ответила, что Фрэнк уехал учиться в местный университет. Гарольд в изумлении покачал головой и потопал к холодильнику за банкой пива. Быстро идет время, не так ли?

Поиски нового мальчишки он отложил до мая, потом незаметно проскочил июнь, а «Красные носки» продолжали плестись на четвертом месте. По уик-эндам Гарольд сидел на выходящей во двор веранде и мрачно наблюдал, как бесконечная череда парней, которых он никогда не видел раньше, скоренько здоровались с ним, прежде чем увести его грудастую дочь на гулянку. А трава в этом году росла преотлично. Идеальное выдалось лето для травы. Три дня — солнце, один — дождь, как по часам.

К середине июля трава вымахала, как на заливном лугу, и Джек Кастонмейер начал отпускать удивительно плоские шуточки насчет цены на сено и люцерну. И Джинни, четырехлетняя дочь Дэна Смита, теперь пряталась в высокой траве, если ей не хотелось есть овсянку на завтрак или шпинат на ужин.

А в конце июля, выйдя во двор в перерыве после седьмого иннинга, Гарольд увидел сурка, сидевшего на дорожке. Пора, решил он. Выключил радио, взял газету, открыл раздел частных объявлений. И скоро нашел то, что искал: *Выкашиваю лужайки. Разумные цены. 776-2390.*

Гарольд позвонил, ожидая услышать рев пылесоса и голос домохозяйки, зовущей с улицы сына. Но ему ответили коротко и по-деловому: «Пастораль, озеленение и обслуживание приусадебных участков». Чем мы можем вам помочь?»

Гарольд объяснил собеседнице на другом конце провода, какой помощи он ждет от «Пасторали». Что же это делается, подумал он. С каких пор газонокосильщики организуют фирмы и пользуются услугами профессиональных секретарей. Он справился о цене и услышал в ответ вполне разумную цифру.

Гарольд положил трубку на рычаг и вернулся на веранду. С тяжелым чувством. Сел, включил радио, оглядел заросшую лужайку под субботними облаками, медленно плывущими по субботнему небу. Карла и Алисия уехали к теще, так что дом остался в полном его распоряжении. Хорошо бы, подумал он, чтобы этот парень скосил траву до их возвращения. Будет им приятный сюрприз.

Он открыл банку пива, вздохнул, когда Дик Драго не сумел добежать до второй базы. В высокой траве стрекотали цикады. Гарольд ругнул Дика Драго и задремал.

Полчаса спустя его разбудил звонок в дверь. Поднимаясь, он опрокинул банку с недопитым пивом.

На крыльце стоял мужчина в джинсовом комбинезоне, заляпанном зелеными, от травы, пятнами. Толстый. С огромным животом. Гарольд даже подумал, а не проглотил ли тот баскетбольный мяч.

— Да? — Гарольд Поркетт еще окончательно не проснулся.

Мужчина улыбнулся, перекатил зубочистку из одного уголка рта в другой, поддернул комбинезон, чуть надвинул зеленую бейсболку на лоб. На козырьке темнело свежее масляное пятно. Пахнул он землей, травой, машинным маслом и улыбался Гарольду Поркетту.

— Меня послала «Пастораль», приятель, — радостно возвестил он. — Ты звонил, так? Я не ошибаюсь, приятель? — Он улыбался и улыбался.

— Да. Насчет лужайки. Ты? — таращился на него Гарольд.

— Да, я. — И газонокосильщик расхохотался в опухшее от сна лицо Гарольда.

Гарольд отступил в сторону, газонокосильщик протиснулся мимо него в холл, пересек гостиную и кухню, вышел на веранду. Теперь Гарольд понял, с кем имеет дело, и все встало на свои места. С такими типами он уже встречался, они работали на департамент уборки территорий или в ремонтных бригадах на автострадах. Всегда находили свободную минуту, чтобы опереться о черенок лопаты и выкурить «Лаки страйк» или «Кэмел», при этом глядя на тебя так, будто они — соль земли и вправе двинуть тебе в челюсть или переспать с твоей женой, возникни у них такое желание. Гарольд немного побаивался таких мужчин, загоревших до черноты, с морщинками у глаз, в любой момент знающих, что надо делать.

— Лужайка во дворе особых проблем не доставит. — В голосе Гарольда подсознательно зазвучали заискивающие нотки. — Она квадратная, земля ровная, но вот трава очень уж выросла. Пожалуй, следовало скосить ее раньше.

— Нет проблем, приятель. Нет проблем. Все нормально. — Глаза газонокосильщика поблескивали, как у коммивояжера, готового рассказать анекдот по любому поводу. — Чем выше, тем лучше. Плодородная у тебя тут почва, клянусь Цирцеей. Такая уж у меня присказка.

*Клянусь Цирцеей?*

Газонокосильщик прислушался к работающему радиоприемнику. Комментатор как раз похвалил Ястрижемски.

— Болеешь за «Красные носки»? А мои любимчики — «Янки»*. — Он прошествовал через дом к входной двери, вышел на крыльцо. Гарольд только проводил его мрачным взглядом.

Он снова уселся. Виновато посмотрел на лужу пива, вытекшего из опрокинутой им банки на стол. Подумал о том, что не мешает принести из кухни тряпку и все вытереть, но не сдвинулся с места.

*Нет проблем. Все нормально.*

Гарольд раскрыл газету на финансовых страницах, посмотрел курсы акций. Правоверный

* Нью-йоркская профессиональная бейсбольная команда.

республиканец, он полагал менеджеров Уолл-стрит, стоявших за сухими колонками цифр, как минимум полубогами...

*(Клянусь Цирцеей?!)*

...и уже столько раз ругал себя за то, что не может понять Слово. Не то Слово, что было сказано на горе или выбито на каменных скрижалях, а читающееся в строчке: акции «Кодака» по 3.28, повышение на 2/3. Однажды он купил три акции «Мидуэст бизонбургерз, инк», которая разорилась в 1968 году. И он потерял свои семьдесят пять долларов. Нынче, он это понимал, бизонбургеры приносили устойчивую прибыль. И сулили самые радужные перспективы. Он часто обсуждал эту тему с Сонни, барменом в «Золотой рыбке». Сонни объяснил Гарольду, в чем его беда: он опережал время на пять лет, и ему следовало...

Гарольд Поркетт вновь начал погружаться в дрему, и тут его барабанные перепонки едва не лопнули от громового рева.

Гарольд вскочил, перевернул стул, завертел головой, не понимая, что происходит.

— Это газонокосильщик? — спросил он у кухни. Боже мой, *это* газонокосильщик?

Кухня ему не ответила, и он выбежал на крыльцо. Но увидел лишь зеленый фургончик с надписью «ПАСТОРАЛЬ» на борту. Рев теперь доносился со двора. Гарольд пулей пролетел дом, выскочил на веранду и замер.

Ужас! Кошмар! Мрак!

Красная газонокосилка, которую толстяк выкатил из фургона, двигалась сама по себе. Никто ее не толкал, не направлял. Собственно, футах в пяти от нее никого не было. Она вгрызалась в высоченную траву, словно красный дьявол, вырвавшийся из ада. Она визжала, ревела, плевалась сизым дизельным дымом — механический монстр, от одного вида которого Гарольду стало нехорошо. А воздух уже пропитался запахом свежескошенной травы.

Но куда больше поразил Гарольда газонокосильщик. Он разделся — догола. Одежду аккуратной стопкой сложил посреди лужайки. В чем мать родила, перепачканный в зелени, он на четвереньках ковылял за газонокосилкой, в пяти футах от нее, и ел траву. Зеленый сок тек по подбородку, пятнал толстый живот. И всякий раз, когда газонокосилка поворачивала, он поднимался и исполнял какой-то странный прыжок или пируэт, прежде чем вновь припасть к земле.

— *Прекрати!* — проорал Гарольд Поркетт. — *Немедленно прекрати!*

Но газонокосильщик не обратил внимания на его крики, во всяком случае, не остановился. Наоборот, стал пожирать траву еще с большей скоростью. А газонокосилка, выкосив очередную полосу, вроде бы еще и улыбнулась Поркетту стальной улыбкой.

Потом Гарольд увидел крота. Должно быть, оцепенев от ужаса, он прятался в траве перед газонокосилкой, в той полосе травы, которой предстояло лечь на землю. Крот бросился через уже скошенный участок к спасительной темноте под верандой.

Газонокосилка развернулась.

Гремя металлом, накатилась на крота и выплюнула клочки шерсти и ошметки плоти. Гарольду живо вспомнился кот Смитов. Покончив с кротом, газонокосилка вернулась на прежний маршрут.

Газонокосильщик ковылял следом, ел траву. Гарольд стоял, парализованный ужасом, напрочь забыв про акции, проценты, бизонбургеры. Он видел, как раздувается и без того огромный живот. *Газонокосильщик развернулся и пожрал останки крота.*

Именно тогда Гарольд высунулся из сетчатой двери, и его вырвало аккурат на циннии. Окружающий мир посерел, и внезапно Гарольд понял, что теряет сознание, уже потерял. Он откинулся назад, спина коснулась прохладного пола веранды, глаза закрылись...

Кто-то его тряс. Карла его трясла. Он не помыл грязную посуду, не вынес мусорное ведро, Карла сейчас закатит ему скандал, но это даже и к лучшему. Главное, что она вырвет его из приснившегося кошмара, вернет в нормальный мир, где живет нормальная Карла с ее очаровательной улыбкой и ровными зубами.

Ровные зубы — да. Но не Карлы. У нее зубы гладенькие, как у бурундучка, а эти зубы...

Волосатые.

У этих зубов росли зеленые волосы. И выглядели эти волосы совсем как...

*Трава?*

— Боже мой, — вырвалось у Гарольда.

— Ты лишился чувств, приятель, так? — Газонокосильщик склонился над ним, улыбаясь волосатыми зубами. Оволосели губы и подбородок. Оволосело все. Зелеными волосами. Во дворе пахло травой и гарью. И внезапной тишиной.

Гарольд сел, посмотрел на застывшую газонокосилку. Вся трава скошена. И нет нужды в граблях, отметил он, подавляя приступ тошноты. Если газонокосильщик где и пропустил стебелек, в глаза это не бросалось. Гарольд повернулся к газонокосильщику, его передернуло. Такой же голый, такой же толстый, такой же ужасный. И зеленые ручейки, бегущие из уголков рта.

— Что это было? — взмолился Гарольд.

Толстяк обвел рукой лужайку.

— Это? Ну, босс отрабатывает новую технологию. Получается неплохо. Просто хорошо, приятель. Одним выстрелом убиваем двух зайцев. Одновременно заканчиваем покос и уборку травы и зарабатываем деньги для финансирования других наших проектов. Понимаешь, о чем я? Разумеется, иной раз попадается клиент, который не понимает, некоторые люди ни в цент не ставят производительность труда, так, но босс всегда соглашается на жертвоприношение. Главное, чтобы колесики крутились, если ты не потерял ход моих мыслей.

Гарольд промолчал. Одно слово вертелось у него в голове: жертвоприношение. А мысленным взором он видел крота, исчезающего под красной газонокосилкой.

Он поднялся медленно, как немощный старик.

— Разумеется. — И сподобился на фразу с какой-то из пластинок Алисии: — Господи, благослови траву.

Газонокосильщик хлопнул себя по бедру.

— Отлично сказано, приятель. Просто потрясающе. Я вижу, ты все понимаешь как надо. Не возражаешь, если я процитирую тебя, вернувшись в контору? Может, получу повышение.

— Конечно. — Гарольд попятился, пытаясь выдавить из себя улыбку. — Продолжай. А я хочу немного вздремнуть...

— Будь спок, приятель. — Газонокосильщик поднялся. Тут Гарольд заметил неестественно большой зазор между первым и вторым пальцами ног, словно это были не ноги... а копыта.

— Сначала все удивляются, — продолжил газонокосильщик, — но потом привыкают. — Он оценивающе оглядел приличных размеров живот Гарольда. — Может, тебе захочется попробовать самому? Босс постоянно ищет новые таланты.

— Босс, — повторил Гарольд.

Газонокосильщик уже спустился с веранды и пристально посмотрел на Гарольда Поркетта.

— Да, конечно, приятель. Видать, ты смекнул, что к чему. Я знал, что так оно и будет. Господи, благослови траву, и все такое.

Гарольд покачал головой, и газонокосильщик расхохотался.

— Пан. Босс — Пан. — И полуподпрыгнул, полускакнул по свежескошенной лужайке. Газонокосилка, взревев, ожила и покатила к углу дома.

— Соседи... — начал Гарольд, но газонокосильщик весело помахал ему рукой и исчез за углом.

На лужайке перед домом гремела и завывала газонокосилка. Гарольд отказывался лицезреть это действо, возможно, с тем, чтобы потом Кастонмейеры и Смиты, демократы поганые, не смогли одарить его укоряющим взглядом, говорящим яснее слов: чего еще можно ждать от республиканца?

Вместо этого Гарольд направился к телефонному аппарату, схватил трубку, позвонил в полицейский участок по «горячей» линии.

— Сержант Холл, — ответили на другом конце провода.

Гарольд зажал пальцем свободное ухо.

— Меня зовут Гарольд Поркетт. Мой адрес — дом 1421 по Восточной Эндикотт-стрит. Я хотел бы сообщить... — Что? О чем он хотел бы сообщить? Какой-то мужчина насилует и убивает его лужайку, работает он у некоего Пана и у него ноги-копыта?

— Слушаю вас, мистер Поркетт.

Тут его осенило.

— Я хочу сообщить о случае непристойного обнажения.

— Непристойного обнажения? — повторил сержант Холл.

— Да. Тут мужчина косит мне лужайку. Он... без всего.

— Вы хотите сказать, он голый? — В голосе сержанта Холла слышались недоверчивые нотки.

— Голый! — согласился Гарольд, надеясь, что его не примут за психа. — Обнаженный. Раздетый. С голой задницей. На моей лужайке перед домом. Пришлите наконец кого-нибудь.

— Вы живете в доме 1421 на Западной Эндикотт? — Сержант Холл никак не хотел ему поверить.

— Восточной! — прокричал Гарольд. — Ради Бога...

— Так вы говорите, он совершенно голый? И вы видите его гениталии и все такое?

Гарольд пытался заговорить, но из горла вырвалось только клокотание. А рев безумной газонокосилки становился все громче и громче, глуша все остальные звуки. Гарольд чувствовал, как его охватывает страх.

— Что вы говорите? — переспросил сержант Холл. — У вас там какой-то ужасный шум.

Входная дверь распахнулась.

Гарольд обернулся и увидел вкатывающуюся в холл газонокосилку. За ней следовал газонокосильщик, по-прежнему голый. Гарольд увидел, что лобковые волосы у него зеленые, словно мох. На одном пальце он крутил бейсболку.

— Тут ты погорячился, приятель. — В голосе газонокосильщика слышался укор. — Не следовало тебе отходить от «Боже, благослови траву».

— Эй, мистер Поркетт? Мистер Поркетт...

Телефонная трубка выпала из онемевших пальцев Гарольда, когда газонокосилка двинулась на него по новенькому, с длинным коричневым ворсом, ковру Карлы, выстригая его, как лужайку.

Гарольд завороженно смотрел на нее, как кролик на удава, пока она не добралась до кофейного столика. Когда же газонокосилка отбросила его в сторону, превратив одну ножку в щепу и опилки, Гарольд схватил стул и попятился к кухне, волоча его за собой, как прикрытие.

— Это тебе не поможет, приятель, — покачал головой газонокосильщик. — Только все перепачкаем. Лучше покажи мне, где у тебя самый острый нож, и мы сделаем так, чтобы жертвоприношение прошло максимально безболезненно... Я думаю, понадобится и ванночка для птиц. А потом...

Гарольд швырнул стул в газонокосилку, которая уже обошла его с фланга, пока голый мужчина отвлекал внимание, и рванул к двери черного хода. Газонокосилка с ревом обогнула стул, выпустила облако сизого дыма. Открывая сетчатую дверь и сбегая по ступенькам, Гарольд слышал, чувствовал, что газонокосилка наседает ему на пятки.

Она сиганула с верхней ступени, как прыгун на лыжах — с трамплина. Гарольд бежал по свежевыкошенной лужайке, но он выпил слишком много банок пива, слишком часто спал после сытного обеда. Он чувствовал, что расстояние между ним и газонокосилкой сокращается, что она совсем рядом, оглянулся, одна нога зацепилась за другую, и он упал.

Последними Гарольд увидел лыбящуюся предохранительную решетку надвигающейся газонокосилки, поднимающуюся вверх, чтобы открыть бешено вращающиеся, запачканные зеленым ножи, а над ней толстое лицо газонокосильщика, покачивающего головой в добродушном упреке.

— Черт знает что, — вздохнул лейтенант Гудвин. Фотограф закончил работу, и лейтенант кивнул двум мужчинам в белых халатах. Те потащили через выкошенную лужайку белый контейнер. — Не прошло и двух часов, как он сообщил, что перед его домом появился голый мужчина.

— Правда? — спросил патрульный Кули.

— Да. Позвонил и его сосед. По фамилии Кастонмейер. Он подумал, что это сам Поркетт. Может, так и было, Кули. Может, так и было.

— Сэр?

— Обезумел от жары. — Лейтенант Гудвин постучал по виску. — Шизофрения, знаешь ли.

— Вы упоминали о ванночке для птиц? — спросил один из мужчин в белом.

— Действительно, упоминал, — согласился Гудвин, указывая на ванночку. Патрульный Кули проследил за его пальцем и внезапно резко побледнел. — Сексуальный маньяк, — уверенно продолжил лейтенант Гудвин. — Другого и быть не может.

— Отпечатки пальцев? — полюбопытствовал патрульный Кули.

— С тем же успехом ты мог спросить и про следы. — Гудвин указал на свежескошенную траву.

В горле у патрульного Кули хрюкнуло.

Лейтенант Гудвин сунул руки в карманы, покачался на каблуках.

— Мир полон психов, — глубокомысленно изрек он. — Никогда об этом не забывай, Кули. Эксперты говорят, что кто-то гонялся за Поркеттом по его собственной гостиной с газонокосилкой. Можешь ты себе такое представить?

— Нет, сэр, — честно признал Кули.

Гудвин оглядел аккуратно подстриженную лужайку и зашагал к дому. Кули последовал за ним. В воздухе висел приятный запах только что скошенной травы.

# Женщина в палате*

Вопрос один: сможет ли он это сделать?

Он не знает. Ему известно, что иногда она их жует, морщась от неприятного вкуса, а изо рта доносится звук, будто она грызет леденцы. Но это другие пилюли... желатиновые капсулы. На коробочке надпись: ДАРВОН КОМПЛЕКС. Он нашел их в шкафчике для лекарств и, задумавшись, долго вертел в руках. Иногда доктор прописывал их ей, до того как она снова легла в больницу. Чтобы она могла спать по ночам, не чувствуя боли. Шкафчик битком набит лекарствами, они выстроились, словно колдовские снадобья. Альфа и омега западной цивилизации. ФЛИТ СУППОЗИТАРИЗ. Он никогда не пользовался свечами. Сунуть в задницу что-то восковое ради того, чтобы отогнать болезнь: сама мысль об этом вызывала у него тошноту. Это же непристойно, совать что-то в задницу. ФИЛЛИПС МИЛК ОФ МАГНЕЗИЯ. АНАГИН АРТРИТИС ПЕЙН ФОРМУЛА. ПЕПТО-БИСМОЛ. И еще,

* The Woman in the Room. © 1998. В. Вебер. Перевод с английского.

и еще. По лекарствам он мог составить список всех ее болезней.

Но эти пилюли — другие. С обычным дарвоном их роднит только серая желатиновая капсула. Размером они больше, отец называл пилюли таких размеров лошадиными таблетками. На коробочке указано: асп. 350 мг, дарвон 100 мг, и сумеет ли она прожевать их, даже если он сможет дать ей эти капсулы? Захочет ли? Дом живет обычной жизнью: включается и выключается холодильник, отопительная система обеспечивает нормальную температуру, даже кукушка, как положено, выскакивает из «гнезда», чтобы возвестить, что прошли очередные полчаса. Он полагает, что после ее смерти Кевину и ему придется все отключать. Ее нет уже. В доме об этом говорит все. Она в центральной больнице штата Мэн, в Льюистоне. Палата 312. Отправилась туда, когда боль стала такой невыносимой, что она уже не могла спуститься на кухню, чтобы сварить себе кофе. Временами, когда он навещал ее, она плакала, не подозревая об этом.

Кабина лифта поднимается, поскрипывая, он изучает синюю табличку-сертификат на стене. В сертификате указано, что лифт проверен и им можно пользоваться без опаски, скрипит он или нет. В больнице она уже три недели, и сегодня ей сделали операцию, которая называется «кортотомия». Он не уверен, что пишется это слово именно так, но звучит как кортотомия. Врач сказал ей: кортотомия включает введение иглы через шею в головной мозг. Врач сказал, что это то же самое, как если бы в апельсин вогнать спицу и проткнуть косточку. Когда игла войдет в болевой центр, на ее кончик подадут радиосигнал и электрический разряд уничтожит болевой центр. Точно так же выключается телевизор, если штепсель выдернуть из розетки. И тогда раковая опухоль в желудке уже не будет вызывать такие мучения.

Мысль об операции еще более неприятна ему, чем мысли о свечах, медленно тающих в его прямой кишке. Она заставляет его вспомнить роман Майкла Крайтона «Человек-компьютер»*, в котором людям тоже вживляли в голову провода. Согласно Крайтону, процедура эта — не из приятных. Он писателю верил.

Двери кабины открываются на третьем этаже, и он выходит в коридор. Это старое крыло больницы, и пахнет тут опилками, которыми обычно посыпают лужи блевотины на окружной ярмарке. Пилюли он оставил в «бардачке». На этот раз он ничего не пил до приезда в больницу.

Стены выкрашены в два цвета: коричневые понизу и белые поверху. Он думает, что из двухцветных сочетаний более тоскливым, в сравнении с коричневым и белым, является только черное и розовое.

Два коридора пересекаются буквой Т перед лифтом. Там же находится и фонтанчик с водой, где он всегда останавливается, чтобы отсрочить свое появление в палате. Тут и там он видит медицинское оборудование, почему-то ассоциирующееся у него со странными, но игрушками. Каталка с хромированными стойками и резиновыми колесами, на которой везут в операционную, где врачи уже готовы к проведению «кор-

* Название оригинала «The Terminal Man». Роман переведен на русский язык и опубликован в 1991 г.

тотомии». Большой цилиндр, назначение которого ему неизвестно. Чем-то он похож на колеса, какие ставят в беличью клетку. Вращающийся поднос с торчащими из него двумя бутылками — прямо-таки груди в представлении Сальвадора Дали. В глубине одного из коридоров сестринский пост. Оттуда до него доносится смех и запах кофе.

Он глотает воду и плетется к ее палате. Боится того, что может открыться его глазам, и надеется, что она спит. Если так, будить ее он не собирается.

Над дверью каждой палаты маленький квадратный фонарь. Когда пациент нажимает кнопку вызова медсестры, фонарь оживает, загорается красным. Вдоль по коридору медленно прогуливаются пациенты в дешевых больничных халатах поверх больничного белья. Халаты в белую и синюю полосы, с круглыми воротниками. Больничное белье называют «джонни». «Джонни» нормально смотрятся на женщинах и странновато на мужчинах, поскольку «джонни» — то ли платье, то ли комбинация, едва прикрывающая колени. На мужчинах шлепанцы из коричневого кожзаменителя. На женщинах шлепанцы вязаные, с помпонами из ниток. Такие и у матери. Она называет их бабушами.

Пациенты напоминают ему фильм ужасов «Ночь живых мертвецов». Двигаются они очень осторожно, словно кто-то скрутил пробки с их внутренних органов, как с банок с майонезом, и теперь они боятся расплескать жидкости, которые плещутся в их телах. Некоторые пользуются палками. Их походка пугает, но и вызывает уважение. Походка людей, которые неспешно движутся в неведомое, походка студентов в шапочках и мантиях, направляющихся на выпускной вечер.

Из транзисторных приемников доносится музыка, голоса. Он слышит, как «Блэк оук Арканзас» поют «Джим Дэнди» («Уходи, Джим Дэнди, уходи, Джим Дэнди», фальцет словно подгоняет медленно вышагивающих пациентов). Он слышит, как гость ток-шоу хрипловатым, прокуренным голосом обсуждает политику Никсона. Он слышит, как под польку кто-то поет по-французски — Льюистон все еще франкоговорящий город, здесь по-прежнему любят джигу и обожают резать друг друга в барах на Лиссабон-стрит.

Он останавливается у палаты матери и

какое-то время он приходил сюда только выпивши. Он стыдился этой привычки, хотя мать, накачанная наркотиками и элавилом, ничего не замечала. Элавил — транквилизатор, который дают раковым больным, чтобы те поменьше боялись неизбежной смерти.

Порядок он завел следующий. Днем покупал в «Сонниз маркет» две упаковки (по шесть банок каждая) пива «Черная метка». Три выпивал за «Улицей Сезам», две — во время «Мистера Роджера», одну — с «Электрической компанией»*. Потом одну за ужином.

Пять банок он брал в машину. От Реймонда до Льюистона — 32 мили, по шоссе 302 и 202, так что он прилично набирался к тому моменту, когда подъезжал к больнице. Полными оставались лишь одна или две банки. Если он что-то привозил матери, то оставлял в кабине, чтобы

* Речь идет о телепередачах.

иметь повод спуститься вниз и ополовинить еще одну банку.

Опять же, у него появлялась возможность облегчиться на улице, и ему это особенно нравилось. Автомобиль он всегда ставил с краю, на замерзшую ноябрьскую грязь, и холодный воздух способствовал более полному опорожнению мочевого пузыря. В больничный туалет ему входить не хотелось: кнопка для вызова сестры за унитазом, хромированная ручка для слива воды, торчащая под углом сорок пять градусов, бутылка с розовым дезинфицирующим средством над раковиной нагоняли жуткую тоску.

По дороге домой пить не хотелось вовсе. Остающиеся полбанки он ставил в холодильник, и когда их набралось шесть, он...

никогда бы не поехал, если б знал, что все будет так плохо. Первая мысль, которая приходит ему в голову: *Она не апельсин*, и тут же ее сменяет вторая: *Теперь она действительно быстро умрет?* Она вытянулась на кровати, неподвижная, за исключением глаз, но ему кажется, что тело напряжено, будто внутри не прекращается какое-то движение. Шея ее замазана чем-то оранжевым, вроде бы меркурихромом, под левым ухом накладка. Туда доктор загнал иглу и вместе с центром боли уничтожил те участки мозга, что контролировали шестьдесят процентов двигательных функций. Ее глаза следуют за ним, похожие на глаза смотрящего с иконы Иисуса.

— Мне кажется, тебе не следовало приезжать сегодня, Джонни. Я не в форме. Может, завтра мне будет получше.

— А что такое?

— Чешется. Все чешется. Ноги вместе?

Он не видит, вместе ли у нее ноги. Они согнуты в коленях и скрыты под больничной простыней. В палате очень жарко. Вторая кровать пустует. Он думает: сопалатники приходят и сопалатники уходят, но моя мама остается. Господи!

— Они вместе, мама.

— Распрями их, Джонни. А потом тебе лучше уйти. Никогда со мной такого не случалось. Ничем не могу пошевелить. Нос чешется. Как ужасно, когда у тебя чешется нос, а ты не можешь его почесать, не правда ли?

Он чешет ей нос, а потом осторожно опускает ноги. Не ноги — спички, так она исхудала. Она стонет. Слезы бегут по щекам к ушам.

— Мама?

— Ты можешь опустить мне ноги?

— Я только что опустил.

— Да? Тогда хорошо. Кажется, я плачу. Я не хотела плакать при тебе. Как же мне хочется покончить со всем этим. Покончить навсегда.

— Может, покуришь?

— Не мог бы ты принести мне воды, Джонни? Во рту все пересохло.

— Конечно.

Он берет стакан с гибкой соломинкой и идет к питьевому фонтанчику. Толстяк с эластичным бинтом на одной ноге медленно проплывает мимо. Он без полосатого халата и придерживает «джонни» за спиной.

Он наполняет стакан в фонтанчике и возвращается в палату 312. Она перестала плакать. Губы сжимают соломинку. Почему-то он вспоминает о верблюдах, которых иной раз показывают в телепередачах о путешествиях. Лицо у нее такое ссохшееся. Его самое живое воспоминание относится к тому времени, когда ему было двенадцать. Он, его брат Кевин и эта женщина переехали в штат Мэн, чтобы она могла заботиться о стариках родителях. Мать не поднималась с постели. Высокое кровяное давление привело к старческому маразму и слепоте. Велико счастье, дожить до восьмидесяти шести лет. И она весь день лежала в постели, старая и слепая, с большими подгузниками в резиновых трусах. Не могла вспомнить, что ела на завтрак, зато перечисляла всех президентов, вплоть до Айка*. Так что три поколения жили в том самом доме, где он недавно нашел эти таблетки (хотя дедушка и бабушка давно умерли). В двенадцать лет он что-то ляпнул за столом, он уже не помнил, что, но точно ляпнул, и его мать, которая стирала записанные бабкины подгузники и пропускала их через выжималку допотопной стиральной машины, обернулась, схватив один из подгузников, и ударила им его. Правда, первый удар пришелся по миске с овсянкой, которая запрыгала по столу, как большая синяя блоха, зато второй достиг цели, его спины, не очень болезненный, но разом заставивший его заткнуться. А потом эта женщина, что сейчас сама лежала на больничной койке, вновь и вновь хлестала его мокрым подгузником, приговаривая: «Не распускай язык, ты достаточно большой, чтобы знать, что можно говорить, а чего — нет». И чуть ли не каждое слово сопровождалось смачным шлепком подгузника. Так что многое из того, что он мог бы сказать, осталось невысказанным.

---

* Айк — Эйзенхауэр Дуайт Дэвид, 34-й президент США (1952—1960 гг.).

Этот мир — не место для лишних слов. Он уяснил сие в тот день. И как выяснилось, мокрый бабушкин подгузник оказался прекрасным учителем, потому что урок он усвоил четко. Прошло четыре года, прежде чем он вновь начал осваивать азы остроумия.

Она поперхивается водой, и его это пугает, потому что он еще думает о том, чтобы дать ей таблетки. Он вновь спрашивает, не хочет ли она покурить, и она отвечает:

— Если тебя это не затруднит. А потом тебе лучше уйти. Может, завтра мне станет лучше.

Он вытряхивает сигарету из одной из пачек, лежащих на столике, раскуривает ее. Держит сигарету большим и указательным пальцами правой руки, а она затягивается, обхватив губами фильтр. Затягивается с трудом. Часть дыма улетучивается, не попадая в горло.

— Пришлось прожить шестьдесят лет, чтобы мой сын держал мне сигарету.

— Я не против.

Она затягивается вновь. Так долго не отпускает фильтр, что он переводит взгляд на ее глаза и видит, что они закрылись.

— Мама?

Веки дергаются.

— Джонни?

— Я.

— Давно ты здесь?

— Не очень. Я лучше пойду. Тебе надо поспать.

— Х-р-р-р-р.

Он тушит окурок в пепельнице и выскальзывает из палаты, думая: я хочу поговорить с врачом. Черт подери, я хочу поговорить с врачом, который это сделал.

Входя в кабину лифта, он думает, что слово «врач» становится синонимом слову «человек» после того, как набран определенный профессиональный опыт, словно жестокость врачей — это аксиома, и для них характерна эта отличительная черта человека. Но

«Я не думаю, что она долго протянет», — говорит он брату этим вечером. Брат живет в Эндовере, в семидесяти милях к западу. В больнице он бывает раз или два в неделю.

— Но боли ее больше не мучают? — спрашивает Кев.

— Она говорит, что у нее все чешется. — Таблетки у него в кармане жакета. Жена спит. Он достает их: таблетки украдены из опустевшего дома матери, в котором когда-то он и брат жили вместе с бабушкой и дедушкой. Продолжая разговор, он крутит и крутит коробочку в руке, словно кроличью лапку.

— Что ж, значит, ей лучше.

Для Кева будущее всегда лучше прошлого, словно жизнь движется к всеобщему раю. В этом младший брат расходился со старшим.

— Она парализована.

— Разве в нынешнем состоянии это имеет для нее значение?

— Разумеется, *имеет*! — взорвался он, вспомнив о ногах, которые ему пришлось передвигать под простыней.

— Джон, она умирает.

— Она еще не умерла. — Вот что ужасает его больше всего. Разговор дальше пойдет кругами, накручивая прибыль телефонной компании, но главное сказано. Она еще не умерла. Лежит в палате с больничной биркой на запястье, слушая голоса, долетающие из радиоприемников, движущихся взад-вперед по коридору. И

она будет адекватно реагировать на ход времени, говорит Врач. Крупный мужчина с русой бородой. Рост у него шесть футов четыре дюйма, широченные плечи. Врач тактично увел его в холл, когда она начала засыпать.

— Видите ли, — продолжает врач, — некоторые нарушения двигательной функции неизбежны при такой операции, как кортотомия. Ваша мать начала шевелить левой рукой. Вполне возможно, что через две — четыре недели она обретет контроль и над правой.

— Будет она ходить?

Врач задумчиво смотрит в потолок. Борода приподнимается над рубашкой. Окладистая борода. По какой-то нелепой причине, глядя на бороду, Джонни вспоминает об Олгерноне Суинбурне. Почему, понять невозможно. Этот человек — полная противоположность Суинбурну.

— Осмелюсь предположить, что нет. Слишком многое разрушено.

— То есть до конца жизни она останется прикованной к постели?

— Думаю, это предположение соответствует действительности.

Он начинает восхищаться этим человеком, которого надеялся возненавидеть. Лучше услышать правду, пусть и горькую.

— И сколько она проживет в таком состоянии?

— Трудно сказать (и это тоже правда). Опухоль блокирует одну из почек. Вторая работает нормально. Когда опухоль доберется и до нее, ваша мать уснет.

— Уремическая кома?

— Да, — отвечает врач, голос звучит подозрительно. «Уремия» — специальный, патологоанатомический термин, обычно знакомый только врачам. Но Джонни знает его, потому что его бабушка умерла от того же, только без рака. У нее отказали почки, и она умерла, с внутренностями, плавающими в моче. Джонни первым понял, что на этот раз она умерла, а не заснула с открытым ртом, как свойственно старикам. Две маленькие слезинки выдавились из уголков ее глаз. Старый беззубый рот напоминал ему вычищенный под фаршировку и забытый на кухонной полке помидор. Он с минуту держал у ее рта маленькое зеркало и, поскольку гладкая поверхность не туманилась и не скрывала рот-помидор, позвал мать. Тогда все казалось нормальным, теперь — нет.

— Она говорит, что по-прежнему чувствует боль. И у нее все чешется.

Доктор солидно качает головой, как Виктор Дегрут в каком-то старом фильме.

— Она *воображает* боль. Но тем не менее ощущение боли реально. Реально для нее. Вот почему время так важно. Ваша мать больше не сможет отсчитывать секунды, минуты или часы. Она должна суметь перейти с этих единиц измерения на дни, недели и месяцы.

Он понимает, что говорит ему этот бородатый здоровяк, и его это пугает. Тихонько звякает звонок на часах врача. Он больше не может его задерживать. Тому надо куда-то идти. Как легко он говорит о времени, словно время для него — открытая книга. Может, так оно и есть.

— Можете вы еще что-то для нее сделать?

— Очень мало.

Но говорит он откровенно, и это хорошо. Во всяком случае, не «вселяет ложных надежд».

— Кома — это наихудший исход?

— Разумеется, нет. В данной ситуации прогнозы — зряшное дело. В вашем теле словно поселяется акула. И никому не ведомо, к чему это приведет. Она может раздуться.

— Раздуться?

— Нижняя часть живота увеличится в размерах, опустится вниз, снова увеличится. Но к чему рассуждать об этом сейчас? Я полагаю, мы можем сказать

что свою работу они сделали, а если предположить, что нет? Или, допустим, они поймают меня? Я не хочу идти в суд по обвинению в убийстве из сострадания. Даже если меня оправдают. Я не хочу мучиться угрызениями совести. Он думает о газетных заголовках вроде «СЫН УБИВАЕТ МАТЬ» и морщится.

Сидя на автостоянке, он вертит коробочку в руках. ДАВРОН КОМПЛЕКС. Вопрос один: *сможет ли он это сделать? Должен ли?* Она сказала: *Как бы мне хотелось покончить с этим. Я готова на все, лишь бы покончить с этим.* Кевин говорит о том, чтобы перевезти ее к нему. Незачем ей умирать в больнице. И больница не хочет оставлять ее. Они дали ей какие-то новые таблетки, но видимых улучшений нет. После операции прошло четыре дня. Они хотят избавиться от нее, потому что еще никто не научился делать эти операции без побочных эффектов. А опухоль вырезать бесполезно. Надо убирать все, за исключением головы и ног.

Он думал о том, как воспринимается ею время, как реагирует она на потерю контроля над ним. Дни в палате 312. Ночь в палате 312. Им пришлось протянуть нитку от кнопки вызова и привязать к указательному пальцу на ее левой руке, потому что теперь она не может протянуть руку и нажать на кнопку, если решит, что ей требуется судно.

Впрочем, особого значения это не имеет, потому что чувствительность в средней части потеряна полностью. Живот вместе со всеми внутренностями превратился в мешок с опилками. Теперь она испражняется в постель и мочится в постель, узнавая об этом только по запаху. Она похудела со ста пятидесяти фунтов до девяноста пяти, и мышцы превратились в веревочки. Будет ли по-другому в доме Кева? Сможет ли он пойти на убийство? Он знает, что это убийство. Самое худшее из убийств, убийство из сострадания, словно он — разумный зародыш из одного раннего рассказа ужасов Рея Брэдбери, жаждущий вызвать аборт у животного, давшего ему жизнь. Может, вина все равно его. Он — единственный ребенок, которого она выносила, ребенок, который мог что-то изменить в ее организме. Его брата усыновили, когда другой улыбающийся врач сказал ей, что своих детей у нее больше не будет. И естественно, рак зародился в ее матке, словно второй ребенок, его черный двойник. У его жизни и ее смерти отправная точка одна. Так почему ему не сделать то, что уже делает двойник, только медленно и неумело?

Он давал ей аспирин, чтобы унять боль, которую она воображала. Она держит эти таблетки в ящике прикроватного столика, вместе с открытками, в которых родственники и подруги желают ей скорейшего выздоровления, и очками для чтения, теперь уже ненужными. Они вынули у нее изо рта вставные челюсти, из опасения, что она может затолкнуть их в горло и задохнуться, поэтому она просто сосет аспирин, пока не побелеет язык.

Конечно, он мог бы дать ей пилюли. Трех или четырех хватило бы. Тысяча четыреста миллиграммов аспирина и четыреста миллиграммов дарвона женщине, вес которой за последние пять месяцев уменьшился на треть.

Никто не знает, что у него есть эти таблетки, ни Кевин, ни его жена. Он думает, что, возможно, в палату 312 положили кого-то еще, и он может забыть о своих замыслах. Может, это наилучший выход, думает он. Он спокойно уйдет с таблетками. Действительно, чего брать грех на душу? Если в палате будет другая женщина, он сочтет сие за знак свыше. Он думает

— Сегодня ты выглядишь получше.

— Правда?

— Точно. А как ты себя чувствуешь?

— Не очень. Этим вечером не очень.

— Давай посмотрим, как ты двигаешь правой рукой.

Она поднимает правую руку. С растопыренными пальцами рука плывет у нее перед глазами, потом падает. Шмяк. Он улыбается, и она улыбается в ответ.

— Врач заходил к тебе сегодня? — спрашивает он.

— Да, заходил. Он заходит каждый день. Дай мне воды, Джон.

Он протягивает ей стакан, она пьет воду через гибкую соломинку.

— Ты тоже часто приходишь ко мне, Джон. Ты хороший сын.

Она плачет. Вторая кровать по-прежнему пустует. По коридору проплывают полосатые сине-белые халаты. Он видит их через приоткрытую дверь. Он берет у нее стакан, в голове крутится идиотская мысль: стакан наполовину пуст или наполовину полон?

— Как твоя левая рука?

— Очень неплохо.

— Давай посмотрим.

Она поднимает левую руку. Она — левша, должно быть, поэтому после кортотомии левая рука оправляется быстрее. Она сжимает пальцы в кулак, разжимает, щелкает пальцами. Потом рука падает на покрывало. Шмяк. Она жалуется:

— Но я ее не чувствую.

— Давай с этим разберемся.

Он идет к гардеробу, открывает дверцу, тянется рукой за пальто, в котором она пришла в больницу, чтобы достать сумочку. Сумочку она держит там, потому что панически боится грабителей. Она слышала, что некоторые из санитаров — первоклассные воришки и тащат все, что плохо лежит. Одна из соседок по палате, давно выписавшаяся, рассказала ей, что у какой-то женщины в новом крыле больницы украли пятьсот долларов, которые та хранила в туфле. Его мать в последнее время много чего боится, а однажды сказала ему, что под ее кроватью иногда прячется мужчина. Частично причиной тому сочетания наркотиков, которые ей дают. В сравнении с ними «колеса», которыми он иногда закидывался в колледже, — детская микстура. В запертом шкафчике у сестринского поста можно найти полный набор. Наркоманы плясали бы от счастья, добравшись до такого шкафчика. Полная гарантия счастливой смерти. Вот они, чудеса современной науки.

Он приносит сумочку к кровати, открывает ее.

— Сможешь ты что-нибудь из нее достать?

— Джонни, я не знаю...

— Попытайся, — убеждает он. — Ради меня.

Левая рука поднимается с покрывала, словно калека-вертолет. Достает из сумочки бумажную салфетку. Он аплодирует.

— Хорошо! Хорошо!

Но она отворачивается:

— В прошлом году я могла вытащить этими руками две стойки с посудой.

Если делать, то сейчас, думает он. В палате очень жарко, но лоб у него в холодном поту. Если она не попросит аспирин, отложим, решает он. На другой день. Но он знает: если не сегодня, то никогда. Другого не дано.

Она искоса смотрит на дверь.

— Можешь дать мне пару моих таблеток, Джонни?

Так она спрашивает всегда. Она не должна ничего принимать сверх тех лекарств, что прописывает ей врач, потому что потеряла слишком много веса и у нее выработалась стойкая наркотическая зависимость. И теперь лишь тонкая черта отделяет ее от передозировки. Одна лишняя таблетка, и она эту черту перейдет. Говорят, такое случилось с Мэрилин Монро.

— Я принес тебе таблетки из дома.

— Правда?

— Они хорошо снимают боль.

Он протягивает ей коробочку. Прочитать название она может только на очень близком расстоянии. Она всматривается в большие буквы, потом говорит:

— Раньше я принимала дарвон. Он мне не помогает.

— Эти сильнее.

Ее глаза поднимаются от коробочки к его глазам.

— Правда? — повторяет она.

Он может лишь глупо улыбнуться. Дар речи пропал начисто. Как в тот раз, когда он впервые поимел женщину на заднем сиденье автомобиля приятеля. Он пришел домой, мать спросила, хорошо ли он провел время, а он смог ответить лишь этой самой глупой улыбкой.

— Их можно жевать?

— Не знаю. Попробуй.

— Хорошо. Не надо никому этого видеть.

Он открывает коробочку, снимает с пузырька пластиковую крышку. Могла она все это проделать левой рукой, напоминающей подбитый вертолет? Поверят ли они? Он не знает. Они, наверное, тоже не скажут, могла или нет. А может, им будет без разницы.

Он вытрясает из пузырька шесть таблеток. Чувствует на себе ее взгляд. Много, слишком много, даже она должна это понимать. Если она ничего не скажет, он бросит их в пузырек и предложит ей одну таблетку «артритис пейн формула».

Медицинская сестра проплывает мимо, и его рука сжимается в кулак, прикрывая серые капсулы, но сестра не смотрит в их сторону, а потому не видит, что делается в палате, в которой лежит пациент после кортотомии.

Его мать ничего не говорит, только смотрит на капсулы, внешне ничем не отличающиеся от любых других, разве что цветом (если бы так оно и было). Но, с другой стороны, она никогда не любила пышных церемоний. Не стала бы разбивать бутылку шампанского о собственный корабль.

— Принимай. — Голос естественный, без натуги. Первая капсула попадает в рот.

Она жует ее деснами, пока не растворяется желатин, потом кривится.

— Вкус не нравится? Я не...

— Нет, все нормально.

Он дает ей вторую капсулу. Третью. Она их сжевывает с задумчивым выражением на лице. Четвертую. Она улыбается, и он в ужасе видит, что язык у нее желтый. Может, если ударить ее в живот, она все отрыгнет. Но он не может. Он никогда не бил свою мать.

— Ты не взглянешь, вместе ли мои ноги?

— Сначала прими таблетки.

Он дает ей пятую капсулу. И шестую. Потом смотрит, вместе ли лежат ее ноги. Вместе.

— Думаю, теперь я посплю, — говорит она.

— Хорошо. А я пойду глотнуть воды.

— Ты всегда был хорошим сыном, Джонни.

Он кладет пузырек в сумочку, оставляет на покрывале рядом с матерью. Сумочка остается открытой, и он репетирует ответ на вопрос, который ему неминуемо зададут: *Она попросила дать ей сумочку. Я принес ее и открыл, прежде чем уйти. Она сказала, что сама сможет взять из нее все, что нужно. Она сказала, что попросит медсестру убрать сумочку в гардероб.*

Он уходит, пьет воду. Перед зеркалом над фонтаном высовывает язык, смотрит на него.

Когда он возвращается в палату, она спит, руки лежат рядом друг с другом. Он видит набухшие вены. Он целует ее, глазные яблоки перекатываются под веками, но глаза не открываются.

Да.

Ничего особого он не испытывает — ни хорошего, ни плохого. Все как обычно.

Он уже направляется к двери, когда новая мысль приходит ему в голову. Он возвращается к кровати, достает бутылочку, вытирает о рубашку. Затем прижимает бутылочку к расслабленным пальцам левой руки. Убирает в сумочку и уходит, быстро, не оглядываясь.

Возвращается домой, ждет телефонного звонка и жалеет, что не поцеловал ее еще раз. В ожидании звонка смотрит телевизор и пьет воду.

# НА ПОСОШОК*

З четверть одиннадцатого, когда Херб Тукландер уже собрался закрывать свое заведение, в «Тукис бар», что находится в северной части Фолмаута, ввалился мужчина в дорогом пальто и с белым как мел лицом. Дело было десятого января, когда народ в большинстве своем только учится жить по правилам, нарушенным в Новый год, а за окном дул сильнейший северо-западный ветер. Шесть дюймов снега намело еще до наступления темноты, и снегопад только усиливался. Дважды Билли Ларрибии проехал мимо нас на грейдере, расчищая дорогу, второй раз Туки вынес ему пива, из милосердия, как говаривала моя матушка, и, Господь знает, в свое время этого пива она выпила сколько надо. Билли сказал ему, что чистится только главное шоссе, а боковые улицы до утра закрыты для проезда. Радио в Портленде предсказывает, что толщина снежного покрова увеличится еще на фут, а скорость ветра усилится до сорока миль в час.

В баре мы с Туки сидели вдвоем, слушая завывания ветра да вглядываясь в языки пламени в камине.

* One for the Road. © 1998. Д. Вебер. Перевод с английского.

— Давай на посошок, Бут, — говорит Туки. — Пора закрываться.

Он налил мне, потом себе, тут открылась дверь, и вошел этот незнакомец, обсыпанный снегом, словно сахарной пудрой. Ветер тут же полез в бар снежным языком.

— Закрывайте дверь! — орет на него Туки. — Или вас воспитывали в сарае?

Никогда я не видел более перепуганного человека. Он напомнил мне лошадь, которая весь день ела крапиву. Он вытаращился на Туки, пробормотал: «Моя жена... моя дочь...» — и повалился на пол.

— Святой Иосиф, — говорит Туки. — Закрой дверь, Бут, ладно?

Я подошел и закрыл дверь, борясь с ледяным ветром. Туки опустился на колено рядом с мужчиной, приподнял голову, похлопал по щекам. Тут я увидел, что выглядит парень паршиво. Лицо уже покраснело, на нем появились серые пятна. А тот, кто пережил в Мэне все зимы с тех самых пор, когда президентом был Вудро Вильсон (это я о себе), знает, что эти серые пятна — верный признак обморожения.

— Отключился, — прокомментировал Туки. — Принеси-ка бренди.

Я взял с полки бутылку, вернулся. Туки расстегнул парню пальто. Тот чуть оклемался: глаза приоткрылись, он что-то забормотал, но очень уж тихо.

— Налей чуток.

— Чуток? — переспрашиваю я.

— Бренди — чистый динамит, — отвечает он. — А ему и так сегодня досталось.

Я плеснул бренди в стопку, посмотрел на Туки. Тот кивнул.

— Лей прямо в горло.

Я вылил. Реакция последовала незамедлительно. Мужчина задрожал всем телом, закашлялся. Лицо покраснело еще больше. Глаза широко раскрылись. Я обеспокоился, но Туки усадил его, как большого ребенка, стукнул по спине.

Мужчина попытался выблевать бренди, Туки стукнул его снова.

— Нельзя. Продукт дорогой.

Мужчина все кашлял, но уже не так натужно. Тут я смог к нему приглядеться. Судя по всему, из большого города, откуда-то к югу от Бостона. Перчатки дорогие, но тонкие, так что на руках наверняка серые пятна, и ему еще повезет, если он не потеряет палец-другой. Пальто дорогое, это точно, триста долларов, никак не меньше. И сапожки, едва доходящие до щиколоток. Я подумал, а не отморозил ли он мизинцы.

— Полегчало, — просипел он.

— Вот и хорошо, — кивнул Туки. — Можете подойти к огню?

— Моя жена и дочь... Они там... Мы попали в буран.

— Да я уж понял, что они не сидят дома перед телевизором, — ответил Туки. — Вы расскажете нам обо всем у камина. Помогай, Бут.

Мужчина со стоном поднялся, рот перекосило от боли. Вновь я подумал, а не отморозил ли он ноги. Оставалось только гадать, что чувствовал Господь, создавая идиотов из Нью-Йорка, которые пытаются пересекать южную часть Мэна наперекор северо-восточным буранам. Оставалось только надеяться, что его жена и маленькая дочь одеты теплее, чем он.

Мы довели его до камина и усадили в кресло-качалку, в которой всегда сидела миссис

Туки, пока не преставилась в 1974 году. Именно стараниями миссис Туки этот бар получил известность. О нем писали в «Даун ист», «Санди телеграф» и даже в воскресном приложении «Бостон глоуб». Действительно, «Тукис бар» скорее тянул на таверну, с паркетным полом, баром из клена, тяжелыми потолочными балками, большим каменным камином. После статьи в «Даун ист» миссис Туки хотела дать бару новое название, «Тукис инн» или «Тукис рест», действительно, они лучше соответствовали бы интерьеру, но я предпочитаю старое — «Тукис бар». Одно дело — потакать вкусам туристов, наводняющих летом наш штат, и другое — работать зимой, когда обслуживаешь только соседей. А частенько случалось, что зимние вечера мы, я и Туки, коротали вдвоем, пили виски с содовой или пиво. Моя Виктория умерла в 1973-м, и, кроме как к Туки, пойти мне было некуда: здесь голоса заглушали тиканье часов, отмеряющих мне жизнь, даже два голоса, мой и Туки. Но едва ли я приходил бы сюда, измени Туки название своего заведения на какое-нибудь «Тукис рест». Глупость, конечно, но тем не менее правда.

Мы усадили парня перед огнем, и он задрожал еще сильнее. Обхватил колени руками, зубы стучали, из носа потекло. Я думаю, он начал осознавать, что не выжил бы, проведи на улице еще пятнадцать минут. И убил бы его не снег, а пронизывающий ветер, выдувающий из тела все тепло.

— Где вы сбились с дороги? — спросил его Туки.

— В-в-в ш-ш-шести м-м-милях к-к-к юг-гу от-т-тсюда.

Туки и я переглянулись, и внезапно меня прошиб озноб.

— Вы уверены? — переспросил Туки. — Вы прошли в снегопад шесть миль?

Он кивнул.

— Я посмотрел на одометр, когда мы проехали через город. Следовал указаниям... собирались повидать сестру жены... в Камберленде... первый раз здесь... мы из Нью-Джерси...

Нью-Джерси. Вот уж где живут идиоты почище нью-йоркских.

— Шесть миль, вы уверены? — не отставал от него Туки.

— Да, уверен. Я нашел указатель, но его занесло... его...

Туки схватил его за плечо. В отсветах пламени мужчина выглядел куда старше своих тридцати шести лет.

— Вы повернули направо?

— Да, направо. Моя жена...

— Вы разглядели указатель?

— Указатель? — Он тупо посмотрел на Туки, вытер нос. — Разумеется, разглядел. Я же следовал указаниям сестры моей жены. По Джойтнер-авеню через Джерусалемс-Лот доехать до выезда на шоссе номер 295. — Он переводил взгляд с Туки на меня. На улице все завывал ветер. — Что-то не так?

— Лот, — выдохнул Туки. — О Боже.

— В чем дело? — Мужчина повысил голос. — Что я сделал не так? Да, дорогу занесло, но я подумал... если впереди город, то ее расчистят... и я...

Он смолк.

— Бут, — повернулся ко мне Туки, — звони шерифу.

— Конечно, — глаголет этот дурень из Нью-Джерси, — дельная мысль. А что с вами такое, парни? Вы словно увидели привидение.

— В Лоте привидений нет, мистер. Вы предупредили своих, чтобы они не выходили из автомобиля?

— Конечно. — В голосе слышалась обида. — Я же не сумасшедший.

У меня, кстати, имелись на этот счет сомнения.

— Как вас зовут? — спросил я. — Чтобы сказать шерифу.

— Ламли, — отвечает он. — Джералд Ламли.

Он вновь начал что-то объяснять Туки, а я пошел к телефонному аппарату. Снял трубку. Мертвая тишина. Пару раз нажал на клавишу. Никакого результата.

Вернулся к камину. Туки налил Джералду Ламли еще стопку бренди. Эта сразу нашла путь в желудок.

— Его нет? — спросил Туки.

— Телефон не работает.

— Черт, — говорит Туки, и мы переглядываемся.

А снаружи ветер швырял снег в окна.

Ламли посмотрел на Туки, на меня, снова на Туки.

— У кого-нибудь из вас есть машина? — В голос вернулась тревога. — Обогреватель работает только при включенном двигателе. Бензина оставалось четверть бака, а мне понадобилось полтора часа... Ответите вы мне или нет? — Он поднялся, схватил Туки за грудки.

— Мистер, — говорит Туки, — по-моему, ваши руки зажили собственным умом.

Ламли покосился на руки, потом на Туки, пальцы разжались.

— Мэн, — прошипел он. Словно выругался. — Где тут ближайшая заправка? У них должен быть тягач...

— Ближайшая заправка в Фолмаут-Сентре, — ответил я. — В трех милях отсюда.

— Благодарю. — В голосе его слышались нотки сарказма. Он повернулся и направился к двери, застегивая пальто.

— Едва ли она работает, — добавил я.

Он обернулся и воззрился на нас.

— Что ты такое говоришь, старина?

— Он пытается втолковать вам, что автозаправка в Фолмаут-Сентре принадлежит Билли Ларриби, а Билли сейчас расчищает дороги на грейдере, дуралей вы несчастный, — терпеливо объясняет Туки. — Так почему бы вам не вернуться и не присесть у огня, прежде чем вы лопнете от злости?

Он вернулся, ничего не понимающий, испуганный.

— Вы говорите мне, что не сможете... что здесь нет...

— Я ничего не говорю, — отвечает Туки. — Это у тебя рот не закрывается. А вот если ты хоть минуту помолчишь, мы, может, все и обдумаем.

— Что это за город, Джерусалемс-Лот? — спросил он. — Почему дорогу занесло снегом? И огней я не видел.

— Джерусалемс-Лот сгорел два года назад, — ответил я.

— И его не отстроили заново? — Вроде бы он не мог этому поверить.

— Похоже на то. — Я посмотрел на Туки. — Так что будем делать?

— Нельзя их там оставлять.

Я придвинулся к нему. Ламли как раз отошел к окну, выглянул в снежную ночь.

— А если до них добрались? — спросил я.

— Такое возможно, — ответил он. — Но точно мы этого не знаем. Библия у меня на полке. Крест при тебе?

Я полез за пазуху, показал ему освященный в католической церкви крест. Родился я и воспитывался конгрегационалистом, но многие из тех, кто живет неподалеку от Джерусалемс-Лота, теперь носят или крест, или медальон святого Кристофера, или четки. Потому что два года назад, темным октябрем, в Лот пришла беда. Иной раз, поздним вечером, когда у Туки собираются завсегдатаи, разговор заходит о случившемся. И это не досужие байки. Видите ли, в Лоте начали исчезать люди. Сначала по одному, по двое, потом целыми семьями. Школы закрылись. Чуть ли не год город пустовал. Да, некоторые, наоборот, переселились туда, идиоты из других штатов, вроде того, что сидел сейчас с нами, наверное, привлеченные дешевизной домов. Но долго не продержались. Одни уехали, прожив в Лоте месяц или два. Другие... скажем так, исчезли. А потом город сгорел. На исходе долгой засушливой осени. Вроде бы пожар начался с Марстен-Хауса, что стоял на холме над Джойтнер-авеню, но точно этого никто не знает, даже сейчас. Город горел три дня, никто его не тушил. На какое-то время жизнь вошла в нормальное русло. А потом все началось по новой.

При мне слово «вампиры» произносилось вслух лишь однажды. В тот вечер Ричи Мессина, водила из Фрипорта, крепко набрался.

«Святый Боже, — ревел он, выпрямившись во все свои девять футов роста, в шерстяных брюках, байковой рубашке, кожаных сапогах, — чего вы боитесь сказать все как есть? Вампиры! Вот о чем вы думаете, не так ли? Иисус Христос и святые угодники! Вы что — дети, насмотревшиеся фильмов ужасов! Вы знаете, что творится в Джерусалемс-Лоте? Хотите, чтобы я сказал вам? Хотите?»

«Скажи, Ричи, — ответил Туки. И в баре повисла гробовая тишина. Только в камине потрескивали дрова да по крыше барабанил ноябрьский дождь. — Мы тебя слушаем».

«Кроме стаи бродячих собак, никого там нет, — заявил нам Ричи Мессина. — Никого. А все остальное — болтовня старух, обожающих сказки о привидениях. Так вот, за восемьдесят баксов я готов поехать туда и провести ночь в этом логове призраков. Что скажете? Кто поспорит со мной?»

Никто не поспорил. Ричи много болтал и крепко пил, мы не стали бы лить слезы на его могиле, но никому не хотелось отправлять его в Джерусалемс-Лот с наступлением темноты.

«Ну и хрен с вами, — заявил Ричи. — Ружье, что лежит в багажнике моего «шеви», остановит любого в Фолмауте, Камберленде или Джерусалемс-Лоте. Вот туда я и поеду».

Он выскочил из бара, громко хлопнув дверью, и долго никто не смел нарушить тишину. Наконец подал голос Ламонт Генри: «Больше никто не увидит Ричи Мессину. Господи, упокой его душу». И Ламонт, методист, перекрестился.

«Он протрезвеет и передумает, — заметил Туки, но голосу его недоставало уверенности. —

Появится к закрытию и постарается обратить все в шутку».

Но прав оказался Ламонт, потому что Ричи никто больше не увидел. Его жена сказала полиции, что он рванул во Флориду, потому что не смог внести очередной взнос за автомобиль, но правда читалась в ее глазах: испуганных, затравленных. Вскоре она переехала в Род-Айленд. Может, боялась, что Ричи придет за ней темной ночью. И я ее не осуждаю.

Теперь Туки смотрел на меня, а я, засовывая крестик под рубаху, на Туки. Никогда в жизни не испытывал я такого страха, никогда раньше так не давил на меня груз прожитых лет.

— Мы не можем оставить их там, Бут, — повторил Туки.

— Да. Я знаю.

Какое-то время мы еще смотрели друг на друга, потом он протянул руку, сжал мне плечо.

— Ты настоящий мужчина, Бут.

Этого хватило, чтобы взбодрить меня. Когда переваливает за семьдесят, начинаешь забывать, что ты мужчина или был им.

Туки подошел к Ламли.

— У меня вездеход «Скаут». Сейчас подгоню его.

— Господи, почему вы молчали об этом раньше?! — Ламли повернулся, пронзил Туки злым взглядом. — Почему потратили десять минут на пустые разговоры?

— Мистер, захлопните пасть, — мягко ответил Туки. — И прежде чем захотите открыть ее вновь, вспомните, кто в буран свернул на нерасчищенную дорогу.

Ламли хотел что-то сказать, потом закрыл рот. Его щеки густо покраснели. А Туки отправился в гараж за «Скаутом». Я же обошел стойку бара и наполнил хромированную фляжку бренди. Решил, что спиртное может нам понадобиться.

Буран в Мэне... доводилось вам попадать в него?

Валит густой снег, скрежещет о борта, словно песок. Дальний свет включать бесполезно: он бьет в глаза, отражаясь от снежных хлопьев, и в десяти футах уже ничего не видно. С ближним светом видимость увеличивается до пятнадцати футов. Но снег еще полбеды. Ветер, вот чего я не любил, его пронзительный вой, в котором слышались ненависть, боль и страх всего мира. Ветер нес смерть, белую смерть, а может, что-то и пострашнее смерти. От этих завываний становилось не по себе даже в теплой постели, с закрытыми ставнями и запертыми дверьми. А уж на дороге они просто сводили с ума. Тем более на дороге в Джерусалемс-Лот.

— Не можете прибавить скорость? — спросил Ламли.

— Вы только что едва не замерзли, — ответил я. — Странно, что вам не терпится вновь шагать на своих двоих.

Теперь злобный взгляд достался мне, но больше он ничего не сказал. Ехали мы со скоростью двадцать пять миль в час. Просто не верилось, что час тому назад Ларриби расчищал этот участок дороги: снега нанесло на два дюйма, и он все падал и падал. Фары выхватывали из темноты только кружащуюся белизну. Ни одной машины нам не встретилось.

Десять минут спустя Ламли крикнул: «Эй! Что это?»

Он тыкал пальцем в окно по моему борту. Я смотрел прямо перед собой. Повернулся, наверное, слишком поздно. Увидел, как что-то бесформенное растворялось в снегу, но, возможно, у меня просто разыгралось воображение.

— Кого вы видели? Лося?

— Наверное. — Голос его дрожал. — Но глаза... Красные глаза! — Он посмотрел на меня. — Так выглядят в ночи глаза лося? — Голос жаждал утвердительного ответа.

— По-всякому выглядят, — отвечаю я, надеясь, что так оно и есть, хотя мне не раз доводилось смотреть на лосей из кабины автомобиля и ночью, но никогда отблеск фар от их глаз не окрашивался красным.

Туки предпочел промолчать.

Пятнадцать минут спустя мы подъехали к месту, где сугроб по правому борту резко убавил в высоте: снегоочистители всегда приподнимали «ножи», проходя перекресток.

— Вроде бы мы повернули здесь. — Голосу Ламли недоставало уверенности. — Правда, указателя я не вижу...

— Здесь, — кивнул Туки. Голос у него изменился до неузнаваемости. — Верхняя часть указателя торчит из снега.

— Да. Конечно. — Ламли облегченно вздохнул. — Послушайте, мистер Тукландер, я хочу извиниться. Я замерз, переволновался, вот и вел себя как последний идиот. И я хочу поблагодарить вас обоих...

— Не благодарите меня и Бута, пока мы не посадим их в эту машину, — оборвал его Туки. Перевел «Скаут» в режим четырехколесного привода и через сугроб свернул на Джойтнер-авеню, которая через Лот выходила на шоссе 295. Снег фонтаном полетел из-под брызговиков. Задние колеса пошли юзом, но Туки водил машину по снегу с незапамятных времен, так что легким движением руля выровнял внедорожник, и мы двинулись дальше. В свете фар то появлялись, то исчезали следы другого автомобиля, проехавшего этой дорогой раньше, — «мерседеса» Ламли. Сам Ламли наклонился вперед, вглядываясь в снежную пелену.

И вот тут Туки заговорил:

— Мистер Ламли.

— Что? — повернулся он к Туки.

— Среди местных жителей ходят всякие истории о Джерусалемс-Лоте. — Голос его звучал спокойно, но морщины стали глубже, а глаза тревожно бегали из стороны в сторону. — Возможно, все это лишь досужие выдумки. Если ваши жена и дочь в кабине, все отлично. Мы их заберем, отвезем ко мне, а завтра, когда буран утихнет, Билли с радостью отбуксирует ваш автомобиль. Но если в кабине их не будет...

— Как это не будет? — резко обрывает его Ламли. — Почему их не будет в кабине?

— Если в кабине их не будет, — продолжает Туки, не отвечая, — мы разворачиваемся, возвращаемся в Фолмаут и извещаем о случившемся шерифа. В такой буран, да еще ночью, искать их бессмысленно, не так ли?

— Мы найдем их в кабине. Где им еще быть?

— И вот что еще, мистер Ламли, — добавил я. — Если мы кого-то увидим, заговаривать с ними нельзя. Даже если они что-то начнут говорить нам. Понимаете?

— Что это за истории? — медленно, чуть ли не по слогам, спрашивает Ламли.

От ответа — одному Богу известно, что я мог ему ответить, — меня спас возглас Туки: «Приехали».

Мы пристроились в затылок большому «мерседесу». Снег толстым слоем лег на багажник и крышу, у левого борта намело большой сугроб. Но светились задние огни, и из выхлопной трубы вырывался дымок.

— Бензина им хватило, — вырвалось у Ламли.

Туки, не выключая двигателя, потянул вверх рукоятку ручного тормоза.

— Помните, что сказал вам Бут, мистер Ламли.

— Конечно, конечно. — Но думал он только о жене и дочке. Едва ли можно его в этом винить.

— Готов, Бут? — повернулся ко мне Туки. Наши взгляды встретились.

— Думаю, что да.

Мы вылезли из кабины, и ветер тут же облапил нас, бросая в лица пригоршни снега. Ламли шел первым, наклонившись вперед, полы его модного пальто раздулись, как паруса. Он отбрасывал две тени: одну — от фар внедорожника Туки, вторую — от задних огней «мерседеса». Я следовал за ним, Туки замыкал нашу маленькую колонну. Когда я поравнялся с задним бампером «мерседеса», Туки придержал меня.

— Обожди!

— Джейни! Френси! — проорал Ламли. — Все в порядке? — Он открыл дверцу у водительского сиденья, сунулся в кабину. — Все...

И замер. Ветер выхватил тяжелую дверцу из его руки, распахнул до предела.

— Святый Боже, Бут, — пробормотал Туки. — Видать, та же история.

Ламли повернулся. На лице недоумение и испуг, глаза круглые. И тут же бросился к нам, поскользнулся, чуть не упал. Пролетел мимо меня, вцепился в Туки.

— Как вы могли это знать? — проревел он. — Где они? Что у вас тут творится?

Туки оторвал его руки, протиснулся к распахнутой дверце. Мы вместе заглянули в салон «мерседеса». Тепло и уютно, но красный индикатор указывал, что бензина осталось на донышке. И никого. Только кукла Барби на коврике у переднего пассажирского сиденья. Да детская лыжная курточка на заднем.

Туки закрыл лицо руками... и исчез. Ламли схватил его и отшвырнул в сугроб. Бледный, с безумным взглядом. Губы его шевелились, но он не мог произнести ни звука. Залез в салон, достал куртку.

— Куртка Френси? — свистящий шепот, и тут же крик. — *Куртка Френси!* — Он повернулся, держа ее перед собой, маленькую курточку с отороченным мехом капюшоном. Посмотрел на меня, сбитый с толку, ничего не понимающий. — Она не могла выйти из машины без куртки, мистер Бут. Почему... почему... она же замерзнет.

— Мистер Ламли...

Он шагнул в снеговерть, с курткой в руке, крича:

— *Френси! Джейни! Где вы? Где вы-ы-ы?*

Я протянул Туки руку, помог подняться.

— Ты в...

— Что я, — отвечает он. — Мы должны удержать его, Бут.

Мы бросились следом за ним, не бросились — поплелись: снега насыпало выше колена. Но он остановился, и мы настигли его.

— Мистер Ламли... — Туки положил руку ему на плечо.

— Туда! — крикнул Ламли. — Они пошли туда. Посмотрите!

Мы посмотрели. Две цепочки следов, больших и маленьких, которые быстро заносил снег. Еще пять минут, и мы не увидели бы их вовсе.

Он двинулся было по следу, наклонив голову, но Туки схватил его за пальто.

— Нет! Ламли, нет!

Обезумевшее лицо Ламли повернулось к Туки, он сжал пальцы в кулак, замахнулся, но что-то в глазах Туки заставило его опустить руку. Он посмотрел на меня, потом взгляд его вернулся к Туки.

— Она замерзнет. — Он словно разговаривал с двумя глупыми мальчишками. — Разве вы этого не понимаете? Она без куртки, и ей всего семь лет...

— Они могут быть где угодно, — ответил Туки. — Нельзя идти по следам. Очередной порыв ветра полностью их занесет.

— Так что вы предлагаете? — истерично выкрикнул Ламли. — Если мы поедем за полицией, они замерзнут! Френси и моя жена!

— Возможно, они уже замерзли. — Туки встретился с Ламли взглядом. — А может, с ними случилось что и похуже.

— О чем вы? — прошептал Ламли. — Выкладывайте, черт побери. Скажите мне!

— Мистер Ламли, — говорит Туки. — Дело в том, что в Лоте...

Но именно я, неожиданно для самого себя, произнес ключевое слово.

— Вампиры, мистер Ламли. В Джерусалемс-Лоте полным-полно вампиров. Я понимаю, осознать это трудно...

Он вытаращился на меня так, словно я позеленел у него на глазах, и прошептал:

— Психи. Вы оба — психи. — Потом отвернулся от нас, сложил руки рупором и завопил: — *ФРЕНСИ! ДЖЕЙНИ!*

Двинулся по следу, полы его пальто стелились по снегу.

Я посмотрел на Туки.

— Что будем делать?

— Пойдем за ним, — говорит он. Снегом волосы прилепило ко лбу, выглядел он таки странно. — Не могу оставить его здесь. А ты?

— Пожалуй что нет.

И мы пошли за ним. Но расстояние между нами все увеличивалось. На его стороне была сила молодости. Он прорубал снег, словно грейдер. А тут дал себя знать мой артрит, и я уже посматривал на ноги, умоляя их: еще немного, пожалуйста, продержитесь еще немного...

Я ткнулся в спину Туки. Он стоял, широко расставив ноги, голову опустил, руки прижал к груди.

— Туки, — говорю, — с тобой все в порядке?

— Все нормально, — ответил он, опуская руки. — Нам бы не упустить его из виду, Бут. Скоро он выдохнется и начнет лучше соображать.

Мы добрались до вершины взгорка и внизу увидели Ламли, оглядывавшегося в поисках следов. Бедняга, шансов найти их у него не было. Там, где он стоял, ветер дул так сильно, что заметал любую впадину через три минуты.

Ламли поднял голову и прокричал в ночь:

— *ФРЕНСИ! ДЖЕЙНИ! РАДИ БОГА, ОТЗОВИТЕСЬ!*

В голосе слышались отчаяние, ужас, боль. Но ответил ему лишь рев ветра. Ветер словно смеялся над ним, говоря: *Я забрал их, мистер Нью-Джерси, а вы оставайтесь с дорогой машиной и пальто из кашемира. Я забрал их и занес их следы, а к утру они будут у меня, что две клубнички в морозилке...*

— Ламли! — завопил Туки, перекрывая вой ветра. — Не хотите верить в вампиров — не надо! Но так вы им ничем не поможете. Мы должны...

Но внезапно Ламли ответили, из темноты донесся голосок, зазвеневший, как серебряные колокольчики, и внутри у меня все похолодело.

— *Джерри... Джерри, это ты?*

Ламли развернулся на голос. И тут появилась *она*, выплыла из тени маленькой рощи, как привидение. Мало того что городская, да к тому же еще самая прекрасная из виденных мною женщин. Так мне хотелось подойти к ней и выразить свою радость: как не радоваться, если она жива и здорова. Одета она была в зеленый пуловер и накидку без рукавов — вроде бы такие называют пончо. Накидка колыхалась, черные волосы струились на ветру, как вода в ручье в декабре, перед тем как мороз скует ее льдом.

Может, я даже шагнул к ней, потому что почувствовал руку Туки на своем плече, грубую и горячую. И все же (как я могу такое говорить?) я *возжелал* ее, такую черноволосую и прекрасную, в зеленом пончо, колышущемся у шеи и плеч, экзотическую и странную, навевающую мысли о прекрасной незнакомке из стихотворения Уолтера де ла Мэра.

— Джейни! — закричал Ламли. — *Джейни!*

И через снег поспешил к ней, вытянув руки.

— Нет! — попытался остановить его Туки. — Ламли, *нельзя!*

Он даже не оглянулся... а она посмотрела на нас. Посмотрела и усмехнулась. И от ее усмешки моя страсть, мое вожделение вспыхнули синим пламенем, обратившись в черные угли, серую золу. От нее веяло могильным холодом, белыми костями, завернутыми в саван. Даже с такого расстояния мы видели красный блеск ее глаз. Скорее волчьих, чем человечьих. А при ухмылке обнажились и неестественно длинные зубы. Мы видели перед собой не человеческое существо. Мертвеца, каким-то образом ожившего в этом жутком воющем буране.

Туки перекрестил ее. Она отпрянула... а потом вновь ухмыльнулась. Мы находились слишком далеко и, наверное, перетрусили.

— Надо его остановить! — прошептал я. — Мы можем его остановить?

— Слишком поздно, Бут! — мрачно ответил Туки.

Ламли уже добрался до нее. Вывалявшись в снегу, он сам напоминал скорее призрака, чем человека. Он потянулся к ней... и тут начал кричать. Я еще услышу этот крик в своих кошмарах: взрослый человек кричал, как ребенок, которому приснился страшный сон. Он попытался отпрянуть, но ее руки, длинные, обнаженные, белые как снег, выпростались вперед и потянули его к ней. Я видел, как она склонила голову набок, а потом наклонилась к нему...

— Бут! — прохрипел Туки. — Надо сматываться!

И мы побежали. Побежали, как крысы. Кто-то, наверное, так и скажет, из тех, кого не было там в ту ночь. Мы помчались по нашим следам, падая, поднимаясь, поскальзываясь, взмахивая руками, чтобы удержаться на ногах. Я поминутно оглядывался, дабы убедиться, что за нами не гонится эта женщина, с ухмылкой во весь рот и красным блеском глаз.

У самого «Скаута» Туки согнулся пополам, схватился за грудь.

— Туки! — перепугался я. — Что...

— Мотор, — прошептал он. — Барахлит последние пять лет. Посади меня на пассажирское сиденье, Бут, и мотаем отсюда.

Я подхватил его под руку, помог обойти внедорожник, каким-то образом усадил в кабину. Он откинулся на спинку, закрыл глаза. Кожа его пожелтела, стала восковой.

Я обежал «Скаут» спереди и чуть не сшиб с ног маленькую девочку. Она стояла у дверцы: волосы забраны в два хвостика, из одежды — желтое платьице.

— Мистер, — голос ясный, чистый, сладкий, как утренний туман, — вы не могли бы помочь мне найти маму? Она ушла, а мне так холодно...

— Милая, тебе лучше залезть в кабину. Твоя мама...

Я замолчал на полуслове — если когда в жизни я и мог сойти с ума, так именно в тот самый момент. Потому что стояла она, видите ли, не в, а *на* снегу, не оставляя следов.

И, вскинув головку, смотрела на меня. Френси, дочь Ламли. Семи лет от роду, и семилетней ей предстояло оставаться в бесконечной череде ночей. Ее личико отливало трупной бледностью, а глаза светились красным. Под подбородком девочки я увидел две маленькие ранки, словно от укола иглой, но с искромсанной по краям кожей.

Она протянула ко мне ручки и улыбнулась.

— Поднимите меня, мистер, — прощебетала она. — Я хочу вас поцеловать. Тогда вы сможете отвести меня к моей мамочке.

Не хотел я ее целовать, но ничего не мог с собой поделать. Уже наклонялся вперед, вытягивал руки. Видел, как открывается ее рот, видел маленькие клыки за розовыми губками. Что-то поползло у нее по подбородку, блестящее и серебристое, и в ужасе я осознал, что она пускает слюни.

Ее маленькие ручки сомкнулись на моей шее, и я уже думал: может, все не так страшно, не так страшно... когда что-то черное и тяжелое вылетело из окна «Скаута» и ударило ей в грудь. Взвился клуб странно пахнущего дыма, что-то блеснуло, а потом, шипя, она отпрянула. Личико перекосило гримасой ярости, ненависти, боли. Она повернулась ко мне боком... и пропала. Только что стояла передо мной, а мгновение спустя превратилась в снежный вихрь, формой отдаленно напоминающий детскую фигурку. И тут же ветер закрутил его и унес в поле.

— Бут! — прошептал Туки. — Садись за руль, скорее!

Я сел за руль, но лишь после того, как наклонился и поднял то, чем он швырнул в эту девчушку из ада. Библию его матери.

Случилось это довольно-таки давно. Я совсем старик, но и тогда был не первой молодости. Херб Туклäндер скончался два года назад. Умер легко, во сне. Бар работает, его купили мужчина и женщина из Уотервилла, милые люди, они стараются ничего там не менять. Но я хожу туда редко. Без Туки мне неуютно.

И в Лоте все как и прежде. На следующее утро шериф нашел автомобиль Ламли. Без капли бензина, с севшим аккумулятором. Ни Туки, ни я ничего ему не рассказали. Зачем? Время от времени какой-нибудь автостопщик или турист пропадают в этих краях, в окрестностях Школьного холма и кладбища на холме Гармонии. Потом находят рюкзак или книгу в бумажной обложке, или что-то еще, но тела — никогда.

Мне все еще снится та буранная ночь, когда мы поехали в Джерусалемс-Лот. Не столько женщина, как маленькая девочка, ее улыбка в тот самый момент, когда она тянула ко мне ручки, чтобы я мог поднять ее, а она — поцеловать меня. Но я глубокий старик, и время мое на исходе, а со мной уйдут и сны.

Возможно, и вам доведется путешествовать по Южному Мэну. Прекрасные места. Может, вы даже заглянете в «Тукис бар», чтобы пропустить рюмочку-другую. Хороший бар. И название новые владельцы сохранили. Выпить — выпейте, а потом последуйте моему совету и поезжайте дальше на север. И ни в коем случае не сворачивайте к Джерусалемс-Лоту.

Особенно с наступлением темноты.

Где-то там маленькая девочка. И я думаю, она все еще хочет кого-то поцеловать.

# СОДЕРЖАНИЕ

Литературно-художественное издание

Кинг Стивен

Ночная смена

Редактор Е. М. Кострова
Художественный редактор О. Н. Адаскина
Компьютерный дизайн И. А. Герцев
Технический редактор Н. Н. Хотулева

Подписано в печать 10.08.99.
Формат 84×108 1/32. Печать высокая.
Усл. печ. л. 24,36. Тираж 5000 экз. Заказ № 3597.

Гигиенический сертификат
№ 77.ЦС.01.952.П.01659.Т.98. от 01.09.98 г.

Налоговая льгота – общероссийский
классификатор продукции ОК-00-93, том 2;
953000 – книги, брошюры

ООО «Фирма «Издательство АСТ»
ЛР №066236 от 22.12.98.
366720, РФ, РИ,
г.Назрань, ул.Московская, 13а
Наши электронные адреса:
WWW.AST.RU
E-mail: astpub@aha.ru

Отпечатано с готовых диапозитивов
на Книжной фабрике № 1 Госкомпечати России.
144003, г. Электросталь Московской обл., ул. Тевосяна, 25.